2024年度ネット試験&第168回試験（
重要論点はこれだ!!

JN001528

	第1回	第2回	第3回	第4回
第1問	仕訳	仕訳	仕訳	仕訳
第2問	株主資本等変動計算書	連結精算表	個別論点（有価証券）	連結財務諸表
第3問	決算整理後残高試算表	貸借対照表	損益計算書	本支店会計
第4問 (1)	仕訳	仕訳	仕訳	仕訳
第4問 (2)	費目別計算（製造原価報告書）	個別原価計算	組別総合原価計算	部門別原価計算
第5問	全部と直接CVP分析	工程別総合原価計算	標準原価計算	直接原価計算CVP分析

ネット試験と統一試験の
試験概要と受験の流れを把握しよう

試験方式	**ネット試験方式** 商工会議所が認定した全国の「テストセンター」で実施（自宅での受験は不可）	**統一試験（ペーパー試験方式）** 試験会場で受験
試験日	**随時**（テストセンターが定める日時。統一試験前後10日間他、休止期間あり。）	**年3回** 6月（第2日曜日）、11月（第3日曜日）、2月（第4日曜日）
試験時間	**90分**	
試験範囲	**共通**（出題区分表による）	
受験料	**5,500円**	
申込方法	「テストセンター」の全国統一申込サイトから、受験希望日時、受験希望会場、受験者情報等を入力し、クレジットカード、コンビニ払いなどにより受験料および事務手数料を決済	試験の約2か月前から開始 申込期間は各商工会議所によって異なる 実施のない商工会議所はネット試験で受験を！
受験の流れ	① 申込みをした試験日時、会場で受験 ② 受験者ごとに異なる試験問題がインターネットを介して受験者のパソコンに配信され、受験者はパソコン上で解答を入力（計算用紙は配布されるが、試験終了後に回収される）	①指定された受験会場で受験 ②問題用紙・答案用紙・計算用紙が配布され、答案用紙に解答を記入。試験終了後、問題用紙・答案用紙・計算用紙は回収される
合格発表	① 試験終了後、試験システムにより自動採点し、合否を判定 ② 合格者にはデジタル合格証を即日交付	①試験日の約2週間から1か月後に合否を発表 ②紙の合格証書を交付

あなたは、「ネット試験」

年3回の統一試験、各自の学習の進捗状況で試験日を設定できるネット試験。あなたは、「ネット試験」「統一試験」のどっ

第 1 問 仕訳問題

日商簿記2級　試験

第1問

下記の各取引について仕訳しなさい。ただし、勘定科目は、プルダウンの中から最も適当と思われるものを選び、選択すること。

決算を行い、納付すべき消費税と法人税等（法人税、住民税及び事業税）の額を算定した。消費税の記帳は税抜方式により行っており、本年度の仮払分は￥1,088,000、仮受分は￥1,480,000であった。法人税等について、税引前当期純利益より￥900,000を確定税額として算定したが、中間納付額として￥453,600を支払っており、仮払法人税等勘定で処理している。

借方科目	金額	貸方科目	金額
▼		▼	
▼		▼	
▼		▼	
▼		▼	

株主総会が開催され、繰越利益剰余金を財源として1株につき￥240の配当を実施することが可決された。株主総会開催直前の純資産は、資本金￥4,000,000、資本準備金￥752,000、利益準備金￥132,000、別途積立金￥240,000、繰越利益剰余金￥1,848,800であった。当社の発行済株式総数は5,000株である。なお、会社法に定める金額の利益準備金および別途積立金￥200,000を積み立てる

❶ 数字の入力に際してはテンキーで行う。桁区切りの「,」については、自動入力されるので、入力不要。

❷ 仕訳の勘定科目はプルダウン形式で選択。確定する前にスクロールしてしまうと、解答が変わってしまうので必ず確定させること。

第 3 問 決算問題

日商簿記2級　試験問題

第3問

次に示した兵庫商事株式会社（会計期間は×4年4月1日から×5年3月31日までの1年間）の［資料Ⅰ］および［資料Ⅱ］にもとづいて、解答欄の貸借対照表を完成しなさい。

［資料Ⅰ］決算整理前残高試算表
残高試算表
×5年3月31日
（単位：円）

借方	勘定科目	貸方
2,712,000	現金	
4,168,000	当座預金	
2,096,000	受取手形	
2,584,000	売掛金	
	貸倒引当金	64,000
960,000	繰越商品	
400,000	仮払法人税等	
14,400,000	建物	
	建物減価償却累計額	2,832,000
4,608,000	備品	
	備品減価償却累計額	1,944,000
1,800,000	リース資産	
320,000	ソフトウェア	
2,400,000	定期預金	
600,000	繰延税金資産	
	支払手形	3,056,000
	買掛金	2,784,000
	未払金	440,000
	未払費用	48,000
	リース債務	1,200,000
	資本金	20,000,000

［資料Ⅱ］決算整理事項等
1. 銀行残高証明書残高との不一致の原因を調査したところ、当座預金について次の事実が判明した。
   (1) 売掛金￥200,000の振り込みが未記帳であった。
   (2) 買掛金￥192,000の支払いのために振り出した小切手が銀行に未呈示であった。
   (3) 広告宣伝費￥120,000の支払いのために振り出した小切手が記帳のみ行い未渡しとなっていた。
2. 定期預金は、当期の8月1日に期間3年、利率年0.5%、利息は満期日に受け取る条件で預け入れたものである。利息を月割計算により計上する。
3. 受取手形および売掛金の期末残高に対して、2%の貸倒引当金を差額補充法により設定する。ただし、受取手形のうち￥280,000が甲社に対するものであり、貸倒れの危険性が高いため、個別に債権金額の50%の貸倒引当を見積もる。
4. 商品の期末棚卸高は次のとおりである。
   帳簿棚卸高：数量560個、
   　　　　　　帳簿価額（原価）＠￥2,400
   実地棚卸高：数量550個、
   　　　　　　正味売却価額（時価）

貸借対照表
×5年3月31日
（単位：円）

資産の部 / 負債の部

Ⅰ 流動資産		Ⅰ 流動負債	
1 現金預金		1 支払手形	
2 受取手形		2 買掛金	
3 売掛金		3 未払金	
貸倒引当金 △		4 リース債務	
4 商品		5 未払法人税等	
5			
6 前払費用		流動負債合計	
		Ⅱ 固定負債	
流動資産合計		1 長期リース債務	
Ⅱ 固定資産		固定負債合計	
1 建物	14,400,000	負債合計	
減価償却累計額 △			
		純資産の部	
2 備品	4,608,000		
減価償却累計額 △		Ⅰ 株主資本	
3 リース資産			

❸ 表示科目等の入力については、プルダウン形式で選択するものと、直接入力するものとがある。テストセンターのPCはデフォルトでは英数字入力になっているので、直接入力の場合には、PCの設定を日本語入力に変更してから入力する。

最新情報は右記サイトで確認！

ネット試験について、新しい情報が得られれば、右記「TAC出版　日商簿記書籍　読者様徹底サポート特設ページ」にて公開していきますので、ご利用ください。
また、公式情報につきましては、**日本商工会議所の検定試験情報ページ**もあわせてご確認ください。

TAC出版

https://bookstore.tac-school.
co.jp/pages/add/lp/boki_kaite

[TAC出版] [検索]

「統一試験」どっち派?

ち派? いずれも出題範囲は同じで、学習方法は変わりませんが、それぞれの特徴を確認してみましょう。

第1問 仕訳問題

下記の各取引について仕訳しなさい。ただし、勘定科目は、設問ごとに最も適当と思われ　　　を選び、答案用紙の（　）の中に記号で解答すること。

1. 当期に当社は長期利殖目的で保有していた東京産業の株式80株を1株あたり¥1,600で売却し、対価は現金で受け取った。この株式は前期に160株を1株あたり¥1,000で取得したものであり、前期末の時価は1株あたり¥1,40　　で
あったため、全部純資産直入法により時価評価を行い、その他有価証券評価差額金¥44,800およ　　繰延税金負債¥19,200を計上している。なお、法人税の実効税率は30%である。

　ア．現金　　　　　　イ．その他有価証券　　　ウ．繰延税金資産　　　エ．繰延税金負債
　オ．その他有価証券評価差額金　　　　　カ．その他有価証券売却益

2. 店舗用建物の建設工事を群馬建設株式会社に依
45%相当額を小切手を振り出して支払った。建築

① 設問ごとに示された勘定科目を選び、記号で解答。記号を書き間違えないように注意。

	借　方		貸　方	
	記　号	金　額	記　号	金　額
1	（　　）		（　　）	
	（　　）		（　　）	
	（　　）		（　　）	
	（　　）		（　　）	
	（　　）		（　　）	

第3問 決算問題

次に示した［資料Ⅰ］、［資料Ⅱ］および［資料Ⅲ］にもとづいて、答案用紙の貸借対照表を完成しなさい。なお、会計期間は×3年4月1日から×4年3月31日までの1年間である。

② 余白を利用して、メモを残すことができ、集計する際の時間短縮につながる。

［資料Ⅰ］決算整理前残高試算表

決算整理前残高試算表
×4年3月31日　（単位：円）

借　方	勘定科目	貸　方
3,449,830	現　　　　金	
2,550,000	当　座　預　金	
4,526,000	受　取　手　形	
3,354,000	電子記録債権	
7,820,000	売　　掛　　金	
4,180,000	仮　払　消　費　税	
7,562,000	売買目的有価証券	
1,320,000	繰　越　商　品	
	貸　倒　引　当　金	181,000

［資料Ⅱ］未処理事項
1. 電子記録債務¥950,000について、当座預金口座より支払っていたが未処理であった。
2. 保有する売買目的有価証券の半分を¥4,200,000で売却した。代金は証券会社に対する手数料¥65,000を差し引かれた上で当座預金口座に振り込まれたが未処理である。なお、有価証券売却損益と手数料を相殺せずに計上すること。

［資料Ⅲ］決算整理事項
1. 売上債権の期末残高に対して2%の貸倒れを見積もり、差額補充法により貸倒引当金を設定する。なお、貸倒引当金繰入額のうち¥119,700は税法上損金に算入することが認めら

　　　　　　　　　　　　　　表
（単位：円）

資　産　の　部			負　債　の　部		
Ⅰ 流　動　資　産			Ⅰ 流　動　負　債		
1 現　金　預　金		（　　）	1 支　払　手　形		（　　）
2 受　取　手　形	（　　）		2 電子記録債務		（　　）
3 電子記録債権	（　　）		3 買　掛　金		（　　）
4 売　掛　金	（　　）		4 未払消費税		（　　）

パソコン操作が得意ではない人、スケジュール管理が難しい人におすすめ。

＼「あてる」で合格る！／
本書の必勝活用術

これだけやれば、絶対うかる！
次ページから詳しく解説！

STEP 1 本試験までの合格スケジュールを作成！

読者特典❶

「合格カレンダー」を参考に
自分のスケジュールを作り、実行

STEP 2 本試験に必要な重要論点を確認！

本書の第1部に収載している
「解き方テキスト」を使用して、
論点を総確認！

STEP 3 時間を計って自力で問題を解く！

「問題・答案用紙」
を本書からとり外す

時間を計って
問題を解く

読者特典❷
ネット試験を
受けるなら
模擬試験プログラム
にアクセスして、
ネット試験
形式で解く

解答用紙
DOWNLOAD
何回でも
OK！

2級の制限時間は
90分

第1回から第4回までの4回分、
本試験に沿った問題形式で"本番さながら"の演習が可能！

ネット試験・統一試験問わず、机の上の限られたスペースをどう使うか、といったことも、試験当日に焦らないための意外と重要な試験対策。試験を模擬体験する気持ちで解いてみましょう。

STEP 4 答えあわせをして、今の実力をチェック！

「解答・解答への道」
を見て、答えあわせ

読者特典❸
「繰り返しシート」
に点数・時間を記録

2級の合格基準は
70点以上

答えあわせをしたら、解答に付いている Ⓐ Ⓑ マークそれぞれがどのくらい合っていたかをチェックしましょう。

Ⓐ 絶対に落としてはいけない　全てできると70点確保
Ⓑ できれば落としたくない

繰り返し学習が合格のカギ！ 最低3回は繰り返そう！

STEP 5 復習すべき論点がわかったら、弱点を集中特訓！

第1部
「解き方テキスト」
で論点の
ポイントを把握

読者特典❹

重要論点の
「解き方レクチャー」
で論点を確実に理解

読者特典❺

仕訳Webアプリ
「受かる！仕訳猛特訓」
で予想仕訳を極める

本書の必勝活用術 STEP 1
本試験までの合格スケジュールを作成!

読者特典❶
合格カレンダー
10ページ▶

短期合格に欠かせないスケジュールの作成と実行は「合格カレンダー」におまかせ!

　現在、自分がどの位置にいて、合格というゴールまでにあとどれくらい走らなくてはならないのか、きっちりと把握・管理することは短期合格のためには欠かせない重要な学習習慣といえます。特にネット試験を受験される方は、いつ合格したいか受験日をまず決めて、その日に向かってスケジュールを作成してください。本書掲載の合格スケジュールを参考に、直前期の学習を実りあるものにしましょう。

▼ 合格カレンダーの使い方

復習 解けなかった人	本書第1部「解き方テキスト」やお手元のテキストで復習しよう!

	ネット試験受験の方は、具体的な日付を(/)に記入して実行しよう!

	P10の合格スケジュールを参考に、自分でもスケジュールを作ってみよう!

10/21 (/)	22 (/)	23 (/)	24 (/)	25 (/)	26 (/)	27 (/)
1・2週目 第1回 を解く	第2・3問の復習 解けなかった人 第1部	第4・5問の復習 解けなかった人 第1部	終わらなかった復習を終わらせる	第1回を解き直す&復習	第2回 を解く	第2・3問の復習 解けなかった人 第1部

4週間で合格へ!! 短期合格プロジェクト

月 Monday	火 Tuesday	水 Wednesday	木 Thursday	金 Friday	土 Saturday	日 Sunday
10/21 (/)	22 (/)	23 (/)	24 (/)	25 (/)	26 (/)	27 (/)
1・2週目 第1回 を解く	第2・3問の復習 解けなかった人 第1部	第4・5問の復習 解けなかった人 第1部	終わらなかった復習を終わらせる	第1回を解き直す復習	第2回 を解く	第2・3問の復習 解けなかった人 第1部
28 (/)	29 (/)	30 (/)	31 (/)	11/1 (/)	2 (/)	3 (/)
第4・5問の復習 解けなかった人 第1部	終わらなかった復習を終わらせる	第2回 を解き直す復習	第3回 を解く	第2・3問の復習 解けなかった人 第1部	第4・5問の復習 解けなかった人 第1部	終わらなかった復習を終わらせる
4 (/)	5 (/)	6 (/)	7 (/)	8 (/)	9 (/)	10 (/)

▶ 「合格カレンダー」はダウンロードもできます（⇒ P9）。

本書の必勝活用術 STEP 2
本試験に必要な重要論点を確認!

▼ 解き方テキストの使い方

第1問の概要
第1問では、5問の仕訳問題が必ず出題されます。仕訳問題では、問題ごとに与えられる勘定科目（8個→10個の選択肢）から適切なものを選び、記号で解答します。記号のミスで間違えてしまうのはもったいないので、答案用紙に記入する際は、正しい記号が確認するようにしましょう。

		スッキリわかる	簿記の教科書 簿記の問題集	合格テキスト 合格トレーニング	学習のポイント
商品売買	売上原価対立法 返品・割戻・諸掛り	第4章	CHAPTER05	テーマ02	返品・仕入割戻は逆仕訳。
現金および預金		第6章	CHAPTER07	テーマ03	当座預金が増えたのか減ったのかに注目。
債権債務	手形	第5章	CHAPTER06	テーマ04	割引や取引分などをどのように処理するか注意すること。
	クレジット売掛金	第4章	CHAPTER05		クレジットカードを使った掛代上で使用。
	電子記録債権・債務	第5章	CHAPTER06		電子記録債権・債務勘定を使って仕訳。
有価証券	購入			テーマ05	有価証券利息は日割計算。
	売却	第10章	CHAPTER11		保有目的別に有価証券を分類して評価。
	評価				
	購入（割賦購入）				
	減価償却				

概要：該当問題の出題論点・ポイントをまとめています。
学習方法：効率的に学習するポイントをまとめています。
試験中の進め方：試験中の戦略をまとめています。

まずは、第1部に収載している「解き方テキスト」で論点の確認をしよう!

　2級の出題形式は、第1問から第5問までの5問構成で、100点満点中70点以上で合格となります。第1部に収載している「解き方テキスト」編を使用して、「概要→学習方法→試験中の進め方」の流れで出題の傾向や論点を確認しましょう。

03　商品売買

1.商品売買取引の記帳方法

複数存在する商品売買取引の処理方法のうち、ここでは、三分法と売上原価対立法についてみていきます。

	三分法	売上原価対立法
	仕入（費用）、売上（収益）、繰越商品（資産）の3つの勘定を用いて処理する方法。	商品（資産）、売上（収益）、売上原価（費用）の3つの勘定を用いて、商品を仕入れたときは商品勘定に記入し、商品を売り上げたときに売上勘定に記入するとともにその原価を売上原価勘定に記入する方法。

	三分法	売上原価対立法
購入	仕訳なし	仕訳なし
仕入時	（仕 入）×× （買 掛 金）××	（商 品）×× （買 掛 金）××

論点ごとに重要ポイントをまとめていますので、効率的に論点の確認ができます。

時間を計って自力で問題を解く!

解いて解いて覚えちゃうまで解きまくろう!

まずは時間を計って、問題を解いてみましょう。2級の制限時間は90分です。本番だと思って解いてみましょう。

また、問題は一度解いたら終わりではありません。ほとんどの合格者が実践しているのが、繰り返し学習法です。これは、問題集を2回3回と繰り返し解くことで、知識を定着させ、解く手順を身につけていく学習法です。本書には、解答用紙ダウンロードサービスがついていますので、何度もダウンロードして、繰り返し、問題を解くようにしてください。

問題用紙
答案用紙

「問題・答案用紙」
の取り外し動画

別冊の「問題・答案用紙」の取り外し方についての、解説動画もついています。

9ページ

本試験そっくり!
予想問題
4回分収載

何回でもOK!
解答用紙
ダウンロード
サービス付き

受験番号
氏名
生年月日 ． ．

（無断転載を禁ず）

2級
日商簿記検定試験対策

2024年度試験をあてる　TAC予想模試
（2024年9〜12月試験対応）

問題・答案用紙

（制限時間　90分）

第1回

TAC簿記検定講座

受験者への注意事項
1. 答えは、指示に従い定められたところに、誤字・脱字のないよう、ていねいに書いてください。
2. 答案の記入にあたっては、黒鉛筆または黒シャープペンシルを使用してください。
3. 問題および答案用紙の余白は計算用紙として使用できますが、解答欄にかからないように注意してください。
4. 仕訳問題を解答する際の注意事項
　　仕訳問題の解答にあたっては、勘定科目の使用は、借方・貸方の中でそれぞれ1回ずつとしてください（各設問で、同じ勘定科目を借方・貸方の中で2回以上使用すると、不正解となります）。

（例）（仕　入）　10,000（現　金）　2,000
　　　　　　　　　　　　（買掛金）　8,000

ア. 現金　イ. 買掛金　ウ. 仕入

読者特典❷

ネット試験用
模擬試験プログラム

ネット
試験用の
プログラム
5回分付き

日商簿記2級　試験問題

第1問
　下記の各取引について仕訳しなさい。ただし、勘定科目は、プルダウンの中から最も適当と思われるものを選び、選択すること。

決算を行い、納付すべき消費税と法人税等（法人税、住民税及び事業税）の額を算定した。消費税の記帳は税抜方式により行っており、本年度の仮払分は¥1,088,000、仮受分は¥1,480,000であった。法人税等について、税引前当期純利益より¥900,000を確定税額として算定したが、中間納付額として¥453,600を支払っており、仮払法人税等勘定で処理している。

借方科目	金額	貸方科目	金額
1			

株主総会が開催され、繰越利益剰余金を財源として1株につき¥240の配当を実施することが可決された。株主総会開催直前の純資産は、資本金¥4,000,000、資本準備金¥752,000、利益準備金¥132,000、別途積立金¥240,000、繰越利益剰余金¥1,848,800であった。当社の発行済株式総数は5,000株である。なお、会社法に定める金額の利益準備金および別途積立金¥200,000を積み立てる。

借方科目	金額	貸方科目	金額
2			

　ネット試験を受験される方は、本書付属の模擬試験プログラムを活用して、本番さながらの演習をしてみてください。

（サービス内容）
本サービスの問題は、本書とは異なる5回分を収載しております。
また、本サービスの提供期間は、本書の改訂版刊行月の末日までです。
（免責事項／模擬試験プログラム・仕訳Webアプリ共通）
(1)　本アプリの利用にあたり、当社の故意または重大な過失によるもの以外で生じた損害、及び第三者から利用者に対してなされた損害賠償請求末に基づく損害については一切の責任を負いません。
(2)　利用者が使用する対応端末は、利用者の費用と責任において準備するものとし、当社は、通信環境の不備等による本アプリの使用障害については、一切サポートを行いません。
(3)　当社は、本アプリの正確性、健全性、適用性、有用性、動作保証、対応端末への適合性、その他一切の事項について保証しません。
(4)　各種本試験の申込、試験申込期間などは、必ず利用者自身で確認するものとし、いかなる損害が発生した場合であっても当社では一切の責任を負いません。
（推奨デバイス）PC・タブレット
（推奨ブラウザ）Microsoft Edge 最新版／
　　　　　　　　Google Chrome 最新版／ Safari 最新版

詳細は、下記 URL にてご確認ください。
https://program.tac-school.co.jp/login/2

答えあわせをして、今の実力をチェック！

▎解き終わったらすぐ答えあわせ！復習すべき論点を把握しよう！

答えあわせは、単に数字合わせの作業にするのではなく、なぜ間違えたのかを検証し、Ⓐ・Ⓑランクの論点をどのくらい取れていたかをチェックし、復習すべき論点を把握しましょう。

解答への道

現役講師によるわかりやすく丁寧な解説をつけているので、正解できなかった問題も、きちんと克服できます。解答のポイントとなる「ここ重要！」など、充実した内容となっています！

合格るタイムライン

本試験は時間との闘いでもあります。捨てるべき問題は捨て、取るべき問題は確実に得点しなくてはなりません。合格点を取るにはどのような時間配分で、どのような順序で解いていくのか、合格るタイムラインで確認しましょう。

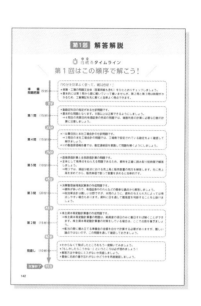

▎繰り返しシートを使用し、弱点集中特訓に役立てよう！

「繰り返しシート」に点数・時間を記録し、徐々に点数があがり、最後には合格点を取れるようになったか、時間内に解き終えるようになったか、確認してください。

読者特典❸

繰り返しシート
11ページ ▶

▼ 繰り返しシートの使い方

日付と解答時間を書き込みます。制限時間と比べてみましょう。

点数もきっちりチェックします。本試験の合格点は70点です。

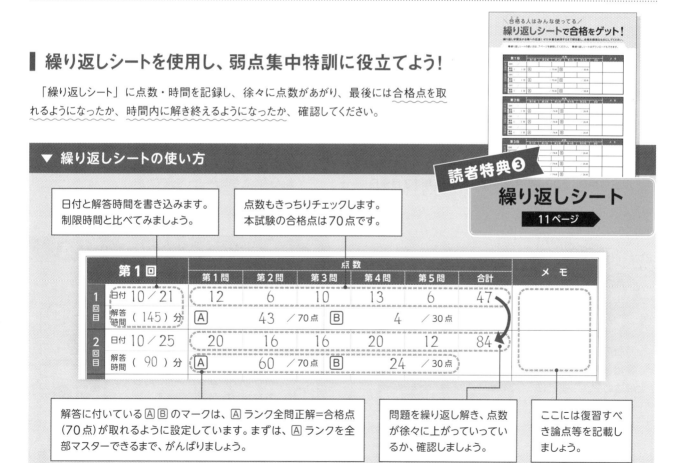

解答に付いているⒶⒷのマークは、Ⓐランク全問正解＝合格点（70点）が取れるように設定しています。まずは、Ⓐランクを全部マスターできるまで、がんばりましょう。

問題を繰り返し解き、点数が徐々に上がっていっているか、確認しましょう。

ここには復習すべき論点等を記載しましょう。

▶「繰り返しシート」はダウンロードもできます 9ページ ▶

本書の
必勝活用術
STEP 5

復習すべき論点がわかったら、弱点を集中特訓!

第1部
「解き方テキスト」編で論点のポイントを把握する

復習すべき論点がわかったら、第1部「解き方テキスト」編の各問対策に示している概要（2・24・65・92・105ページ）を使って、論点のポイントを把握するとともに、お手元の問題集や予想問題集などで、該当論点の復習をしましょう。

TACの問題集にはすべて解答用紙ダウンロードサービスがついていますので、繰り返し演習して、解答の精度とスピードを高めていきましょう。

第1問の概要

第1問では、5問の仕訳問題が必ず出題されます。仕訳問題では、問題ごとに与えられる勘定科目（8個～10個の選択肢）から適切なものを選び、記号で解答します。記号のミスで間違えてしまうのはもったいないので、答案用紙に記入する際は、記号が正しいか必ず確認しましょう。

		スッキリわかる 簿記の教科書	簿記の問題集	合格テキスト 合格トレーニング	学習のポイント
商品売買	売上原価対立法	第4章	CHAPTER05	テーマ02	返品・仕入割戻は逆仕訳。
	返品・割戻・諸掛り				
現金および預金		第6章	CHAPTER07	テーマ03	現金預金が増えたのか減ったのかに注目。
債権・債務	手形	第5章	CHAPTER06	テーマ04	割引では割引分をどのように処理するか注意する。
	クレジット売掛金	第4章	CHAPTER05		クレジットカードを使った掛売上で使用。
	電子記録債権・債務	第5章	CHAPTER06		電子記録債権・債務勘定を使って仕訳。
有価証券	購入	第10章	CHAPTER11	テーマ05	有価証券利息は日割計算。
	売却				
	評価				保有目的別に有価証券を分類して評価。
有形固定資産	購入（割賦購入）	第7章	CHAPTER08	テーマ06,07	期首から取引日までの減価償却費の計算を忘れずに！
	減価償却				
	売却				
	買換				
	除却				
	建設仮勘定				
	改良と修繕				
	未決算勘定				
	圧縮記帳				

読者特典❹

「解き方レクチャー」
全問解説

●配信期間：2024年9月中旬～2024年12月末日

「解き方レクチャー」全問解説を見て、弱点を克服しよう!

「あてる」では、本書掲載の問題すべてを解説した動画「解き方レクチャー」を無料配信!

問題を解き、答えあわせが終わったら、「解き方レクチャー」を見て、弱点を克服しましょう。どうやって解けば、学んだ知識を生かせるかがきっとわかるはず。

「解き方レクチャー」では、本試験を解ききるために必要な要素はもちろん、重要論点や応用的な出題の考えられる論点についても特に詳しく解説します。本質的な理解を求められる今の試験対策には欠かせない内容満載! ぜひこの動画を最大限活用してみなさんの弱点を払拭し、不安なく本試験に立ち向かっていってください!

あわせてチェック!

動画 ネット試験の解き方を見てみよう

ネット試験の画面と下書用紙を使いながら、ネット試験の問題の効率的な解法をTAC講師が実践講義します。下書用紙をどのように使いながら解答をしていくのか、また、解答の記入・選択において注意する点はどこなのかなど、この動画を通じてネット試験特有の注意点を把握してください。

▼ 「解き方レクチャー」全問解説の使い方

●効率良く学習できるよう、次のように動画を活用してみてください。

1 「解き方レクチャー」を見る前に自力で問題を解く!

2 解き方がわからず、手も足もでなかった問題に関する「解き方レクチャー」を視聴する!

3 「解き方レクチャー」の解説を意識して、もう一度問題を解く!

仕訳問題は、覚えていないとはじまらない！仕訳Webアプリ「受かる！仕訳猛特訓」で予想仕訳を極める！

仕訳Webアプリ「受かる！仕訳猛特訓」

〈サービス内容〉
本サービスの提供期間は、本書の改訂版刊行月の末日までです。
〈免責事項〉
免責事項につきましては、前付け6ページをご参照ください。
ただし、推奨デバイスは、PC・タブレット・スマートフォンになります。

簿記は仕訳に始まり、仕訳に終わるといわれます。何はともあれ、仕訳を暗記していないと、簿記検定試験においては、何の勝負にもならないのです。このような暗記が必須の仕訳については、本書の付録「仕訳Webアプリ 受かる！仕訳猛特訓」を活用して、通勤・通学時間や、お昼休みなどのスキマ時間にササッと覚えてしまいましょう。

9ページに記載のパスワードの入力でご利用いただけます。

出る予想仕訳を、論点ごとに練習できる「ジャンルで仕訳」と、総当たりで練習できる「とことん仕訳」の2つの演習メニューでご利用いただけます。

間違えた箇所には色がつきます！すべて正解できるまで、繰り返し練習しましょう。

➡ STEP **3** へ戻る 　3回は繰り返そう！

CONTENTS

以上の 読者特典 のダウンロードは、下記にアクセス後、パスワードを入力してご利用ください

読者特典

読者様限定 書籍連動ダウンロードサービス

合格カレンダー ・ 繰り返しシート ・ 仕訳Webアプリ「受かる！仕訳猛特訓」・ 解き方レクチャー ・
「問題・答案用紙」の取り外し動画 ・ ネット試験用 模擬試験プログラム へのアクセス方法

TAC出版　検索 ▶ 📱書籍連動ダウンロードサービス にアクセス ▶ パスワード **241210846** を入力
※本サービスの提供期間は、2024年12月末日までです。

＼タイムマネジメントが合格のカギ／
合格カレンダーで進捗管理！
短期合格に欠かせないスケジュール作成と実行。下記を参考に作成して実行しよう！

● 合格カレンダーの使い方は、5ページを参照してください。　● 合格カレンダーはダウンロードもできます。

4週間で合格へ！！ 短期合格プロジェクト

月 Monday	火 Tuesday	水 Wednesday	木 Thursday	金 Friday	土 Saturday	日 Sunday
10/21 (/)	22 (/)	23 (/)	24 (/)	25 (/)	26 (/)	27 (/)
1・2巡目 **第1回** を解く	第2・3問の復習 解けなかった人 第1部	第4・5問の復習 解けなかった人 第1部	終わらなかった 復習を 終わらせる	**第1回**を 解き直す&復習	**第2回** を解く	第2・3問の復習 解けなかった人 第1部
28 (/)	29 (/)	30 (/)	31 (/)	11/1 (/)	2 (/)	3 (/)
第4・5問の復習 解けなかった人 第1部	終わらなかった 復習を 終わらせる	**第2回**を 解き直す&復習	**第3回** を解く	第2・3問の復習 解けなかった人 第1部	第4・5問の復習 解けなかった人 第1部	終わらなかった 復習を 終わらせる
4 (/)	5 (/)	6 (/)	7 (/)	8 (/)	9 (/)	10 (/)
第3回を 解き直す&復習	**第4回** を解く	第2・3問の復習 解けなかった人 第1部	第4・5問の復習 解けなかった人 第1部	終わらなかった 復習を 終わらせる	**第4回**を 解き直す&復習	終わらなかった 復習を 終わらせる
11 (/)	12 (/)	13 (/)	14 (/)	15 (/)	16 (/)	17 がんばれ (/)
3巡目 **第1回**を 解き直す&復習	**第2回**を 解き直す&復習	**第3回**を 解き直す&復習	**第4回**を 解き直す&復習	仕訳&間違えた ところの復習	仕訳&間違えた ところの復習	本試験 日頃の成果を 出し切ろう！

＼合格る人はみんな使ってる／

繰り返しシートで合格をゲット！

繰り返し学習法が合格への近道！ぜひ本書を納得するまで解き直し、合格を確実なものにしてください。

● 繰り返しシートの使い方は、7ページを参照してください。　● 繰り返しシートはダウンロードもできます。

第1回		点 数						メ　モ
		第1問	第2問	第3問	第4問	第5問	合計	
1回目	日付 　／							
	解答時間（　）分	A		／70点	B		／30点	
2回目	日付 　／							
	解答時間（　）分	A		／70点	B		／30点	
3回目	日付 　／							
	解答時間（　）分	A		／70点	B		／30点	

第2回		点 数						メ　モ
		第1問	第2問	第3問	第4問	第5問	合計	
1回目	日付 　／							
	解答時間（　）分	A		／74点	B		／26点	
2回目	日付 　／							
	解答時間（　）分	A		／74点	B		／26点	
3回目	日付 　／							
	解答時間（　）分	A		／74点	B		／26点	

第3回		点 数						メ　モ
		第1問	第2問	第3問	第4問	第5問	合計	
1回目	日付 　／							
	解答時間（　）分	A		／74点	B		／26点	
2回目	日付 　／							
	解答時間（　）分	A		／74点	B		／26点	
3回目	日付 　／							
	解答時間（　）分	A		／74点	B		／26点	

第4回		点 数						メ　モ
		第1問	第2問	第3問	第4問	第5問	合計	
1回目	日付 　／							
	解答時間（　）分	A		／72点	B		／28点	
2回目	日付 　／							
	解答時間（　）分	A		／72点	B		／28点	
3回目	日付 　／							
	解答時間（　）分	A		／72点	B		／28点	

第**1**部

解き方テキスト 編

本試験は

第1問から第5問で構成されています。

それぞれの問いごとに論点を確認しましょう。

第1問対策

第1問の概要

　第1問では、**5問の仕訳問題**が必ず出題されます。仕訳問題では、問題ごとに与えられる勘定科目（**8個～10個の選択肢**）から適切なものを選び、記号で解答します。記号のミスで間違えてしまうのはもったいないので、答案用紙に記入する際は、記号が正しいか必ず確認しましょう。

		スッキリわかる	簿記の教科書簿記の問題集	合格テキスト合格トレーニング	学習のポイント
商品売買	売上原価対立法	第4章	CHAPTER05	テーマ02	返品・仕入割戻は逆仕訳。
	返品・割戻・諸掛り				
現金および預金		第6章	CHAPTER07	テーマ03	現金預金が増えたのか減ったのかに注目。
債権・債務	手形	第5章	CHAPTER06	テーマ04	割引では割引分をどのように処理するか注意する。
	クレジット売掛金	第4章	CHAPTER05		クレジットカードを使った掛売上で使用。
	電子記録債権・債務	第5章	CHAPTER06		電子記録債権・債務勘定を使って仕訳。
有価証券	購入	第10章	CHAPTER11	テーマ05	有価証券利息は日割計算。
	売却				
	評価				保有目的別に有価証券を分類して評価。
有形固定資産	購入（割賦購入）	第7章	CHAPTER08	テーマ06,07	期首から取引日までの減価償却費の計算を忘れずに！
	減価償却				
	売却				
	買換				
	除却				
	建設仮勘定				
	改良と修繕				
	未決算勘定				
	圧縮記帳				
リース取引		第8章	CHAPTER09	テーマ08	ファイナンス・リース取引とオペレーティング・リース取引がある。
無形固定資産等と研究開発費	ソフトウェア	第9章	CHAPTER10	テーマ09	研究開発費は費用として仕訳！
	研究開発費				
引当金	貸倒引当金	第11章	CHAPTER12	テーマ10	さまざまな引当金をおさえる。
	その他の引当金				
外貨建取引		第12章	CHAPTER15	テーマ11	どの時点の為替レートで換算するかをおさえる。
税金	法人税等（課税所得の算定）	第3章	CHAPTER04	テーマ12,13	仮払、未払、仮受の区別。
	消費税				
税効果会計		第13章	CHAPTER17	テーマ13	企業会計上と法人税法上の差異を調整。
株式の発行	設立時	第1章	CHAPTER01	テーマ14	会社法では払込金額の2分の1以上を資本金とする。
	増資時				
	株式申込証拠金				
純資産	剰余金の配当と処分		CHAPTER02	テーマ15	準備金の積立額に注意。
	株主資本の計数変動		CHAPTER03		問題の指示に従って株主資本の金額を移動する。
収益・費用の認識基準	商品販売業	第14章	CHAPTER13,14	テーマ17	取引のいつの時点で、売上や仕入を計上するかを把握しておく。
	サービス業				サービス提供時点で「役務収益」「役務原価」に振替計上。
本支店会計		第17章	CHAPTER19	テーマ18	本支店の関係を図にして考える。
合併・事業譲渡		第2章	CHAPTER01	テーマ19	貸借差額はのれん（または負ののれん発生益）。
連結会計		第18,19章	CHAPTER20～22,24	テーマ20～23	連結修正仕訳をおさえる。

学習方法

　日商簿記2級で出題される仕訳は、**文章による仕訳問題**です。難易度が高いものもありますが、3級で学んだ論点の応用的な知識であることが多いです。2級の論点を学習する中で、3級の論点の知識があいまいだと感じた人は、一度3級に戻ってしっかりと知識を固めるようにしましょう。

試験中の進め方

　仕訳問題では、与えられた勘定科目をヒントに仕訳を考えましょう。答えがわからなくても、答案用紙には何かしらの解答を記入しておきましょう。

001

商品売買①
（売上原価対立法）

相模原株式会社は、藤沢株式会社より仕入れた商品￥1,000（原価）を川崎株式会社に￥1,600で売り上げ、代金を掛けとした。なお、相模原株式会社は、販売のつど商品勘定から売上原価勘定に振り替える方法により商品の記帳を行っている。
①②③

💡 Hint! 販売のつど商品勘定から売上原価勘定に振り替える方法とは売上原価対立法のことです。

（売　掛　金）1,600（売　　　上）1,600
（売 上 原 価）1,000（商　　　品）1,000

解答のPoint!
① 商品を売り上げた→売上（収益）の発生
② 売上代金は掛け→売掛金（資産）の増加
③ 売上原価対立法で商品の記帳を行っている→商品（資産）の減少、売上原価（費用）の発生

⚠ ここも注意！
売上原価対立法では、売上高、売上原価、期末商品が期中の仕訳ですべて明らかになります。そのため決算整理仕訳は不要です。

002

商品売買②（仕入返品）

先に受領した商品10個（税抜仕入原価@￥100）について検収を行った結果、2個の品質不良品が発見されたため返品することにした。なお、商品の仕入れはすべて掛け取引であり、検収基準により認識し、三分法により記帳している。なお、消費税率を10％としてその処理（税抜方式による）もあわせて示すこと。
①②

💡 Hint! 検収基準は商品の到着後、商品の検収の終了をもって仕入を計上する基準です。

（仕　　　　　入）800*1（買　掛　金）880*3
（仮 払 消 費 税）　80*2

*1　100円×（10個－2個）＝800円
*2　800円×10％＝80円
*3　800円＋80円＝880円

解答のPoint!
① 検収を行った→仕入（費用）の発生、買掛金（負債）の増加
② 消費税の処理（税抜方式）を行う→仮払消費税（資産）の増加、買掛金（負債）の増加

003

現金・預金①（現金過不足）

決算にあたり現金について調べたところ、帳簿残高は￥20,000であるのに対して、実際有高は￥19,000であった。不一致の原因を調査した結果、当月分の通信費￥1,500の支払いが記入漏れであったこと、および売掛金の回収額￥1,200を￥1,000と誤記入していたことが判明したが、残額は原因が不明のままであるため、適切な処理を行う。
①②④

💡 Hint! 現金の不一致額のうち、その原因が不明のものについては雑損または雑益で処理します。

（通　信　費）1,500（現　　　金）1,000*1
　　　　　　　　　　（売　掛　金）　200*2
　　　　　　　　　　（雑　　　益）　300*3

*1　20,000円－19,000円＝1,000円
*2　1,200円－1,000円＝200円　　*3　貸借差額

解答のPoint!
① 現金の帳簿残高が、実際有高より過大→現金（資産）の減少
② 通信費の記入漏れ→通信費（費用）の発生
③ 売掛金の回収額を過小に記帳→売掛金（資産）の減少
④ 残額は不明（訂正仕訳の結果、現金の実際有高が帳簿残高より過大）→雑益（収益）の発生

004

現金・預金② （当座預金の調整）

当社の当座預金勘定の残高と銀行からの残高証明書の残高に不一致があったため原因を調査したところ、備品の購入にともない生じた未払金の支払いのために振り出した小切手¥12,000 が金庫に保管されたままであり未渡しの状況であったことがわかった。なお、小切手を振り出した際に当座預金の減少の記帳が行われている。

💡 **Hint!** 小切手が未渡しということは、まだ未払金の支払いができていないということです。

（当 座 預 金）12,000	（未　　 払　　 金）12,000

解答のPoint!

① 未払金の支払いのために振り出した小切手が未渡し→未払金（負債）の増加
② 小切手を振り出した際に当座預金を減少させたが、小切手は未渡し→当座預金（資産）の増加

⚠ ここも注意！

当座預金勘定の残高と残高証明書の不一致の原因のうち、修正仕訳が必要になるのは、連絡未通知、企業側誤記入、未渡小切手の3つです。

005

債権・債務① （クレジット売掛金）

商品¥20,000 （税抜金額）をクレジット払いの条件で販売した（三分法により記帳）。また、信販会社への手数料（販売代金の2％）は販売時に計上する。なお、消費税の税率は10%とし、税抜方式で処理するが、クレジット手数料には消費税は課税されない。

💡 **Hint!** クレジットカードによる商品販売は、クレジット売掛金で処理します。

（支 払 手 数 料）　 400*1	（売　　　　　　 上）20,000
（クレジット売掛金）21,600*3	（仮 受 消 費 税）2,000*2

*1　20,000 円×2 ％＝ 400 円
*2　20,000 円× 10 ％＝ 2,000 円
*3　貸借差額

解答のPoint!

① クレジット払いで商品を販売→売上（収益）の発生・クレジット売掛金（資産）の増加
② 手数料は販売時に計上→支払手数料（費用）の発生
③ 消費税は税抜方式→仮受消費税（負債）の増加

⚠ ここも注意！

クレジット売掛金の回収時に手数料を計上する方法もあります。問題文の指示に従いましょう。

006

債権・債務② （手形の割引き）

仙台株式会社は、商品を売り上げた際に得意先石巻株式会社から裏書譲渡された大崎株式会社振出、石巻株式会社宛の約束手形¥73,000 を銀行で割り引き、割引料を差し引かれた手取金が当座預金口座へ振り込まれた。なお、割引日数は80 日（1 年を 365 日として計算する）で割引率は年1 ％である。

💡 **Hint!** 手形金額と入金額の差額（割引料）は、手形売却損（費用）として処理します。

（当 座 預 金）72,840	（受 取 手 形）73,000
（手 形 売 却 損）　 160*	

* 　$73,000 円×1 ％×\dfrac{80 日}{365 日} = 160 円$

解答のPoint!

① 裏書譲渡された受取手形を割り引いた→受取手形（資産）の減少
② 割引料が差し引かれた→手形売却損（費用）の発生
③ 手取金が当座預金へ振り込まれた→当座預金（資産）の増加

007

債権・債務③
(手形の不渡り)

売掛金決済のために得意先から裏書譲渡され^①ていた約束手形が、満期日に取引銀行で支払い拒絶となったので、償還請求にともなう費用を含む手形代金の金額を得意先に償還請求した。当該手形は額面¥20,000で、償還請求費用¥2,000は現金で支払った。^②

💡 **Hint!** 償還請求にともなう費用は、費用の発生ではなく、不渡手形に含まれます。

(不 渡 手 形) 22,000	(受 取 手 形) 20,000
	(現 金) 2,000

解答のPoint!
① 不渡手形の償還請求→不渡手形（資産）の増加・受取手形（資産）の減少
② 償還請求費用の支払い→現金（資産）の減少

⚠️ ここも注意！
償還請求費用には、拒絶証書の作成費用などが含まれます。

008

債権・債務④
(電子記録債権①)

別府株式会社に対する買掛金¥30,000の支払^①いにあたり、取引銀行を通じて電子債権記録機関に電子記録債権の譲渡記録を行った。^②

💡 **Hint!** 電子記録債権の譲渡は、約束手形の裏書譲渡と同様に処理します。

(買 掛 金) 30,000	(電子記録債権) 30,000

解答のPoint!
① 買掛金の支払い→買掛金（負債）の減少
② 電子記録債権の譲渡記録を行った→電子記録債権（資産）の減少

009

債権・債務⑤
(電子記録債権②)

旭川株式会社に対する電子記録債権¥60,000^①のうち、¥25,000を函館株式会社への買掛金の支払いにあて、残額¥35,000を割り引いて^②換金するために、取引銀行を通じて譲渡記録を行った。なお、割引分については、割引料^③¥450を差し引いた手取金が取引銀行から普通預金口座へ振り込まれた。

💡 **Hint!** 電子記録債権を譲渡したときは、電子記録債権（資産）を減少させます。

(買 掛 金) 25,000	(電子記録債権) 60,000
(普 通 預 金) 34,550*	
(電子記録債権売却損) 450	

* 35,000円－450円＝34,550円

解答のPoint!
① 電子記録債権の譲渡→電子記録債権（資産）の減少
② 買掛金の支払い→買掛金（負債）の減少
③ 割引料を差し引いた手取金が普通預金口座へ振り込まれた→普通預金（資産）の増加・電子記録債権売却損（費用）の発生

⚠️ ここも注意！
電子記録債権を取引銀行で割り引いたときの割引料は電子記録債権売却損（費用）で処理します。

010

債権・債務⑥ (債権の譲渡)

豊田株式会社は、岡崎株式会社に対する売掛金¥7,000を岡崎株式会社の承諾を得て、一宮株式会社に¥6,500で売り渡した。なお、代金は普通預金口座に入金された。

 Hint! 売り渡した債権の帳簿価額よりも受け取った対価の価額が少ないときは、債権売却損を計上します。

（普 通 預 金）6,500 （売 掛 金）7,000
（債 権 売 却 損） 500*

* 7,000円－6,500円＝500円

解答のPoint!

① 売掛金を帳簿価額より低く売り渡した→売掛金（資産）の減少・債権売却損（費用）の発生
② 普通預金口座に入金→普通預金（資産）の増加

011

有価証券① (売買目的有価証券)

売買目的で所有している阿南商事株式会社の株式40株のうち20株を1株あたり¥70で売却し、代金は後日受け取ることとした。なお、この株式は前期において30株を1株あたり¥60で購入し、当期中に10株を1株あたり¥80で追加購入したものである。前期末の時価は1株あたり¥70であり、洗替法による時価評価を行っている。株式の払出単価の計算は平均原価法による。

（未 収 入 金）1,400*2 （売買目的有価証券）1,300*1
                    （有価証券売却益） 100*3

*1 $\dfrac{前期取得分株式(30株×60円)＋当期取得分株式(10株×80円)}{30株＋10株}×20株＝1,300円$

*2 20株×70円＝1,400円

*3 1,400円－1,300円＝100円

解答のPoint!

① 売買目的の株式を帳簿価額より高く売却→売買目的有価証券（資産）の減少・有価証券売却益（収益）の発生
② 代金は後日受け取る→未収入金（資産）の増加

⚠ ここも注意！

洗替法による時価評価では、期首に再振替仕訳を行い、有価証券の帳簿価額を取得価額に戻します。

012

有価証券② (満期保有目的債券)

満期まで保有する目的で国債（額面¥20,000）を@¥100につき@¥95で購入した。なお、購入代金および前利払日の翌日から購入日までの経過利息¥40は5日後に当座預金で決済する予定である。

 Hint! 利払日と利払日の間に公社債を購入した場合は、端数利息を支払う必要があります。

（満期保有目的債券）19,000*1 （未 払 金）19,040*2
（有 価 証 券 利 息） 40

*1 20,000円÷100円×95＝19,000円

*2 19,000円＋40円＝19,040円

解答のPoint!

① 満期まで保有する目的で国債を購入→満期保有目的債券（資産）の増加
② 経過利息（端数利息）を支払う→有価証券利息（収益）の消滅
③ 5日後に当座預金で決済予定→未払金（負債）の増加

013

有価証券③
（関係会社株式）

栃木株式会社の株式200株を@¥150で取得
①
し、手数料¥200とともに当座預金口座から
②
支払った。なお、栃木株式会社の発行済株式
総数は800株であり、当社はこれ以外に株式
を保有していない。

💡 Hint！ 栃木株式会社の発行済株式総数の
25％を保有することになるので、
当該株式は関連会社株式となりま
す。

（関連会社株式）30,200* （当 座 預 金）30,200

* $\dfrac{200 株}{800 株} \times 100 = 25\% \rightarrow$ 関連会社株式

150円×200株+200円＝30,200円

解答のPoint！
① 発行済株式総数の25％を取得→関連会社株式（資産）
の増加
② 当座預金口座から支払い→当座預金（資産）の減少

⚠ ここも注意！
発行済株式総数の50％超を取得した場合は子会社株式
で処理します。

014

有形固定資産①
（生産高比例法）

霧島株式会社（決算年1回、3月31日）は
決算につき、社用車¥90,000（取得原価）に
①
ついて、生産高比例法により減価償却を行う。
この社用車の総走行可能距離は30万km、残
存価額ゼロ、記帳方法は間接法であり、前期
末までの実際走行距離は12万km、当期の実
際走行距離は2万kmである。

💡 Hint！ 生産高比例法では、要償却額に、
当期利用量を総利用可能量で割っ
た割合を乗じて償却額を求めます。

（減 価 償 却 費）6,000* （車両運搬具減価償却累計額）6,000

* $90,000 円 \times \dfrac{2 万km}{30 万km} = 6,000 円$

解答のPoint！
① 社用車について減価償却を行う→減価償却費（費用）
の発生・車両運搬具減価償却累計額（資産のマイナス）
の増加

015

有形固定資産②（割賦購入）

田辺株式会社は、×4年9月1日に購入し
た車両運搬具について、第1回目の割賦金
①
¥9,000を当座預金口座から支払った。なお、
当該車両運搬具は現金販売価額¥30,000で割
賦契約により購入し、代金は毎月末に支払期
限の到来する額面¥9,000の約束手形4枚を
振り出して支払ったものである。また、利息
分については取得時に前払費用で処理し、割
②
賦金の支払時に定額法により配分する。

💡 Hint！ 支払総額から車両運搬具の現金販
売価額を差し引いた額が、利息の
総額になります。

（営業外支払手形）9,000 （当 座 預 金）9,000
（支 払 利 息）1,500* （前 払 費 用）1,500

* 9,000円×4－30,000円＝6,000円（利息総額）
6,000円÷4＝1,500円

解答のPoint！
① 第1回目の割賦金を当座預金口座から支払った→当座
預金（資産）の減少・営業外支払手形（負債）の減少
② 利息分について割賦金の支払時に配分→支払利息（費
用）の発生・前払費用（資産）の減少

016
有形固定資産③
（建設仮勘定①）

新社屋の建設工事をつくば建設株式会社に依頼し、工事の開始にあたって、予定工事代金総額￥6,000の45％相当額を小切手を振り出して支払った。残額については、工事の完了、引渡し後に支払う予定である。

 Hint! 固定資産の建設中に、代金の一部を前払いした場合は、建設仮勘定で処理します。

（建 設 仮 勘 定）2,700* （当 座 預 金）2,700

* 6,000 円× 45 ％＝ 2,700 円

解答のPoint!
① 工事代金の一部を小切手を振り出して支払った→建設仮勘定（資産）の増加、当座預金（資産）の減少

017
有形固定資産④
（建設仮勘定②）

建設中であった建物が完成し引き渡しを受けたので、これにともない工事代金の残額￥51,300を小切手を振り出して建設会社に支払った。なお、同建物に対しては工事代金としてすでに￥20,000を支払っている。

 Hint! 完成前にすでに支払っている工事代金については、建設仮勘定として処理されています。

（建 物）71,300 （当 座 預 金）51,300
（建 設 仮 勘 定）20,000

解答のPoint!
① 建物の引き渡しを受け、小切手を振り出した→建物（資産）の増加・当座預金（資産）の減少
② 工事代金の一部はすでに支払っている→建設仮勘定（資産）の減少

018
有形固定資産⑤
（除却・評価額）

白山商事株式会社（決算日は3月末、年1回）は、×5 年 11 月 30 日に備品を除却し、処分時まで倉庫に保管することとした。この備品は、×3 年 4 月 1 日に取得したものであり、当期首（×5 年 4 月 1 日）における帳簿価額は￥45,000であり、除却時の処分可能価額は￥9,000と見積もられた。当該資産は200％定率法（耐用年数5年）により償却され、直接法で記帳されている。なお、当期分の減価償却費の計上もあわせて行うこと。

（減 価 償 却 費）12,000*¹ （備 品） 45,000
（貯 蔵 品）9,000
（固定資産除却損）24,000*²

*1 償却率：1 ÷ 5 年× 200 ％＝ 0.4
当期の減価償却費：45,000 円× 0.4 × $\dfrac{8 か月}{12 か月}$ ＝ 12,000 円
*2 貸借差額

解答のPoint!
① 備品を除却→備品（資産）の減少
② 処分時まで倉庫に保管→貯蔵品（資産）の増加
③ 処分可能価額の見積り→固定資産除却損（費用）の発生
④ 当期の減価償却費の計上もあわせて行う→減価償却費（費用）の発生

019

有形固定資産⑥
（買換え）

都城商事株式会社は、当期首に取得原価
¥24,000、期首減価償却累計額¥11,700の
備品を¥7,000で下取りに出し、新たに備品
①
¥36,000を購入した。なお、購入価額と下
②
取価額との差額および新備品の設置手数料
③
¥600については翌月末に支払うこととし
た。減価償却は直接法で記帳している。

（備　　　品）	36,600*³	（備　　　品）	12,300*¹
（固定資産売却損）	5,300*²	（未　払　金）	29,600*⁴

*1　24,000円 − 11,700円 = 12,300円
*2　12,300円 − 7,000円 = 5,300円
*3　36,000円 + 600円 = 36,600円
*4　36,600円 − 7,000円 = 29,600円または貸借差額

解答のPoint!

① 備品を帳簿価額より安く下取りに出した→備品（資産）の減少・固定資産売却損（費用）の発生
② 新備品の購入→備品（資産）の増加
③ 後日支払う→未払金（負債）の増加

020

有形固定資産⑦
（保険金の請求）

当期首において建物（取得原価¥60,000、減
①
価償却累計額¥28,800、間接法で記帳）が
火災で焼失した。焼失した建物には総額
¥50,000の火災保険が掛けられており、保険
②
会社に保険金の請求を行った。

 Hint! 保険を掛けている固定資産が火災等で滅失したときは、保険金が確定するまで、当該固定資産の帳簿価額を未決算（または火災未決算）として計上しておきます。

（建物減価償却累計額）	28,800	（建　　　　物）	60,000
（未　決　算）	31,200*		

＊　貸借差額

解答のPoint!

① 建物が焼失した→建物（資産）の減少・建物減価償却累計額（資産のマイナス）の減少
② 保険金の請求を行った→未決算（資産）の増加

021

有形固定資産⑧
（保険金の確定）

倉敷物産（決算年1回、3月末）は、×9
年10月10日に事務所用建物（取得原価：
¥27,000、取得日：×1年4月1日、耐用年
数：30年、残存価額：ゼロ、減価償却方法：
定額法、記帳方法：間接法）を火災により焼
失し、帳簿価額の全額を未決算勘定に振り
替えていたが、本日、保険会社より保険金
¥20,000を支払う旨の連絡を受けた。

 Hint! 未決算と保険金額の差額は保険差益または火災損失で処理します。

（未　収　入　金）	20,000	（未　決　算）	19,275*¹
		（保　険　差　益）	725*²

*1　建物減価償却累計額：27,000円 ÷ 30年 × 8年 = 7,200円
建物減価償却費：27,000円 ÷ 30年 × $\dfrac{7\,か月}{12\,か月}$ = 525円
×9年10月10日の建物の簿価（＝未決算の金額）：
27,000円 − 7,200円 − 525円 = 19,275円
*2　20,000円 − 19,275円 = 725円

解答のPoint!

① 火災で焼失した建物について、保険金を支払う旨の連絡を受けた→未収入金（資産）の増加・未決算（資産）の減少・保険差益（収益）の発生

⚠ ここも注意！
未決算勘定より保険金額が低い場合は、差額を火災損失勘定（費用）として処理します。

022
有形固定資産⑨ （国庫補助金の受け入れ）

備品の取得を助成するための国からの補助金￥20,000が、普通預金口座に振り込まれた。

 Hint! 国からの補助金を受け取ったときは国庫補助金受贈益で処理します。

（普 通 預 金）20,000 （国庫補助金受贈益）20,000

解答の Point!
① 国から補助金を受け取った→国庫補助金受贈益（収益）の発生
② 普通預金口座に振り込まれた→普通預金（資産）の増加

023
有形固定資産⑩ （圧縮記帳）

当社は、国から受け取っていた国庫補助金￥10,000に自己資金￥30,000を加えて備品￥40,000を購入し、代金は当座預金口座から支払った。なお、同時にこの備品については補助金に相当する額の圧縮記帳（直接減額方式）を行った。

Hint! 圧縮記帳（直接減額方式）では、圧縮記帳を行った際に補助金分の固定資産圧縮損を計上します。

（備　　　　　品）40,000 （当 座 預 金）40,000
（固定資産圧縮損）10,000 （備　　　　　品）10,000

解答の Point!
① 備品を購入した→備品（資産）の増加
② 当座預金口座から支払った→当座預金（資産）の減少
③ 備品について圧縮記帳（直接減額方式）を行った→固定資産圧縮損（費用）の発生・備品（資産）の減少

⚠ ここも注意！
　圧縮記帳後の固定資産の減価償却は取得価額ではなく、圧縮記帳後の帳簿価額（取得価額−圧縮額）で計算することに注意しましょう。

024
リース取引① （利子抜き法）

当期首（4月1日）にリース会社とコピー機に関するリース契約を締結し、ファイナンス・リース取引を開始した。当該リース契約は、リース期間5年、リース料年間￥2,000（毎年3月末払い）、見積現金購入価額￥9,000である。なお、リース取引については、利子抜き法により処理する。

Hint! 利子抜き法では見積現金購入価額でリース資産・リース債務を計上します。

（リ ー ス 資 産）9,000 （リ ー ス 債 務）9,000

解答の Point!
① ファイナンス・リース取引を開始（利子抜き法）→リース資産（資産）の増加・リース債務（負債）の増加

第1問対策

第2問対策

第3問対策

第4問(1)対策

第4問(2)・第5問対策

025

リース取引② (利子込み法)

当社は、リース会社からパソコンをリースす
①
る契約(リース期間5年、リース料月額¥300)
を結び、当該パソコンが納品されたので、第
②
1回のリース料¥300を当座預金口座から支
払った。このリース取引はファイナンス・リー
ス取引であり、利子込み法により処理する。
①
なお、当社では、リース取引開始の仕訳とリー
ス料支払いの仕訳は1つのまとまった取引の
仕訳として記帳し、同一の勘定科目の借方と
貸方の金額は相殺する処理を採用している。

(リース資産)18,000*¹ (リース債務)17,700*²
　　　　　　　　　　　(当座預金) 300

*1　300円×12か月×5年＝18,000円
*2　18,000円－300円＝17,700円

解答のPoint!

① リースする契約を結ぶ(利子込み法)→リース資産(資
　産)の増加・リース債務(負債)の増加
② リース料の支払い→リース債務(負債)の減少・当座
　預金(資産)の減少

⚠ ここも注意!
　利子込み法ではリース開始時に、リース料の総額でリー
ス資産・リース債務を計上しています。

026

無形固定資産① (ソフトウェアの購入)

社内利用目的のソフトウェア¥10,000を購入
①
し、代金は月末に一括して支払うことにし
②
た。なお、社内利用目的のソフトウェアは、
将来の経費削減が確実と認められる。

(ソフトウェア)10,000 (未　払　金)10,000

解答のPoint!

① ソフトウェアの購入→ソフトウェア(資産)の増加
② 月末に一括して支払う→未払金(負債)の増加

💡 Hint! 将来の経費削減が確実と認められ
るソフトウェアは、資産として処理
します。

027

無形固定資産② (ソフトウェアの償却)

鶴岡株式会社は、決算において当期首に購入
した自社利用のソフトウェア¥10,000を利用
可能期間5年で償却した。

(ソフトウェア償却)2,000* (ソフトウェア) 2,000

*　10,000円÷5年＝2,000円

解答のPoint!

① 自社利用のソフトウェアを償却した→ソフトウェア償
　却(費用)の発生・ソフトウェア(資産)の減少

💡 Hint! ソフトウェアの償却は、直接法で
記帳します。

028

研究開発費

研究・開発のみに使用する器具を¥10,000で
_①
購入し、その代金と研究開発に従事する職員
の給料¥16,000について普通預金口座から支
_②
_③
払った。

 Hint! 研究・開発のみに使用する資産
を購入した場合は固定資産とはせ
ず、当期の費用とします。

（研　究　開　発　費）26,000* （普　通　預　金）26,000

* 　10,000円＋16,000円＝26,000円

解答のPoint!
① 研究・開発のみに使用する器具を購入→研究開発費（費
用）の発生
② 研究開発に従事する職員の給料の支払い→研究開発費
（費用）の発生
③ 普通預金口座から支払い→普通預金（資産）の減少

029

引当金①（修繕引当金）

草津物販株式会社は、自社所有の社屋および
倉庫の定期修繕とともに改修工事を行い、工
事代金¥40,000のうち半額は小切手を振り出
_①
して支払い、残りは月末に支払うこととした。
この工事代金のうち¥30,000は耐用年数を延
_②
長させる効果のある支出であり、資本的支出
として資産価値を増加させる処理を行う。残
額は毎期通常行われる定期修繕の範囲内の支
_③
出であるが、前期末において¥9,000を修繕
引当金として計上している。

（建　　　　　　物）30,000 （当　座　預　金）20,000
（修　繕　引　当　金）9,000 （未　　払　　金）20,000
（修　　繕　　費）1,000*

* 　40,000円－30,000円－9,000円＝1,000円

解答のPoint!
① 代金の半額は小切手を振り出して支払い、残額は月末
払いとした→当座預金（資産）の減少・未払金（負債）
の増加
② 資本的支出として処理→建物（資産）の増加
③ 残額は通常行われる修繕で、前期末に修繕引当金を計
上している→修繕引当金（負債）の減少・修繕費（費用）
の発生

030

引当金②
（退職給付引当金）

本日、外部の基金に対して、退職年金の掛金
_①
¥5,000を当座預金から支払った。当社の退
職年金制度は、外部積立方式を採用している。

 Hint! 退職給付引当金の減少になるた
め、費用は発生しない点に注意し
ましょう。

（退職給付引当金）5,000 （当　座　預　金）5,000

解答のPoint!
① 外部基金に対して退職年金の掛金を当座預金から支払
い→退職給付引当金（負債）の減少・当座預金（資産）
の減少

031

引当金③
(賞与引当金)

本日（×5年3月31日）の決算に際し、×5年6月に支給される賞与の見積額¥105,000^①について、月割計算により賞与引当金を設定する。なお、当社は、年2回（6月および12月）、半年分の賞与を従業員に支給しており、支給対象期間は、6月に支給される賞与は12月から5月、12月に支給される賞与は6月から11月である。

💡 Hint! 賞与引当金の支給対象期間に注意しましょう。

（賞与引当金繰入）70,000*	（賞与引当金）70,000

* $105,000 円 \times \dfrac{4 か月（×4 年 12 月～×5 年 3 月）}{6 か月（×4 年 12 月～×5 年 5 月）} = 70,000 円$

解答の Point!

① 賞与引当金の設定→賞与引当金繰入（費用）の発生・賞与引当金（負債）の増加

032

外貨換算会計①
(仕入取引①)

当社は米国のB商事より商品700ドルを仕入^①れた。この商品については、注文時に手付金として200ドルを現金で支払っており^②、残額は月末に支払う予定である^③。なお、商品仕入時の為替相場は1ドル¥133、手付金支払時の為替相場は1ドル¥138であった。

💡 Hint! 手付金は支払時の為替相場で換算します。

（仕 入）94,100^{*3}	（前 払 金）27,600^{*1}
	（買 掛 金）66,500^{*2}

*1 200ドル×138円/ドル＝27,600円
*2 （700ドル－200ドル）×133円/ドル＝66,500円
*3 27,600円＋66,500円＝94,100円

解答の Point!

① 商品を仕入れた→仕入（費用）の発生
② 注文時に手付金を支払っている→前払金（資産）の減少
③ 残額は月末に支払う→買掛金（負債）の増加

033

外貨換算会計②
(仕入取引②)

米国の取引先に対するドル建ての買掛金（100ドル）を普通預金口座から支払った^①。なお、この買掛金は前期に計上されたものである。仕入時の為替相場は1ドルあたり¥145、前期末の為替相場は1ドルあたり¥142、支払時の為替相場は1ドルあたり¥140^②であった。

💡 Hint! 前期の買掛金は、前期末の為替相場で換算替えされています。

（買 掛 金）14,200^{*1}	（普 通 預 金）14,000^{*2}
	（為 替 差 損 益）200^{*3}

*1 100ドル×142円/ドル＝14,200円
*2 100ドル×140円/ドル＝14,000円
*3 貸借差額

解答の Point!

① 買掛金を普通預金口座から支払った→買掛金（負債）の減少・普通預金（資産）の減少
② 決済金額が買掛金の帳簿価額より低い→為替差益（収益）の発生

034

外貨換算会計③（為替予約）

×2年7月1日にアメリカの仕入先より、掛け代金の決済日を×2年9月30日として商品390ドルを購入していたが、本日（×2年8月1日）、取引銀行との間で、買掛金の支払いに備え390ドルを1ドル¥135で購入する為替予約を結んだ。×2年7月1日の為替相場による円換算額と、予約した為替相場による円換算額との差額は、振当処理を適用し、すべて当期の為替差損益として処理する。なお、×2年7月1日の為替相場は1ドル¥130、本日の為替相場は1ドル¥137であった。

（為替差損益）1,950* （買　掛　金）1,950

* （135円/ドル－130円/ドル）×390ドル＝1,950円

解答のPoint!

① 買掛金について為替予約を行った→買掛金（負債）の増加、為替差損（費用）の発生

⚠ ここも注意！
　為替予約を行ったときは、為替予約時の予約レートで債権・債務を換算します。

035

法人税等①（追徴）

前橋株式会社は、過年度に納付した法人税等に関して、税務局長から追徴の指摘を受け、追加で¥5,760を支払うようにとの通知が届いたため、負債の計上を行った。

（追徴法人税等）5,760 （未払法人税等）5,760

解答のPoint!

① 法人税等について追徴の指摘を受けた→追徴法人税等（費用）の発生
② 負債の計上を行った→未払法人税等（負債）の増加

 Hint！ 追徴分の法人税等については、追徴法人税等で処理します。

036

法人税等②（還付）

八代株式会社は、過年度分の法人税等について更正を受け、税金の還付額¥10,000が普通預金口座に振り込まれた。

（普通預金）10,000 （還付法人税等）10,000

解答のPoint!

① 法人税等の還付額が普通預金口座に振り込まれた→還付法人税等（収益）の発生・普通預金（資産）の増加

Hint！ 法人税等の還付は、還付法人税等で処理します。

037

法人税等③
（源泉所得税）

船橋株式会社は、当座預金口座に、その他
有価証券として保有する市川商会株式会社
株式からの利益剰余金を財源とする配当金
￥48,000（源泉所得税20%控除後）の入金が
あった旨の通知を受けた。

 Hint! 受取配当金は源泉所得税控除前の
金額で計上します。また、配当金
から控除される源泉所得税は、仮
払法人税等で処理します。

（当 座 預 金）48,000 （受 取 配 当 金）60,000*1
（仮払法人税等）12,000*2

*1　48,000 円÷（100 %－ 20 %）＝ 60,000 円
*2　60,000 円× 20 %＝ 12,000 円

■ 解答の Point!

① 当座預金口座に入金があった→当座預金（資産）の増
加
② 源泉所得税控除後の配当金が入金された→受取配当金
（収益）の発生・仮払法人税等（資産）の増加

038

消費税
（決算）

決算において、納付すべき消費税の額を算定
した。本年度の消費税の仮払額は￥20,000、
仮受額は￥25,000であり、税抜方式により処
理している。

 Hint! 仮払消費税と仮受消費税の差額が
納付すべき消費税の金額になりま
す。

（仮 受 消 費 税）25,000 （仮 払 消 費 税）20,000
（未 払 消 費 税）5,000*

＊　貸借差額

■ 解答の Point!

① 消費税額の算定→仮受消費税（負債）の減少・仮払消
費税（資産）の減少・未払消費税（負債）の増加

039

税効果会計①（減価償却）

決算にあたり、当期首に取得した備品（取得
原価￥8,000、残額価額ゼロ、耐用年数４年、
間接法）について、定額法により減価償却を
行う。なお、税法上の耐用年数は５年で、税
法で認められる償却額を超過する部分は損
金に算入できない。法人税等の実効税率を
30%として、税効果会計を適用した場合の減
価償却費と税効果会計に関する仕訳を示しな
さい。

Hint! 差異の金額に実効税率を乗じたも
のを法人税等調整額として処理し
ます。

（減 価 償 却 費）2,000*1 （備品減価償却累計額）2,000
（繰 延 税 金 資 産） 120 （法 人 税 等 調 整 額） 120*2

*1　8,000 円÷ 4 年＝ 2,000 円（会計上の減価償却費）
*2　8,000 円÷ 5 年＝ 1,600 円（税法上の減価償却費）
　　（2,000 円－ 1,600 円）× 30%＝ 120 円

■ 解答の Point!

① 備品について減価償却を行う→減価償却費（費用）の
発生・備品減価償却累計額（資産のマイナス）の増加
② 会計上の償却額と税法上の償却額の差異について税効
果会計を適用→損金不算入→法人税等調整額の発生・繰
延税金資産（資産）の増加

040

税効果会計②
(その他有価証券評価差額金)

決算にあたり、その他有価証券として保有している横手商事株式会社の株式の時価評価を行った。当該株式の取得原価は¥52,000、決算日の時価は¥64,000である。全部純資産直入法によることとし、法定実効税率30%とする税効果会計を適用する。

 Hint! 税効果会計が適用されるため、繰延税金負債が計上される点に注意しましょう。

(その他有価証券)12,000*1 (その他有価証券評価差額金) 8,400*3
                        (繰延税金負債) 3,600*2

*1　64,000 円－ 52,000 円＝ 12,000 円
*2　12,000 円× 30 ％＝ 3,600 円　　*3　貸借差額

解答の Point!
① その他有価証券の時価評価→その他有価証券(資産)の増加・その他有価証券評価差額金(純資産)の増加
② 税効果会計の適用→繰延税金負債(負債)の増加

⚠ ここも注意！
　その他有価証券評価差額金に係る税効果会計では、2級で出題されるほかの税効果会計の処理とは違い、法人税等調整額は使用されないことに注意しましょう。

041

株式の発行①
(設立時)

松本商事株式会社は、会社設立にあたり、株式150株を1株あたりの払込金額¥500で発行し、全額の払い込みを受け普通預金とした。なお、発行にあたって株式の発行費用¥1,250を現金で支払った。

(普 通 預 金) 75,000 (資　本　金) 75,000*
(創　立　費) 1,250 (現　　　金) 1,250

*　@ 500 円× 150 株＝ 75,000 円

解答の Point!
① 株式を発行し、全額の払い込みを受け普通預金とした→普通預金(資産)の増加・資本金(純資産)の増加
② 株式の発行費用を現金で支払った→創立費(費用)の発生・現金(資産)の減少

⚠ ここも注意！
　株式を発行した際は、原則として全額を資本金として処理しますが、会社法が定める最低限度までを資本金として組み入れることもできます。その場合は払込金額の2分の1までを資本金とし、残りを資本準備金とします。

 Hint! 会社の設立時の株式発行費用は、創立費として原則費用処理します。

042

株式の発行② (増資時)

甲斐株式会社は新株式500株(1株の払込金額は¥100)を発行して増資を行うことになり、払い込まれた300株分の払込金を別段預金に預け入れていたが、本日、株式の払込期日となったため、払込金を資本金に充当し、別段預金を当座預金に預け替えた。なお、資本金には会社法が規定する最低額を組み入れることとする。

Hint! 会社法では払込金額の最低でも2分の1を資本金とするように定められています。

(当 座 預 金) 30,000 (別 段 預 金) 30,000*1
(株式申込証拠金) 30,000 (資　　本　　金) 15,000*2
                        (資 本 準 備 金) 15,000*3

*1　300 株× 100 円＝ 30,000 円
*2　30,000 円÷ 2 ＝ 15,000 円
*3　30,000 円－ 15,000 円＝ 15,000 円

解答の Point!
① 払込金を資本金に充当→株式申込証拠金(純資産)の減少
② 別段預金を当座預金に預け替えた→別段預金(資産)の減少・当座預金(資産)の増加
③ 資本金には会社法が規定する最低額を組み入れる→資本金(純資産)・資本準備金(純資産)の増加

043

剰余金の配当と処分①
（利益剰余金の配当）

定時株主総会において、繰越利益剰余金を財源として、当社の発行済株式総数3,000株に1株あたり¥17の配当を行うことを決定した。なお、純資産の残高は、資本金¥400,000、資本準備金¥64,500、その他資本剰余金¥11,300、利益準備金¥28,400、別途積立金¥17,500、繰越利益剰余金¥142,700であった。

 Hint! 利益準備金の積立額：①と②のいずれか小さい方を計上。
① 配当金×1/10
② 資本金×1/4−（資本準備金＋利益準備金）

| （繰越利益剰余金） | 56,100 | （未 払 配 当 金） | 51,000*1 |
| | | （利 益 準 備 金） | 5,100*2 |

*1 @17円×3,000株＝51,000円

*2 ① $51,000円 \times \frac{1}{10} = 5,100円$

② $400,000円 \times \frac{1}{4} - (64,500円 + 28,400円) = 7,100円$

③ ①＜② ∴5,100円

解答のPoint!
① 剰余金の配当→繰越利益剰余金（純資産）の減少・未払配当金（負債）の増加
② 準備金の積み立て→利益準備金（純資産）の増加

044

剰余金の配当と処分②
（剰余金の補てん）

宇治商事株式会社は株主総会において、繰越利益剰余金の借方残高¥67,700について別途積立金¥50,000を取り崩して補てんし、残額は翌期に繰り越すことに決定した。

 Hint! 株主総会において、繰越利益剰余金の借方残高（マイナス）は任意積立金などを取り崩して補てんすることができます。
別途積立金は任意積立金の一種です。

| （別 途 積 立 金） | 50,000 | （繰越利益剰余金） | 50,000 |

解答のPoint!
① 繰越利益剰余金の借方残高を別途積立金で補てん→別途積立金（純資産）の減少・繰越利益剰余金（純資産）の増加

045

剰余金の配当と処分③
（株主資本の計数の変動）

資本準備金¥10,000、利益準備金¥4,000を資本金に組み入れることを株主総会で決議し、その効力が生じた。

 Hint! 試験では、どの科目をどの科目へ振り替えるか、問題文の指示に従って解答しましょう。

| （資 本 準 備 金） | 10,000 | （資 本 金） | 14,000 |
| （利 益 準 備 金） | 4,000 | | |

解答のPoint!
① 資本準備金と利益準備金を資本金に組み入れ→資本準備金（純資産）の減少・利益準備金（純資産）の減少・資本金（純資産）の増加

046

決算手続（前払費用の振り替え）

小山商事株式会社（決算日×1年3月31日）は、当期の10月1日に向こう2年分の火災①保険料￥48,000を現金で支払い、全額保険料として処理していた。本日決算にあたり前払①分を計上する。なお、前払費用については一②年基準を適用する。②

💡 Hint! 決算日の翌日から起算して
1年以内に費用化
→前払費用（流動資産）
1年を超えて費用化
→長期前払費用（固定資産）

（前払保険料）24,000*² （保　険　料）36,000*¹
（長期前払保険料）12,000*³

*1　48,000円－（48,000円÷24か月×当期6か月分）＝36,000円
*2　48,000円÷24か月×12か月＝24,000円
*3　48,000円÷24か月×6か月＝12,000円

解答のPoint!

① 当期に帰属しない費用の支払い→保険料（費用）の消滅
② 前払分を計上→前払保険料（資産）の増加

→一年基準 ─ 翌期（×1年4月1日～×2年3月31日）→前払保険料（資産）
翌々期（×2年4月1日～×2年9月30日）→長期前払保険料（資産）

047

収益の認識基準①（仕掛品）

建築物の設計・監理を請け負っている株式会社丸亀設計事務所は、給料￥12,000および出張旅費￥3,000を過日現金にて支払い、記帳もすでに行っていたが、そのうち給料￥3,200および出張旅費￥800が特定の案件のために直①接、費やされたものであることが明らかになったので、これらを仕掛品勘定に振り替えた。②

 Hint! 販管費に計上していた費用を、将来の特定の役務収益と対応させるため、いったん仕掛品に振り替えます。

（仕　掛　品）4,000 （給　　　　料）3,200
（旅費交通費）800

解答のPoint!

① すでに計上した費用の振り替え→給料（費用）の消滅、旅費交通費（費用）の消滅
② 仕掛品に振り替える→仕掛品（資産）の増加

048

収益の認識基準②（役務収益・役務原価）

大垣株式会社は、顧客に対するサービス提供が完了したため、契約額￥60,000（受取りは①翌月末）を収益に計上した。これにともない、それまでに仕掛品に計上されていた諸費②用￥30,000と追加で発生した外注費￥15,000（支払いは翌月30日）との合計額を原価に計上した。

（売　掛　金）60,000 （役　務　収　益）60,000
（役　務　原　価）45,000 （仕　　掛　　品）30,000
（買　　掛　　金）15,000

解答のPoint!

① サービス提供の収益を計上、代金を後日受け取る→売掛金（資産）の増加・役務収益（収益）の発生
② サービス提供の原価を計上、外注費の追加発生額を後日支払う→役務原価（費用）の発生・仕掛品（資産）の減少・買掛金（負債）の増加

第1問対策

第2問対策

第3問対策

第4問(1)対策

第4問(2)・第5問対策

049

収益の認識基準③（契約資産と債権）

当社は、四日市商事との間で商品Aおよび商品Bを合計￥32,500（独立販売価格はそれぞれ￥10,000と￥22,500）で売り渡す契約を締結した。①商品Aはただちに引き渡し、商品Bを月末に引き渡し、②代金￥32,500は商品Aと商品Bの両方の引き渡しを条件として支払われる。この場合の当社の商品Aの引き渡し時の仕訳を示しなさい。なお、商品Aと商品Bは別個の財であり、それぞれ四日市商事に引き渡された時点で履行義務は充足されるものとする。

💡 **Hint!** 履行義務を充足したとき、収益を認識します。

（契　約　資　産）10,000　（売　　　　　上）10,000

解答のPoint!
① 商品Aを引き渡し、履行義務を充足した→売上（収益）の発生
② 代金を受け取る条件の未了→契約資産（資産）の増加

⚠ ここも注意！

商品Bを引き渡したとき、代金を無条件で受け取れるようになるので、その時に契約資産を売掛金に振り替えます。

050

収益の認識基準④（売上割戻）

松山株式会社は丸亀株式会社に対して商品Cを1個あたり￥1,500で掛けで販売しており、1か月あたりの販売個数が100個に達した場合、毎月末において1個あたり150円の金額を割り戻し、売掛金と相殺することとしている。丸亀株式会社に対する当月の販売個数は100個と見積もられており、本日40個を売り上げた。

💡 **Hint!** 割戻しによる返金が見込まれる部分は収益として認識せず、返金負債を認識します。

（売　　掛　　金）60,000*3　（売　　　　　上）54,000*1
　　　　　　　　　　　　　　　（返　金　負　債）6,000*2

*1　（@1,500円－@150円）× 40個＝ 54,000円
*2　@150円× 40個＝ 6,000円
*3　@1,500円× 40個＝ 60,000円

解答のPoint!
① 返金額の見積もり→返金負債（負債）の増加
② 商品の売上げ→売掛金（資産）の増加・売上（収益）の発生

051

本支店会計①（本支店間取引）

北九州商事株式会社は、飯塚本店の他に久留米支店を有している。久留米支店が本店に対し現金￥5,000を送付した取引について、久留米支店で行われる仕訳を示しなさい。

💡 **Hint!** 本支店会計では、誰の立場から仕訳をするのか、確認しましょう。

（本　　　　　店）5,000　（現　　　　　金）5,000

解答のPoint!
① 本店に対し、現金を送付→現金（資産）の減少→（相手勘定）本店で処理

052

本支店会計②
(支店間取引)

八王子物産株式会社は、町田支店、府中支店、調布支店の3つの支店を有しており、本店集中計算制度により会計処理を行っている。町田支店が調布支店の買掛金¥11,200を他社振出の小切手で支払った取引について、調布支店で行われる仕訳を示しなさい。

 Hint! 本支店会計では、誰の立場から仕訳をするのか、確認しましょう。

（買　　掛　　金）11,200　（本　　　　　　店）11,200

解答のPoint!

① 本店集中計算制度での他支店による買掛金支払い→買掛金（負債）の減少→（相手勘定）本店で処理

053

本支店会計③
(支店の開設)

支店を開設する際に、本店から現金¥30,000、商品（原価：¥6,000、売価：¥9,000、記帳方法：販売のつど商品勘定から売上原価勘定に振り替える方法）および備品（取得原価¥12,000、減価償却累計額¥3,000、記帳方法：間接法）が移管された。支店側の仕訳を示しなさい。

 Hint! 本支店会計では、誰の立場から仕訳をするのか、確認しましょう。

（現　　　　　金）30,000　（本　　　　　　店）45,000*
（商　　　　　品） 6,000　（備品減価償却累計額） 3,000
（備　　　　　品）12,000

＊　貸借差額

解答のPoint!

① 本店から、現金、商品、備品を移管→現金（資産）の増加・商品（資産）の増加・備品（資産）の増加・備品減価償却累計額（資産のマイナス）の増加→（相手勘定）本店で処理

054

本支店会計④
(決算振替)

決算にあたり、本店は支店より当期純利益¥20,000を計上した旨の報告を受けた。このとき、本店側の仕訳を答えなさい。

 Hint! 支店の純損益は、本店の損益勘定に振り替えます。

（支　　　　　店）20,000　（損　　　　　益）20,000

解答のPoint!

① 支店から本店に当期純利益の報告→損益（収益）の発生→（相手勘定）支店で処理

055

合併

下関株式会社は宇部株式会社を吸収合併し、同社の株主に対して自社の株式（資本金繰入額¥6,000、残りは資本準備金とする）を交付した。合併直前の宇部株式会社の資産・負債の公正な価値は備品¥2,000、建物¥8,000、土地¥10,000、借入金¥12,000である。なお、宇部株式会社の取得原価は下関株式会社の株式の時価を用いるものとし、同株式の時価（公正な価値）は¥7,600である。

💡 **Hint!** 負ののれん発生益が出ても、自信をもって処理できるようにしっかり復習しましょう。

(備	品)	2,000	(借	入	金)	12,000
(建	物)	8,000	(資	本	金)	6,000
(土	地)	10,000	(資 本 準 備 金)	1,600*1
			(負ののれん発生益)	400*2

*1 7,600円－6,000円＝1,600円
*2 貸借差額

解答のPoint!

① 吸収合併による企業取得→備品（資産）の増加・建物（資産）の増加・土地（資産）の増加・借入金（負債）の増加・資本金（純資産）の増加・資本準備金（純資産）の増加・負ののれん発生益（収益）の発生

056

事業譲受

当社は、郡山商事から甲事業を現金¥72,000で譲り受けた。同社から引き継いだ甲事業の資産および負債は次のとおりである。

売掛金：帳簿価額¥30,000、時価¥30,000
商　品：帳簿価額¥13,200、時価¥12,000
建　物：帳簿価額¥45,000、時価¥54,000
借入金：帳簿価額¥27,000、時価¥27,000

💡 **Hint!** 事業譲渡により、事業を譲り受けた場合、時価により引き継ぎます。

(売	掛	金)	30,000	(現	金)	72,000
(仕		入)	12,000	(借	入	金)	27,000
(建		物)	54,000		
(の	れ	ん)	3,000*		

* 貸借差額

解答のPoint!

① 事業譲渡による事業譲受→売掛金（資産）の増加・仕入（費用）の発生・建物（資産）の増加・借入金（負債）の増加・現金（資産）の減少
　適正な事業価値よりも高額で購入したことによるのれんの発生→のれん（資産）の増加

057

資本連結
（投資と資本の相殺消去）

P社は当期末においてS社の発行済株式総数の80％を¥90,000で取得して支配を獲得した。なお、S社の当期末における純資産項目は資本金¥70,000、資本剰余金¥23,000、利益剰余金¥7,000であった。このときの連結修正仕訳を示しなさい。

💡 **Hint!** 連結修正仕訳において、相殺消去後の差額はのれん、または、負ののれん発生益として処理します。

(資	本	金)	70,000	(S 社 株 式)	90,000
(資 本 剰 余 金)	23,000	(非支配株主持分)	20,000*1
(利 益 剰 余 金)	7,000		
(の	れ	ん)	10,000*2		

*1 (70,000円＋23,000円＋7,000円)×20％＝20,000円
*2 貸借差額

解答のPoint!

① S社株式の80％を取得して支配を獲得→S社株式（資産）の減少・非支配株主持分（純資産）の増加
② S社の純資産の相殺→資本金（純資産）の減少・資本剰余金（純資産）の減少・利益剰余金（純資産）の減少・のれん（資産）の増加

058

成果連結（期末棚卸資産）

P社はS社の発行済株式総数の70％を取得し、S社を連結子会社として支配している。S社はP社に対して当期から仕入金額に10％の利益を付加して商品を販売し、P社はS社から仕入れた商品を外部に販売している。必要な連結修正仕訳を示しなさい。

1. 当期における、S社のP社に対する売上高は¥93,500である。
   ①
2. 当期末においてP社が保有する期末商品のうち、S社から仕入れた分は¥11,000である。
   ②

(売 上)	93,500	(売 上 原 価)	93,500
(売 上 原 価)	1,000	(商 品)	1,000*1
(非支配株主持分)	300	(非支配株主に帰属する当期純利益)	300*2

*1　$11,000 円 \times \dfrac{0.1}{1.1} = 1,000 円$

*2　$1,000 円 \times 30\% = 300 円$

解答のPoint!

① 売上と売上原価の相殺→売上（収益）の消滅・売上原価（費用）の消滅
② アップ・ストリームによる商品未実現利益の消去→売上原価（費用）の発生・商品（資産）の減少・非支配株主持分（純資産）の減少・非支配株主に帰属する当期純利益（費用）の消滅

059

差入保証金

富士株式会社は、事務所として利用する目的でビルの1フロアについて賃借契約を締結した。なお、事務所を借りた際に敷金（家賃の支払い額2か月分）、3か月分の家賃¥60,000（支払時に費用として処理する）および仲介手数料¥4,000を普通預金口座から支払った。
①

(差 入 保 証 金)	40,000*	(普 通 預 金)	104,000
(支 払 家 賃)	60,000		
(支 払 手 数 料)	4,000		

*　$(60,000 円 \div 3 か月) \times 2 か月分 = 40,000 円$

解答のPoint!

① 敷金、家賃、仲介手数料の普通預金口座からの支払い→差入保証金（資産）の増加・支払家賃（費用）の発生・支払手数料（費用）の発生・普通預金（資産）の減少

💡 Hint! 敷金は、返ってくる可能性のあるお金なので、差入保証金として処理します。

060

法定福利費

給料から控除した社会保険料の従業員負担分
①
¥7,770を、当社負担分¥7,770とあわせて年金事務所に現金で支払った。なお、当社は社会保険料を従業員と同額負担している。

(社会保険料預り金)	7,770	(現 金)	15,540
(法 定 福 利 費)	7,770		

解答のPoint!

① 社会保険料の支払い→社会保険料預り金（負債）の減少・法定福利費（費用）の発生・現金（資産）の減少

💡 Hint! 給料から控除した社会保険料の従業員負担分は、社会保険料預り金として処理します。

第2問対策

第2問の概要

　第2問では、商業簿記の個別論点・株主資本等変動計算書・連結会計が出題されます。出題形式はいろいろありますが、簿記一巡の手続きを意識し、わからなくなったら、一つひとつ仕訳を行っていくことが大切です。

1．勘定記入問題

　固定資産や債権債務の取引を**各勘定に記入**する問題です。

2．株主資本等変動計算書

　純資産取引に関する取引から、**株主資本等変動計算書**を作成する問題です。

3．連結会計

　連結会計に関する取引から、**連結精算表**や**連結財務諸表**を作成する問題です。最近は頻出している問題となります。

		スッキリ わかる	簿記の教科書 簿記の問題集	合格テキスト 合格トレーニング	学習のポイント
個別論点	商品売買	第4章	CHAPTER05	テーマ02	仕訳の違いをおさえる。
	債権・債務	第5章	CHAPTER06	テーマ04	パターンをおさえる。
	引当金	第11章	CHAPTER12	テーマ10	引当金の種類をチェック。
	現金預金（銀行勘定調整表）	第6章	CHAPTER07	テーマ03	当社と銀行で比較。
	外貨建取引	第12章	CHAPTER15	テーマ11	どの時点の為替レートで換算するかに注意！
	有価証券	第10章	CHAPTER11	テーマ05	保有目的をチェック。
	有形固定資産	第7章	CHAPTER08	テーマ06,07	減価償却の計算を正確に！
	リース取引	第8章	CHAPTER09	テーマ08	ファイナンス・リースとオペレーティング・リースがある。
	無形固定資産 研究開発費	第2,9章	CHAPTER10	テーマ 09	研究開発費は費用として仕訳！
	純資産 （株主資本等変動計算書）	第1,15章	CHAPTER 01～03,16	テーマ 14,15	株式の発行、剰余金の配当などの項目ごとにおさえる。
	合併	第2章	CHAPTER01	テーマ19	貸借差額はのれん（または負ののれん発生益）。
連結会計		第18,19章	CHAPTER 20～22,24	テーマ 20～23	連結修正仕訳をおさえる。

学習方法

　勘定記入問題については、仕訳問題と関連しているものが多いため、**各取引を仕訳できるように学習**しましょう。
　株主資本等変動計算書と**連結会計**の作成問題は、慣れていないうちは作成方法にとまどうこともありますが、**問われている取引は同じパターンであることが多く、高得点を狙う**ことができます。こちらも、まずは**各取引を仕訳できるように学習**することから始め、次に株主資本等変動計算書や連結精算表の**記入方法を学習**しましょう。

試験中の進め方

　第2問は、出題形式も多く、出題される論点の幅が広いため、**苦手な問題が出題されたときは後回しにしましょう。**
　難しい問題のときは、満点は狙わず、**埋められる箇所だけ埋めるようにしましょう。**

勘定記入問題

01 勘定記入とは

1. 仕訳と総勘定元帳

取引から仕訳を行い、借方・貸方それぞれの科目の勘定口座に書き移します。これを「仕訳を勘定に転記する（勘定記入する）」といいます。

各勘定口座がまとまった帳簿を総勘定元帳といい、この記録が、財務諸表（損益計算書や貸借対照表）を作成するときの基礎となります。

2. 勘定記入の方法

総勘定元帳に記入する内容は、日付・相手勘定科目・金額の3つになります。相手勘定科目において、2つ以上（複数）ある場合には、相手勘定科目を複数記入する代わりに「諸口」と記入します。

例）×1年5月1日に200円の商品を掛けで売り上げた場合

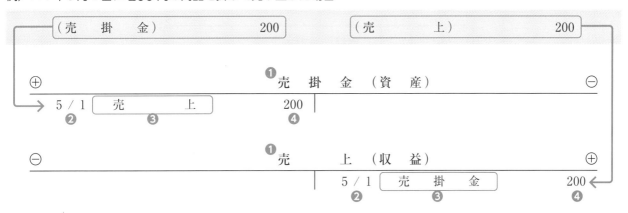

❶…勘定科目名　❷…日付　❸…相手勘定科目　❹…金額

これにより、売掛金勘定を見れば、売掛金が5月1日に売上によって200円増加していることがわかり、同じく売上勘定を見れば、売上が5月1日に掛けによって200円発生していることがわかります。

02 勘定の締め切り

1. 決算整理仕訳

会社は期末日（決算日）に決算手続を行います。決算手続で行う仕訳を決算整理仕訳といいます。

2. 勘定の締め切り

決算整理仕訳・転記を行い、決算整理後残高試算表ですべての勘定の記録が正しいことを検証したあとに、勘定残高をゼロにして当期と次期の区切りをつける手続きを行います。この手続きを「締め切り」といい、ここでは**英米式決算法**による勘定の締め切りについて学習します。

3. 収益・費用の勘定の締め切り

損益計算書に記載する費用・収益の勘定は最終的な残高を損益勘定に振り替えることにより締め切り、損益勘定で算定した当期純損益を繰越利益剰余金勘定に振り替えます。なお、「振り替える」とはある勘定の金額を他の勘定へ移動させる手続きのことをいいます。

締め切りの流れを示すと次のようになります（損益が貸方残高のとき）。

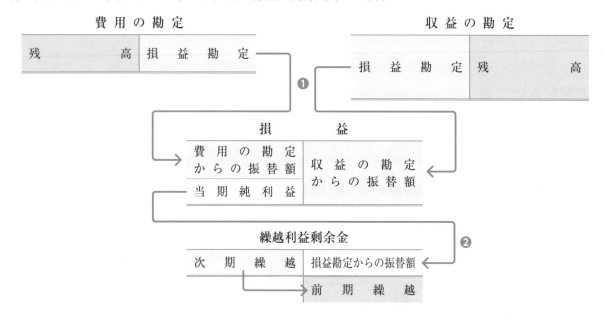

---

❶…収益・費用の諸勘定残高の損益勘定への振り替え

損益勘定の貸方に収益の勘定残高を、借方に費用の勘定残高を振り替えて、純損益を計算します。なお、このとき行われる仕訳を**決算振替仕訳**といいます。

❷…当期純利益（または当期純損失）の繰越利益剰余金勘定への振り替え

損益勘定の貸方にはすべての収益の勘定残高を、借方にはすべての費用の勘定残高を記入するので、貸借の差額は当期純損益（貸方残高なら**当期純利益**、借方残高なら**当期純損失**）を表します。**株式会社ではこれを繰越利益剰余金勘定（資本）に振り替えます。**このとき行われる仕訳も**決算振替仕訳**といいます。

4. 資産・負債・資本（純資産）の勘定の締め切り

貸借対照表に記載する資産・負債・資本（純資産）の勘定は、次期繰越と記入して締め切ります。

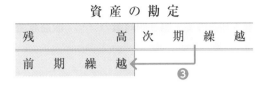

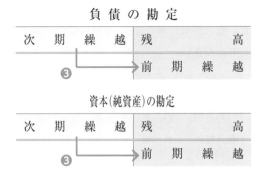

❸…資産・負債・資本（純資産）の諸勘定の締め切り

　資産の諸勘定は、残高が借方に生じるので、貸方に「**次期繰越**」として残高を記入し、負債・資本（純資産）の諸勘定は、残高が貸方に生じるので、借方に「**次期繰越**」として残高を記入し、それぞれ借方と貸方の合計金額を一致させて締め切ります。これを繰越記入（締切記入）といいます。

　次に、翌期首の日付で次期繰越と記入した反対側に「**前期繰越**」と記入し、残高を元に戻します。これを開始記入といい、通常、繰越記入と同時に行います。また、月単位で締め切る場合、次期繰越は「次月繰越」、前期繰越は「前月繰越」とします。

03 商品売買

1. 商品売買取引の記帳方法

複数存在する商品売買取引の処理方法のうち、ここでは、**三分法**と**売上原価対立法**についてみていきます。

三分法	売上原価対立法
仕入**(費用)**、売上**(収益)**、繰越商品**(資産)** の3つの勘定を用いて処理する方法。	商品**(資産)**、売上**(収益)**、売上原価**(費用)** の3つの勘定を用いて、商品を仕入れたときに商品勘定に記入し、販売したときにそのつど原価を売上原価勘定に振り替える方法。

	三分法	売上原価対立法
期　首	仕訳なし	仕訳なし
仕入時	（仕　　入）×× （買 掛 金）××	（商　　品）×× （買 掛 金）××
販売時	（売 掛 金）×× （売　　上）××	（売 掛 金）×× （売　　上）×× （売上原価）×× （商　　品）××
決算時	（仕　　入）×× （繰越商品）×× （繰越商品）×× （仕　　入）××	仕訳なし

2. 返品・割戻し

返品とは、品違いや数量違いなどの理由による商品の返却のことをいいます。また、割戻しとは、一定期間に大量の取引をしたときに行われる商品代金の一部還元（リベート）をいいます。

なお、売上割戻に関しては、「収益認識に関する会計基準」が適用されるので、**第3問対策**の『⑪　**収益認識**』を参照してください。

	三分法		売上原価対立法	
仕入返品	（買　掛　金）××	（仕　　　　入）××	（買　掛　金）××	（商　　　品）××
仕入割戻	（買　掛　金）××	（仕　　　　入）××	（買　掛　金）××	（商　　　品）××
売上返品	（売　　　上）××	（売　掛　金）××	（売　　　上）××	（売　掛　金）××
			（商　　　品）××	（売 上 原 価）××

04　債権・債務

1. 手形の不渡り

(1) 不渡手形の発生

手形の不渡りとは、受取手形が支払期日になったにもかかわらず、支払いがなされないことをいいます。通常の受取手形と区別するために、その手形を**不渡手形（資産）**に振り替えます。なお、償還請求するための費用は不渡手形に含めます。

例） 取引先から受け取っていた約束手形200円が満期日になっても支払いがなされなかったため、償還請求を行った。なお、償還請求費用20円は現金で支払った。

（不 渡 手 形）	220*	（受 取 手 形）	200
		（現　　　　金）	20

＊　200円＋20円＝220円

(2) 不渡手形の決済

不渡手形が決済されたときは、通常の債権回収と同様に処理します。その際、満期日から償還期日までの利息を受け取ることがあります。

① 回収した場合

例） 償還請求を行っていた約束手形220円が利息10円とともに当座預金口座に振り込まれた。

（当 座 預 金）	230*	（不 渡 手 形）	220
		（受 取 利 息）	10

＊　220円＋10円＝230円

② 一部が貸し倒れた場合

例） 償還請求を行っていた約束手形220円のうち100円は現金で回収したが、差額は貸倒れとして処理した。

（現　　　　金）	100	（不 渡 手 形）	220
（貸 倒 損 失）	120*		

＊　220円－100円＝120円

2. 手形の書き換え

　手形の書き換えとは、手形の満期日に債務者が資金を払えそうにない場合、債権者に交渉して、利息を支払って、手形の期日を延長してもらい、新しい手形を振り出して、古い手形を回収する手続きのことをいいます。

　利息の支払い方法は2種類あり、利息を別に支払う場合と、利息を含めて新しい手形を振り出す場合です。

（1）　利息を別に支払う場合

　①　手形債務者の処理

　　例）当社は、先に振り出した約束手形200円につき、手形の更改を申し込み、新手形と旧手形を交換した。なお、支払利息10円を小切手で支払った。

| （支 払 手 形） | 200 | （支 払 手 形） | 200 |
| （支 払 利 息） | 10 | （当 座 預 金） | 10 |

　②　手形債権者の処理

　　例）当社は、先に受け取っていた約束手形200円につき、手形の更改を受け入れ、新手形と旧手形を交換した。なお、受取利息10円を先方振出の小切手で受け取った。

| （受 取 手 形） | 200 | （受 取 手 形） | 200 |
| （現　　　　　金） | 10 | （受 取 利 息） | 10 |

（2）　利息を新手形に含める場合

　①　手形債務者の処理

　　例）当社は、先に振り出した約束手形200円につき、手形の更改を申し込み、新手形と旧手形を交換した。なお、支払利息10円は、新たに振り出した約束手形に含めることとした。

| （支 払 手 形） | 200 | （支 払 手 形） | 210* |
| （支 払 利 息） | 10 | | |

　　＊　200円 + 10円 = 新手形210円

　②　手形債権者の処理

　　例）当社は、先に受け取っていた約束手形200円につき、手形の更改を受け入れ、新手形と旧手形を交換した。なお、受取利息10円は、新たに受け取った約束手形に含まれている。

| （受 取 手 形） | 210* | （受 取 手 形） | 200 |
| | | （受 取 利 息） | 10 |

　　＊　200円 + 10円 = 新手形210円

3. 営業外受取手形・営業外支払手形

　土地などの固定資産の売買や、営業取引に属さない取引で約束手形を振り出した場合は、**営業外受取手形（資産）**、**営業外支払手形（負債）**で処理します。

第1問対策

第2問対策

第3問対策

第4問(1)対策

第4問(2)・第5問対策

(1) **営業外受取手形の処理**

① 約束手形の受け取り

例）事業用の土地 300 円を売却し、代金として約束手形を受け取った。

| （営業外受取手形） | 300 | （土　　　　地） | 300 |

② 約束手形の決済

例）事業用の土地を売却した対価として受け取っていた約束手形 300 円が本日満期となり当座預金口座に振り込まれた。

| （当　座　預　金） | 300 | （営業外受取手形） | 300 |

(2) **営業外支払手形の処理**

① 約束手形の振り出し

例）事業用として土地を 300 円で購入し、代金として約束手形を振り出した。

| （土　　　　地） | 300 | （営業外支払手形） | 300 |

② 約束手形の決済

例）事業用の土地を購入した対価として振り出していた約束手形 300 円が本日満期となり当座預金口座から支払った。

| （営業外支払手形） | 300 | （当　座　預　金） | 300 |

4. 債権売却損

債権は通常、支払期日があり、実際に現金になるまでにタイムラグがあります。しかし、手形債権、電子記録債権のみならず、「債権」は、第三者に売り、すぐに現金にすることができます。その際、売却価額と帳簿価額との差額は**債権売却損（費用）**で処理します。

例）売掛金 100 円を早急に現金化するため、90 円で譲渡した。

| （現　　　　金） | 90 | （売　　掛　　金） | 100 |
| （債 権 売 却 損） | 10 | | |

5. 債権の譲渡

ある取引先への買掛金を支払うため、他の取引先に対する売掛金を譲渡することができます。

例）A社に対する買掛金 100 円を支払うため、B社に対する売掛金 100 円を同社の承諾を得て譲渡し、相殺した。

| （買　　掛　　金） | 100 | （売　　掛　　金） | 100 |

05　引当金

引当金とは、将来の特定の費用または損失であって、その発生原因が当期以前に存在し、発生の可能性が高く、かつその金額を合理的に見積もることができる場合、**当期の負担すべき費用（繰入額）**を発生させ、**負債の部（貸倒引当金のみ資産の部）に計上される**ものをいいます。

1. 引当金の設定方法

引当金の設定方法は**差額補充法**と**洗替法**があります。

(1) 差額補充法

引当金の残高と当期末に設定すべき金額を比べて、その差額を計上する方法です。

例) 売上債権の期末残高 50,000 円に対し、2 % の貸倒引当金を計上する。なお、貸倒引当金の残高が 300 円あり、差額補充法により計上する。

（貸倒引当金繰入）	700*	（貸 倒 引 当 金）	700

* 見積額：50,000 円 × 2 % = 1,000 円
  繰入額：1,000 円 − 300 円 = 700 円

(2) 洗替法

前期末に設定された引当金の残額を、いったん取り崩して収益を計上し、当期末における引当金の金額の全額を費用計上する方法です。

例) 売上債権の期末残高 50,000 円に対し、2 % の貸倒引当金を計上する。なお、貸倒引当金の残高が 300 円あり、洗替法により計上する。

（貸 倒 引 当 金）	300	（貸倒引当金戻入）	300
（貸倒引当金繰入）	1,000*	（貸 倒 引 当 金）	1,000

* 見積額（繰入額）：50,000 円 × 2 % = 1,000 円

2. 貸倒引当金

貸倒引当金（資産の評価勘定）とは、売掛金、受取手形といった**営業債権（売上債権）**、もしくは貸付金といった**営業外債権**が貸し倒れたときに備えて、計上する引当金です。

3. 貸倒引当金の表示

営業債権と営業外債権は、債権の性質が異なるため、営業債権（売上債権）に関する貸倒引当金繰入は、**販売費及び一般管理費**に計上し、営業外債権に関する貸倒引当金繰入は**営業外費用**に計上します。

4. 修繕引当金

企業は、所有している備品や機械、建物を使う際に、修繕を行うことがあります。その時に備えて計上する引当金を**修繕引当金（負債）**、発生する費用を**修繕引当金繰入（費用）**といいます。

(1) 決算のとき

当期に負担させるべき金額として**修繕引当金繰入（費用）**を計上し、**修繕引当金（負債）**を設定します。

例) 決算において、機械装置の修繕を行うための引当金として当期分 120 円を計上した。

（修 繕 引 当 金 繰 入）	120	（修 繕 引 当 金）	120

(2) 支払いのとき

　　修繕を行ったときは、修繕引当金を取り崩します。修繕引当金を越える金額については、**修繕費（費用）** を計上します。

　例） 機械装置の修繕を行い、小切手700円を振り出して支払った。なお、修繕引当金として600円を計上している。

| （修 繕 引 当 金） | 600 | （当 座 預 金） | 700 |
| （修　 繕　 費） | 100 | | |

(3) 支出額に資本的支出が含まれているとき

　　支出額に資本的支出が含まれているときは、支出額を**資本的支出**と**収益的支出**に分けて仕訳をします。資本的支出に関しては、固定資産として計上し、収益的支出に関しては、引当金がある場合は取り崩し、引当金がない場合や引当金の金額を越える場合は費用が計上されます。

　　なお、資本的支出（改良）とは、固定資産の価値を上げたり、耐用年数が延長するような支出をいい、収益的支出（修繕）とは、固定資産の価値を維持するような支出をいいます。

　例） 機械装置の修繕を行い、小切手700円を振り出して支払った。なお、修繕引当金として600円を計上している。また、支出した700円のうち50円は機械装置の改良のための支出であった。

（機 械 装 置）	50	（当 座 預 金）	700
（修 繕 引 当 金）	600		
（修　 繕　 費）	50*		

　　＊　700円 − 資本的支出50円 − 修繕引当金600円 ＝ 50円

5. 賞与引当金

　従業員に対して賞与を支払っている場合、その支払いに備えて計上する引当金を**賞与引当金（負債）**、発生する費用を**賞与引当金繰入（費用）** といいます。

(1) 決算のとき

　　当期に負担すべき金額について、**賞与引当金（負債）** を計上します。この当期に負担すべき金額は賞与計算期間のうち、当期分を月割計算によって算定します。

　例） 決算（×2年3月31日）において、次期の7月に支払う予定の賞与（×2年1月～×2年6月分）600円のうち、当期分について賞与引当金として計上した。

| （賞 与 引 当 金 繰 入） | 300* | （賞 与 引 当 金） | 300 |

　　＊　$600円 \times \dfrac{3か月（×2年1月～×2年3月）}{6か月（×2年1月～×2年6月）} = 300円$

(2) 支払いのとき

　　賞与支給日に従業員に賞与を支給したときは、賞与引当金を取り崩します。支給額と取り崩した賞与引当金との差額は、**賞与（費用）** を計上します。

　例） 本日、賞与（×2年1月～×2年6月分）700円を現金で支払った。なお、賞与引当金600円が計上されているため、これを取り崩した。

| （賞 与 引 当 金） | 600 | （現　　　　金） | 700 |
| （賞　　　　与） | 100 | | |

6. 役員賞与引当金

役員に対して賞与を支払う場合、その引当金の勘定科目は**役員賞与引当金 (負債)**、発生する費用は**役員賞与引当金繰入 (費用)** となります。

(1) 決算のとき

当期に負担すべき金額について役員賞与引当金を計上します。

例）決算（×2年3月31日）において、次期の7月に支払う予定の役員賞与（×1年7月～×2年6月分）1,200円のうち、当期分について引当金として計上した。

| （役員賞与引当金繰入） | 900* | （役員賞与引当金） | 900 |

$$* \quad 1,200\,円 \times \frac{9\,か月（×1年7月～×2年3月）}{12\,か月（×1年7月～×2年6月）} = 900\,円$$

(2) 支払いのとき

賞与支給日になって役員に賞与を支払う場合は、役員賞与引当金を取り崩します。

例）本日、役員に賞与（×1年7月～×2年6月分）1,200円を小切手を振り出して支払った。なお、役員賞与引当金1,200円が計上されているため、これを取り崩した。

| （役員賞与引当金） | 1,200 | （当 座 預 金） | 1,200 |

---

06 現金および預金

1.「現金」の範囲

「現金」で処理されるのは、通貨（外国通貨を含む）および通貨代用証券です。

通　　　貨	紙幣・硬貨（外国通貨を含む）
通貨代用証券	他人振出の小切手…他人が振り出した当座小切手
	配当金領収証…株式の配当として交付される配当金の領収証
	期限到来後の公社債利札（クーポン）…公債（国債・地方債）や社債の証券にあらかじめ印刷されている利息の受取証
	普通為替証書（郵便為替証書）…ゆうちょ銀行または郵便局が送金者の依頼にもとづいて交付する証券
	送金小切手…銀行経由の送金手段として銀行が交付する小切手

2. 定期預金

定期預金とは、期間満了まで引き出しができない預金をいいます。定期預金は利息が生じます。

(1) 財務諸表の表示方法

定期預金については、決算日の翌日から1年以内に満期日が到来するものは貸借対照表上、「流動資産」に**現金預金**として、それ以外は「固定資産（投資その他の資産）」に長期性預金（または長期定期預金）として表示します（**一年基準**）。なお、長期性預金が現金預金に含まれている場合は、振り替えを行います。

(2) 定期預金の利息

定期預金の利息は一般的に後払いであるため、利払日と決算日が一致しない場合には、預入日または期中の最終利払日の翌日から決算日までの利息を、月割計算により見越計上します。

第1問対策

第2問対策

第3問対策

第4問(1)対策

第4問(2)・第5問対策

07 外貨換算会計

1. 外貨建取引の会計処理

(1) 外貨建ての仕入取引

商品を輸入したときは、原則として、**取引発生時の為替相場（HR：Historical Rate：発生日レート）により換算**します。また、外貨で支払った前払金は、**支払時の為替相場（HR）により換算**します。なお、取引発生時と支払時の為替相場の変動によって生じる差額は**為替差損益**として処理します。

例1） 米国のA社より商品500ドルを輸入する契約をし、先に手付金100ドル（1ドル110円）を前払いしている。本日（1ドル115円）、A社より商品500ドルを受け取り、買掛金を計上した。

（仕 入）	57,000*	（前 払 金）	11,000
		（買 掛 金）	46,000

* 前払金 11,000 円 + 買掛金 46,000 円 = 57,000 円
　　@110円×100ドル　@115円×400ドル

例2） 買掛金400ドル（例1）を現金で支払った。本日の為替相場は1ドル120円であった。

（買 掛 金）	46,000	（現 金）	48,000
（為 替 差 損 益）	2,000*		

* 現金 48,000 円 − 買掛金 46,000 円 = 2,000 円
　　@120円×400ドル

(2) 外貨建ての売上取引

商品を輸出したときは、原則として、**取引発生時の為替相場（HR）により換算**します。また、外貨で受け取った前受金は、**受取時の為替相場（HR）により換算**します。

例） 当社は、米国の得意先B社に商品600ドルを販売することになり、先に手付金100ドル（1ドル110円）を受け取っている。本日（1ドル114円）、B社に商品600ドルを発送し、手付金100ドルを控除した残額を売掛金として計上した。

（前 受 金）	11,000	（売 上）	68,000*
（売 掛 金）	57,000		

* 前受金 11,000 円 + 売掛金 57,000 円 = 68,000 円
　　@110円×100ドル　@114円×500ドル

2. 決算時の会計処理（換算替え）

外国通貨および外貨預金を含む外貨建金銭債権・債務などの貨幣項目は、決算にあたり、**決算時の為替相場（CR：Current Rate：決算日レート）により円換算額に換算替えを行い、換算により生じた換算差額を為替差損益**として処理します。

また、貨幣項目以外を非貨幣項目といい、決算において換算替えは行いません。

分　類		項目の例	貸借対照表価額
貨幣項目	資産	外国通貨、外貨預金、受取手形、売掛金、未収入金、貸付金、未収収益	CR換算 決算時に換算替えする
	負債	支払手形、買掛金、未払金、借入金、未払費用	
非貨幣項目	資産	棚卸資産、前払金、前払費用、有形固定資産、無形固定資産	HR換算 決算時に換算替えしない
	負債	前受金、前受収益	

※ 未収収益や未払費用は、決算日にCR換算されるため、換算替えによる為替差損益は計上されません。

例1）売掛金のうち 115,000 円は米国の A 社に対するドル建てのものであり、1,000 ドルを取引時の為替相場 1 ドル 115 円で換算している。決算日の為替相場は 1 ドル 117 円であった。

（売　掛　金）	2,000*	（為 替 差 損 益）	2,000

* （@ 117 円 − @ 115 円）× 1,000 ドル = 2,000 円

例2）買掛金のうち 60,000 円は米国の B 社に対するものであり、500 ドルを取引時の為替相場 1 ドル 120 円で換算している。決算日の為替相場は 1 ドル 122 円であった。

（為 替 差 損 益）	1,000	（買　掛　金）	1,000*

* （@ 122 円 − @ 120 円）× 500 ドル = 1,000 円

例3）備品のうち 10,000 円は米国の C 社から購入したものであり、100 ドルを取引時の為替相場 1 ドル 100 円で換算している。決算日の為替相場は 1 ドル 115 円であった。

仕 訳 な し*

* 備品は、非貨幣項目であるため決算日において換算替えはしません。

3. 為替予約（振当処理）

為替予約とは、将来の一定時点にあらかじめ定めた為替相場で外国通貨の購入または売却を行う契約をいいます。日商簿記 2 級においては、為替予約の会計処理のうち、**振当処理（特例）**について学習します。

振当処理（特例）とは、**先物為替相場（FR：Forward Rate）により外貨建金銭債権・債務を換算**する方法です。

⑴ 取引発生時までに為替予約を付した場合

外貨建金銭債権・債務について、為替予約時に為替予約にもとづく先物為替相場（FR）による円換算額に換算替えします。なお、実質的に円建ての取引と同じになるため、以降、決算日や決済時において為替差損益は生じません。

例1）×1 年 12 月 1 日。当社は商品 40 ドルを掛けで輸入した。輸入と同時に、取引銀行と買掛金支払いのために 40 ドルを 1 ドル 125 円で購入する為替予約を結んだ。買掛金の決済日は×2 年 5 月 31 日の予定である。12 月 1 日の為替相場は 1 ドル 120 円であった。なお、振当処理を適用し、外貨建取引および外貨建金銭債務については、先物為替相場で換算する。

（仕　　　　入）	5,000*	（買　掛　金）	5,000

* @ 125 円 × 40 ドル = 5,000 円

例2）×2 年 3 月 31 日決算。3 月 31 日の為替相場は 1 ドル 124 円であった。

仕 訳 な し*

* 為替予約を付しているため、決算時における換算替えは行いません。

例3）×2 年 5 月 31 日。買掛金 40 ドル（上記例 1）を現金で支払った。なお 5 月 31 日の為替相場は 1 ドル 126 円であった。

（買　掛　金）	5,000*	（現　　　金）	5,000

* 為替予約を付しているため、為替予約時の先物為替相場（FR）によって決済が行われます。

⑵ 取引発生後に為替予約を付した場合

外貨建金銭債権・債務について、為替予約時に為替予約にもとづく先物為替相場（FR）による円換算額に換算替えします。それにともない、取引発生時の直物為替（SR：Spot Rate）と先物為替相場（FR）との差額によって為替差損益が生じます。

例1）×1年12月1日。当社は商品40ドルを掛けで輸入した。買掛金の決済日は×2年5月31日の予定である。なお、12月1日の為替相場は1ドル120円であった。

（仕 入）	4,800*	（買 掛 金）	4,800

* @120円×40ドル＝4,800円

例2）×2年2月1日。買掛金（上記例1）の支払いのために40ドルを1ドル125円で為替予約する契約を結んだ。2月1日の為替相場は1ドル122円であった。なお、振当処理を適用することとするが、為替予約にともなう差額はすべて当期の損益として処理する。

（為 替 差 損 益）	200	（買 掛 金）	200*

* （FR @125円－@120円）×40ドル＝200円

例3）×2年3月31日決算。3月31日の為替相場は1ドル124円であった。

仕 訳 な し

例4）×2年5月31日。買掛金40ドル（上記例1）を現金で支払った。なお、5月31日の為替相場は1ドル126円であった。

（買 掛 金）	5,000	（現 金）	5,000

※ 為替予約を付しているため、為替予約時の先物為替相場（FR）によって決済が行われます。

4. 為替差損益の表示

為替差損益は、原則、損益計算書上に「営業外収益」または「営業外費用」の区分に純額で表示します。

08 有価証券

1. 有価証券の種類

有価証券はその保有目的によって、**売買目的有価証券**、**満期保有目的債券**、**子会社株式・関連会社株式**、**その他有価証券**の4つに分類することができます。

(1) **売買目的有価証券**

　売買目的有価証券とは、有価証券の短期的な時価の変動によって利益を得ることを目的として保有するものです。

(2) **満期保有目的債券**

　満期保有目的債券とは、満期まで所有する意図をもって保有する公社債のことをいいます。なお、株式には満期日が存在しないため、この分類に該当するのは公社債のみです。

(3) **子会社株式・関連会社株式**

　子会社株式・関連会社株式とは、他の企業の株主総会等の意思決定機関に影響力を持つことで、その会社を支配したり、重要な影響を与えるために保有する株式のことをいいます。

(4) **その他有価証券**

　その他有価証券とは、上記3つの分類に該当しない有価証券のことをいいます。例えば、業務提携の目的で保有する有価証券などがこれに該当します。

09 有形固定資産

1. 償却の記帳方法

減価償却の記帳方法には、**直接法**と**間接法**があり、間接法は日商簿記3級で学習済みです。減価償却費の記帳方法における**直接法**とは、計上した減価償却費と同額だけ、固定資産の勘定から直接控除する方法です。

例) 決算において、当期首に購入した備品（取得原価700円、残存価額ゼロ、耐用年数10年）について、定額法により減価償却を行う。なお、記帳方法は直接法で行う。

| （減 価 償 却 費） | 70* | （備　　　　品） | 70 |

* 取得原価700円÷耐用年数10年＝70円

2. 固定資産の割賦購入

(1) 固定資産を割賦で購入したとき

固定資産を割賦購入する場合、取得原価のほか、割賦購入に係る利息が発生することがあります。この割賦購入に係る利息は原則、取得原価に含めずに区別して処理します。ここでは、購入時に**前払利息（資産）**を計上した場合の利息分の処理方法をみていきます。

例) 備品1,000円を購入し、その代金は2か月ごとの5回分割払い（1回の支払額220円）とした。なお、利息分については前払利息で処理する。

| （備　　　　品） | 1,000 | （未　払　金） | 1,100*1 |
| （前 払 利 息） | 100*2 | | |

*1　1回の支払額220円×5回＝1,100円
*2　1,100円－現金正価1,000円＝100円

(2) 割賦金の支払時

代金の支払時には、未払金等の負債を減少させるとともに、前払利息を取り崩し、**支払利息（費用）**に振り替えます。このときの利息の計算方法は、定額法などの計算にもとづき処理します。

例) 当期に購入した備品（現金正価1,000円、2か月ごとの5回分割払い、1回の支払額220円、利息総額100円については前払利息で処理している）について、1回目の割賦金220円を普通預金で支払った。なお、前払利息は定額法により配分する。

| （未　払　金） | 220 | （普 通 預 金） | 220 |
| （支 払 利 息） | 20* | （前 払 利 息） | 20 |

* 利息総額100円÷5回＝20円

(3) 決算時

割賦金の支払日と決算日が異なる場合には、当期に支払った最終日の翌日から決算日までの期間に対応する利息を、決算整理において前払利息から支払利息に振り替えます。

例) 決算につき、備品（現金正価1,000円、2か月ごとの5回分割払い、1回の支払額220円、利息総額100円については前払利息で処理している）の購入に関する前払利息について、当期に対応する1か月分を定額法により処理する。

| （支 払 利 息） | 10* | （前 払 利 息） | 10 |

* 利息総額$100円 \times \dfrac{1回}{5回} \times \dfrac{1か月}{2か月} = 10$円

3. 除却と廃棄

(1) 固定資産を除却したとき

除却とは、固定資産を業務の用から取り除くことをいいます。固定資産を除却したときは、除却した固定資産の処分価額（評価額）を見積もり、貯蔵品（資産）として処理します。処分価額と除却時の帳簿価額との差額は固定資産除却損（費用）として処理します。

例） 本日、不用となった備品（取得原価400円、減価償却累計額300円、処分価額50円）を除却した。

（備品減価償却累計額）	300	（備　　　　品）	400
（貯　蔵　品）	50		
（固定資産除却損）	50*		

*　取得原価400円 − 備品減価償却累計額300円 − 処分価額50円 = 50円

(2) 固定資産を廃棄したとき

固定資産を廃棄したときは、廃棄した固定資産の帳簿価額を固定資産廃棄損（費用）として処理します。なお、廃棄にかかった費用は固定資産廃棄損に含めて処理します。

例） 本日、不用となった備品（取得原価400円、減価償却累計額300円）を廃棄し、廃棄費用として現金50円を支払った。

（備品減価償却累計額）	300	（備　　　　品）	400
（固定資産廃棄損）	150*	（現　　　　金）	50

*　取得原価400円 − 備品減価償却累計額300円 + 廃棄費用50円 = 150円

4. 買換え

固定資産の買換えとは、古い固定資産を下取りに出し、新しい固定資産を購入することをいいます。

旧固定資産を下取価額で売却し、売却により得たお金を新固定資産を買うための購入代金に充てたと考えて処理します。

例） 当期首に車両（取得原価250円、減価償却累計額100円、記帳方法は間接法）を下取りに出し、新車両（取得原価400円）を購入した。なお、旧車両の下取価額は100円であり、購入価額との差額は現金で支払った。

① 旧固定資産売却の仕訳

（車両運搬具減価償却累計額）	100	（車　両　運　搬　具）	250
（現　　　　金）	100*1		
（固定資産売却損）	50*2		

*1　下取価額
*2　貸借差額

② 新固定資産購入の仕訳

（車　両　運　搬　具）	400	（現　　　　金）	400

③ 固定資産買換えの仕訳（①＋②）

（車　両　運　搬　具）	400	（車　両　運　搬　具）	250
（車両運搬具減価償却累計額）	100	（現　　　　金）	300
（固定資産売却損）	50		

10 リース取引

1. リース取引とは

特定の物件（主に有形固定資産）について、所有者の貸手（リース会社）が、借手に対し、リース期間にわたり貸し渡す契約を結び、借手が使用料（リース料）を貸手に支払う取引をいいます。

2. リース取引の分類

リース取引は、解約不能とフルペイアウト（借り手が経済的利益を実質的に享受し、使用のコストを負担すること）の要件を満たすとファイナンス・リース取引に分類され、売買取引と同様に処理します。それ以外はオペレーティング・リース取引といい、賃貸借取引と同様に処理します。

3. ファイナンス・リース取引の会計処理

(1) 利子抜き法

リース物件とこれに係る債務をリース資産（資産）およびリース債務（負債）として計上します。

利子抜き法では、リース資産およびリース債務は、原則として、リース料総額からこれに含まれている利息相当額を控除した取得原価相当額で計上します。

リース料総額 {
| 利息相当額 |
| 取得原価相当額
（見積現金購入価額） | 「リース資産」および「リース債務」の計上額

例）×1年10月1日に備品（見積現金購入価額4,500円）をファイナンス・リース取引（利子抜き法により処理）で取得した。この備品については、リース期間5年、年間リース料1,000円（毎年9月30日後払い）の条件で契約を結んでいる。なお、減価償却は定額法で行い、会計期間は3月31日を決算日とする1年である。

① リース取引開始時

（リース資産） 4,500* （リース債務） 4,500

＊ 見積現金購入価額

② 決算時

リース資産の計上額をもとに、耐用年数をリース期間、残存価額をゼロとして減価償却を行います。また、決算日とリース料の支払日が異なる場合には、経過期間の利息について未払利息を計上します。

（減価償却費） 450*1 （リース資産減価償却累計額） 450
（支払利息） 50*2 （未払利息） 50

＊1 見積現金購入価額4,500円÷5年×$\frac{6か月}{12か月}$＝450円

＊2 利息相当額500円÷5年×$\frac{6か月}{12か月}$＝50円

③ リース料支払い時

リース料のうち経過期間の利息に相当する額を**定額法**により算定し**支払利息**として処理し、残額を**リース債務の返済**として処理します。

| （リース債務） | 900*1 | （現　　　金） | 1,000 |
| （支払利息） | 100*2 | | |

＊1　見積現金購入価額 4,500 円 ÷ 5 年 = 900 円
＊2　1,000 円 × 5 年 − 4,500 円 = 利息相当額 500 円
　　　利息相当額 500 円 ÷ 5 年 = 100 円

(2)　利子込み法

利子込み法では、リース資産およびリース債務はリース料総額をもって計上します。

リース料総額
```
┌──────────────────┐
│      利息相当額      │
├──────────────────┤
│  取得原価相当額      │
│（見積現金購入価額）  │
└──────────────────┘
```
「リース資産」および
「リース債務」の計上額

例） ×1年4月1日に備品（見積現金購入価額 4,500 円）をファイナンス・リース取引（利子込み法により処理）で取得した。この備品については、リース期間5年、年間リース料 1,000 円（毎年3月31日後払い）の条件で契約を結んでいる。なお、減価償却は定額法で行い、会計期間は3月31日を決算日とする1年である。

① リース取引開始時

| （リース資産） | 5,000* | （リース債務） | 5,000 |

＊　1,000 円 × 5 年 = 5,000 円

② リース料支払時

支払ったリース料についてリース債務を減額します。

| （リース債務） | 1,000 | （現　　　金） | 1,000 |

③ 決算時

リース資産の計上額をもとに、耐用年数をリース期間、残存価額をゼロとして減価償却を行います。

| （減価償却費） | 1,000* | （リース資産減価償却累計額） | 1,000 |

＊　5,000 円 ÷ 5 年 = 1,000 円

4. オペレーティング・リース取引

オペレーティング・リース取引は、通常の賃貸借取引と同様の会計処理を行います。したがって、リース料の支払時に**支払リース料（費用）**を計上します。なお、リース料支払日と決算日が異なる場合には、経過期間のリース料について**未払リース料（負債）**を計上します。

例） ×3年3月31日（決算日）において、×1年6月1日に締結したリース契約（オペレーティング・リース取引）について、リース料の未払計上を行った。なお、リース期間は5年、年間リース料は 3,000 円（毎年5月31日後払い）である。

| （支払リース料） | 2,500* | （未払リース料） | 2,500 |

＊　$3,000 円 \times \dfrac{10 か月（×2年6/1 \sim ×3年3/31）}{12 か月} = 2,500 円$

11 無形固定資産と研究開発費

1. のれんの償却

のれんは、20年以内のその効果のおよぶ期間にわたって、**定額法**その他の合理的な方法により償却を行います。その償却額は**のれん償却（費用）**として、他の無形固定資産と同様、原則として、損益計算書の「販売費及び一般管理費」の区分に表示します。

例）決算において、のれん100円を償却した。のれんは20年で定額法により償却し、すでに10年分が償却済みである。

（ の れ ん 償 却 ）	10*	（ の れ ん ）	10

* 100円÷（20年−10年）＝10円

2. 研究開発費

(1) 研究開発費とは

新製品や新技術などの**研究**および**開発**に関する支出額を研究開発費といいます。研究開発費には、原材料費や人件費をはじめ、減価償却費や間接費など研究開発のために用いられたすべての原価が含まれます。

(2) 研究開発費の会計処理

研究開発費は、その発生時に費用を認識し、**研究開発費（費用）**として計上します。研究開発費は、原則として、損益計算書の「販売費及び一般管理費」の区分に表示します。

例1）当社は、新製品の研究に従事している従業員に給料1,500円を当座預金より支払った。また、この新製品の研究について一部を外部企業に委託しているため、委託費用500円について小切手を振り出して支払った。

（ 研 究 開 発 費 ）	2,000*	（ 当 座 預 金 ）	2,000

* 1,500円＋500円＝2,000円

例2）当社は、機械装置を現金500円で購入した。この機械装置は、製品Aの研究開発にのみ使用する目的で、特別に仕様変更したものである。

（ 研 究 開 発 費 ）	500	（ 現 金 ）	500

第2問対策

2 株主資本等変動計算書

01 株主資本等変動計算書

1. 株主資本等変動計算書

　株主資本等変動計算書とは、当期中における純資産（株主資本および評価・換算差額等）の変動額について、貸借対照表の純資産の部に表示される項目ごとにその変動要因を報告するために作成する財務諸表です。

2. 株主資本等変動計算書の作成

　株主資本等変動計算書は、各純資産の項目ごとに「**当期首残高 → 当期変動額 → 当期末残高**」の順番で金額を記入して作成します。

〈株主資本等変動計算書の作成例〉

株主資本等変動計算書
自×年×月×日　至×年×月×日　　　　　　　　　（単位：千円）

	株　　　主　　　資　　　本			
		資　　本　　剰　　余　　金		
	資　　本　　金	資　本　準　備　金	その他資本剰余金	資本剰余金合計
当期首残高 ❶	4,000	450	250	700
当期変動額 ❷				
新 株 の 発 行	500	500		500
剰 余 金 の 配 当		10	△ 110	△ 100
別 途 積 立 金 の 積 立				
当 期 純 利 益				
株主資本以外の項目の当期変動額（純額）				
当期変動額合計	500	510	△ 110	400
当期末残高 ❸	4,500	960	140	1,100

（次ページへ続く）

（前ページから続く）

		株　　　主　　　資　　　本					評価・換算差額等	
		利　　益　　剰　　余　　金				株主資本合　　計	その　他有価証券評価差額金	純　資　産合　　　計
		利益準備金	その他利益剰余金		利益剰余金合　　計			
			別途積立金	繰越利益剰余金				
当期首残高 ❶		350	150	1,000	1,500	6,200	300	6,500
当期変動額 ❷								
新　株　の　発　行						1,000		1,000
剰　余　金　の　配　当		30		△ 330	△ 300	△ 400		△ 400
別途積立金の積立			20	△ 20				
当　期　純　利　益				700	700	700		700
株主資本以外の項目　の当期変動額（純額）							150	150
当期変動額合計		30	20	350	400	1,300	150	1,450
当期末残高 ❸		380	170	1,350	1,900	7,500	450	7,950

❶ 「当期首残高」の行には、前期末における貸借対照表の純資産の部に計上されている金額を、項目ごとに記入します。

❷ 「当期変動額」の各項目の行には、当期中に変動した純資産の金額を記入します。純資産の金額が減少する場合は、金額の前に△（マイナスを表す記号）を付します。その後、「当期変動額合計」の行に各純資産項目の変動額合計を記入します。

　　株主資本 → 変動要因（新株の発行、剰余金の配当など）ごとに区別して記入

　　評価・換算差額等 → 原則としてまとめて純額で記入

❸ 「当期末残高」の行には、「当期首残高」（❶）に「当期変動額合計」（❷）を加減算した金額を記入します。株主資本等変動計算書の「当期末残高」に記入した金額が、貸借対照表の純資産の部に計上されます。

02 株式の発行

1. 純資産（資本）

　純資産は、資産と負債の差額であり、株主の持分を表す「株主資本」とその他の項目に区別できます。また、「株主資本」は会計上の分類と会社法上の分類を加味し、以下のように表示されます。

			資　　　本　　　金	
純資産	株主資本	株主からの払込を源泉とする株主資本	資本剰余金	資　本　準　備　金
				その他資本剰余金
		会社が獲得した利益を源泉とする株主資本	利益剰余金	利　益　準　備　金
				その他利益剰余金
	その他の項目			

2. 設立時の株式発行

　株式会社は株式を発行して資金調達を行います。これにより調達した資金は、会社法の規定により、その払込金額を**資本金**（**純資産**）として計上します（原則）。しかし、払込金額の2分の1までを資本金としないで**資本準備金**（**純資産**）として計上することも認められています（容認）。

　また、会社設立時の株式発行費用は**創立費**、創立費の他に設立から営業までの期間に要した費用を**開業費**として処理します。

　例） 会社設立に際し、株式300株を1株の払込金額50,000円で発行し、全株式の払い込みを受け、払込金額が普通預金に入金された。なお、株式発行のための諸費用200,000円を現金で支払った。

　① 原則（払込金額：全額資本金に組み入れ）

（普 通 預 金）	15,000,000	（資 本 金）	15,000,000*
（創 立 費）	200,000	（現 金）	200,000

　* 50,000円 × 300株 = 15,000,000円

　② 容認（払込金額：会社法で認められる最低額を資本金に組み入れ）

（普 通 預 金）	15,000,000	（資 本 金）	7,500,000*1
		（資 本 準 備 金）	7,500,000*2
（創 立 費）	200,000	（現 金）	200,000

　*1　$50,000円 × 300株 × \dfrac{1}{2} = 7,500,000円$

　*2　15,000,000円 − 7,500,000円〈資本金〉= 7,500,000円

3. 増資時の株式発行

　会社設立後に株式を発行した場合も、設立時と同様に会社法の規定にもとづき資本金を計上します。また、増資時の株式発行費用は**株式交付費**として処理します。

　例） 増資に際し、株式500株を1株の払込金額4,000円で発行し、全株式の払い込みを受け、払込金額が当座預金に入金された。なお、株式発行のための諸費用50,000円を現金で支払った。

　① 原則（払込金額：全額資本金に組み入れ）

（当 座 預 金）	2,000,000	（資 本 金）	2,000,000*
（株 式 交 付 費）	50,000	（現 金）	50,000

　* 4,000円 × 500株 = 2,000,000円

　② 容認（払込金額：会社法で認められる最低額を資本金に組み入れ）

（当 座 預 金）	2,000,000	（資 本 金）	1,000,000*1
		（資 本 準 備 金）	1,000,000*2
（株 式 交 付 費）	50,000	（現 金）	50,000

　*1　$4,000円 × 500株 × \dfrac{1}{2} = 1,000,000円$

　*2　2,000,000円 − 1,000,000円〈資本金〉= 1,000,000円

4. 株式申込証拠金

株式の引受人から証拠金を受け取ったときは、その払込金額について**株式申込証拠金（純資産）**と**別段預金（資産）**を計上します。その後、払込期日において株式申込証拠金を資本金・資本準備金に振り替え、別段預金を預金勘定に振り替えます。

03　剰余金の配当と処分

1. 剰余金の配当と積立て

剰余金の配当とは、株式会社において、会社の利益（剰余金）を出資者である株主に還元することをいいます。また、**剰余金の処分**とは、会社法の規定や経営判断により、**利益準備金や任意積立金の積み立て**が行われることをいいます。

剰余金の配当 （社外流出項目）	株主配当金	株主に対する利益の分配
剰余金の処分 （社内留保項目）	利益準備金	会社法の規定により積み立てが強制されている準備金
	任意積立金	会社が任意で積み立てる利益の留保額 新築積立金（建物を新築するための積立金）、別途積立金（特定の使用目的のない積立金）など

2. 会計処理

(1) 当期純利益の計上

損益勘定で計算された当期純利益は、**繰越利益剰余金（純資産）**の貸方に振り替えられます。なお、当期純損失が計上された場合には、繰越利益剰余金の借方に振り替えられます。

例）決算において、当期純利益500円を計上し、繰越利益剰余金に振り替えた。

（損　　　　益）	500	（繰越利益剰余金）	500

(2) 剰余金の配当と処分

株主総会で剰余金の配当や処分が確定した金額を、繰越利益剰余金から各勘定科目に振り替えます。なお、株主配当金は後日支払われるため、**未払配当金（負債）**で処理します。

例）株主総会において、繰越利益剰余金を原資とする配当100円が確定した。また、繰越利益剰余金を利益準備金10円、別途積立金20円に振り替えることが決まった。

（繰越利益剰余金）	130	（未 払 配 当 金）	100
		（利 益 準 備 金）	10
		（別 途 積 立 金）	20

(3) 配当金の支払い

配当金を支払ったときは、未払配当金が減少します。

例）株主総会において確定していた配当金100円について、小切手を振り出して支払った。

（未 払 配 当 金）	100	（当 座 預 金）	100

第1問対策

第2問対策

第3問対策

第4問(1)対策

第4問(2)・第5問対策

3. 準備金積立額の計算

　会社法では、剰余金の処分に際して、準備金を積み立て、会社内に留保することを要請しています。準備金の積立額は次のように計算します。

$$
\begin{array}{ll}
① & \text{資本金} \times \dfrac{1}{4} - (\text{資本準備金} + \text{利益準備金}) \\[2mm]
② & \text{株主配当金} \times \dfrac{1}{10}
\end{array}
\left.\vphantom{\begin{array}{c}a\\b\\c\end{array}}\right\} \ \text{いずれか小さい方}
$$

4. その他資本剰余金による配当

　配当原資は、本来、繰越利益剰余金とされるべきですが、その他資本剰余金を原資として配当を支払うことが認められています。その他資本剰余金を配当原資として配当する場合も、利益剰余金と同様の基準により**資本準備金（純資産）**を積み立てます。

　　例）株主総会において、その他資本剰余金を原資とする配当200円が確定し、20円を資本準備金とすることが決まった。

（その他資本剰余金）	220	（未 払 配 当 金）	200
		（資 本 準 備 金）	20

5. 繰越利益剰余金勘定が借方残高のとき

　繰越利益剰余金が借方残高（負の値）となった場合には、任意積立金などを取り崩すことにより補てんすることができます。

　　例）株主総会において、別途積立金20円を取り崩し、繰越利益剰余金に振り替えることが決まった。

（別 途 積 立 金）	20	（繰越利益剰余金）	20

6. 株主資本の計数の変動

　株主資本の計数の変動とは、株主総会の決議により、資本準備金を資本金に振り替える等、純資産項目内の金額を変動させることをいいます。日商簿記2級の試験では、問題の指示に従って解答します。

　　例）株主総会の決議および準備金減少の手続きが完了したため、資本準備金1,600,000円を資本金に振り替え、利益準備金1,300,000円を取り崩して繰越利益剰余金に振り替える。

（資 本 準 備 金）	1,600,000	（資　本　金）	1,600,000
（利 益 準 備 金）	1,300,000	（繰越利益剰余金）	1,300,000

04 合併

　合併とは2つ以上の会社が1つの会社に合体することをいいます。合併には吸収合併と新設合併の2つの形態があります。

1. 吸収合併

吸収合併とは、ある会社がほかの会社を吸収する合併形態のことです。このとき、合併後も存続する会社を**存続会社（合併会社）**、消滅する会社を**消滅会社（被合併会社）**といいます。

一方、新設合併とはすべての会社を消滅させ、新会社を設立する合併形態をいいます。

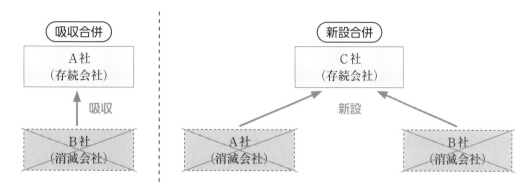

吸収合併では、合併会社が被合併会社の資産および負債をすべて引き継ぎ、被合併会社の株主に合併会社の株式等を交付します。このときに引き継ぐ資産および負債の価額は、**時価**などを基準とした**公正な価値**となります。また、合併の際に株式が交付された場合、その発行価額（時価等）にもとづいて**資本金等を計上**します。

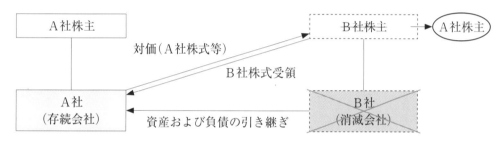

例）甲社は乙社を吸収合併し、合併の対価として乙社の株主に新株を交付した。合併直前の乙社の資産・負債の公正な価値は諸資産2,000円、諸負債1,500円である。

なお、甲社株式の時価は500円であり、発行した株式については全額を資本金とする。

（ 諸 資 産 ）	2,000	（ 諸 負 債 ）	1,500
		（ 資 本 金 ）	500

2. のれんの計上

合併により受け入れた資産と負債の差額（時価純資産）と交付される株式の価額（時価等）の差額を比較し、時価純資産の方が小さいときは**のれん（資産）**として計上します。また、時価純資産の方が大きいときは**負ののれん発生益（収益）**とし、損益計算書の特別利益の区分に計上します。

被合併会社の修正貸借対照表

第1部

第1問対策

第2問対策

第3問対策

第4問(1)対策

第4問(2)・第5問対策

例）甲社は乙社を吸収合併し、合併の対価として乙社の株主に新株を交付した。合併直前の乙社の資産・負債の公正な価額は諸資産2,000円、諸負債1,500円である。

なお、甲社株式の時価は600円であり、発行した株式については全額を資本金とする。

（諸 資 産）	2,000	（諸 負 債）	1,500
（の れ ん）	100*	（資 本 金）	600

* 600円 − (2,000円 − 1,500円) = 100円

3. 資本金等の計上

合併により増加する資本は、新たに交付される株式の価額（時価等）をもって**資本金（純資産）**、**資本準備金（純資産）**、**その他資本剰余金（純資産）** として計上します。なお本試験においては、問題の指示に従って処理します。

例）甲社は乙社を吸収合併し、合併の対価として乙社の株主に新株を交付した。合併直前の乙社の資産・負債の公正な価額は諸資産2,000円、諸負債1,500円である。

なお、甲社株式の時価は600円であり、発行した株式については2分の1を資本金とし、残額を資本準備金とする。

（諸 資 産）	2,000	（諸 負 債）	1,500
（の れ ん）	100*1	（資 本 金）	300*2
		（資 本 準 備 金）	300*3

*1 600円 − (2,000円 − 1,500円) = 100円

*2 600円 × $\frac{1}{2}$ = 300円

*3 600円 − 300円〈資本金〉 = 300円

4. 株主資本等変動計算書のその他の記入

(1) 当期純利益

計上された**当期純利益**は、**繰越利益剰余金**の当期変動額の当期純利益の行に記入します。

(2) その他有価証券の時価評価

その他有価証券の評価替えにより計上される「その他有価証券評価差額金」は、当期増加額（貸方残高）または当期減少額（借方残高）を「株主資本以外の項目の当期変動額（純額）」に記入します。なお、その他有価証券評価差額金は株主資本以外の項目なので、変動額は純額で記入します。

(3) 株主資本等変動計算書の記入のまとめ

株主資本等変動計算書の作成方法について、以下の例を使って確認しましょう。

例 題

次の［資料］にもとづき、株主資本等変動計算書を完成しなさい。

［資料］

① 増資に際し、株式500株を1株の払込金額4千円で発行し、全株式の払い込みを受け、払込金額が当座預金に入金された。払込金額は会社法で認められる最低額を資本金に組み入れる。

② 第1期株主総会において、繰越利益剰余金を次のように配当および処分することが決定した。

株主配当金 1,000千円、利益準備金 100千円、別途積立金 400千円

③ 決算において、当期純利益2,000千円を計上した。

④ 決算において、A社株式（その他有価証券）の取得原価は610千円であり、前期末の時価は750千円、当期末の時価は830千円であった。なお、全部純資産直入法により評価替えを行い、税効果会計は考慮しない。

株主資本等変動計算書
自×年×月×日　至×年×月×日　　　　　　　（単位：千円）

	株　　主　　資　　本			
	資　本　金	資　本　剰　余　金		
		資　本　準　備　金	その他資本剰余金	資本剰余金合計
当期首残高	4,000	450	250	700
当期変動額				
新　株　の　発　行				
剰　余　金　の　配　当				
別途積立金の積立				
当　期　純　利　益				
株主資本以外の項目 の当期変動額（純額）				
当期変動額合計				
当期末残高				

（下段へ続く）

（上段から続く）

	株　　主　　資　　本					評価・換算差額等	純　資　産 合　　　計
	利　益　剰　余　金				株主資本 合　計	その他 有価証券 評価差額金	
	利益準備金	その他利益剰余金		利益剰余金 合　　計			
		別途積立金	繰越利益剰余金				
当期首残高	350	150	2,000	2,500	7,200	140	7,340
当期変動額							
新　株　の　発　行							
剰　余　金　の　配　当							
別途積立金の積立							
当　期　純　利　益							
株主資本以外の項目 の当期変動額（純額）							
当期変動額合計							
当期末残高							

解　答

株主資本等変動計算書
自×年×月×日　至×年×月×日　　　　　　　　（単位：千円）

| | 株　　主　　資　　本 | | | |
| | 資　本　金 | 資　本　剰　余　金 | | |
		資　本　準　備　金	その他資本剰余金	資本剰余金合計
当期首残高	4,000	450	250	700
当期変動額				
❶新　株　の　発　行	1,000	1,000		1,000
❷剰　余　金　の　配　当				
❷別途積立金の積立				
❸当　期　純　利　益				
❹株主資本以外の項目の当期変動額（純額）				
当期変動額合計	1,000	1,000		1,000
当期末残高	5,000	1,450	250	1,700

（下段へ続く）

（上段から続く）

	株　　主　　資　　本					評価・換算差額等	
	利　　益　　剰　　余　　金				株主資本合計	その他有価証券評価差額金	純資産合計
	利益準備金	その他利益剰余金		利益剰余金合計			
		別途積立金	繰越利益剰余金				
当期首残高	350	150	2,000	2,500	7,200	140	7,340
当期変動額							
❶新　株　の　発　行					2,000		2,000
❷剰　余　金　の　配　当	100		△1,100	△1,000	△1,000		△1,000
❷別途積立金の積立		400	△ 400				
❸当　期　純　利　益			2,000	2,000	2,000		2,000
❹株主資本以外の項目の当期変動額（純額）						80	80
当期変動額合計	100	400	500	1,000	3,000	80	3,080
当期末残高	450	550	2,500	3,500	10,200	220	10,420

解 答 の 手 順

まず、各取引の仕訳を行い、純資産に該当する科目を株主資本等変動計算書に記入します。

❶ 新株の発行

（当 座 預 金）	2,000	（資　本　金）	1,000*1
		「新株の発行」⊕	
		（資 本 準 備 金）	1,000*2
		「新株の発行」⊕	

* 1　4 千円 × 500 株 × $\dfrac{1}{2}$ = 1,000 千円

* 2　2,000 千円 − 1,000 千円〈資本金〉= 1,000 千円

❷ 剰余金の配当等

（繰越利益剰余金）	1,100	（未 払 配 当 金）	1,000
「剰余金の配当」⊖			
		（利 益 準 備 金）	100
		「剰余金の配当」⊕	

別途積立金の積み立て

（繰越利益剰余金）	400	（別 途 積 立 金）	400
「別途積立金の積立」⊖		「別途積立金の積立」⊕	

❸ 当期純利益の振り替え

（損　　　益）	2,000	（繰越利益剰余金）	2,000
		「当期純利益」⊕	

❹ その他有価証券の評価

〈再振替仕訳〉

（その他有価証券評価差額金）	140	（その他有価証券）	140

〈評価替え〉

（その他有価証券）	220	（その他有価証券評価差額金）	220
		「株主資本以外の項目の当期変動額（純額）」⊕80*	

*　830 千円 − 610 千円 = 220 千円
　　220 千円 − 140 千円 = 80 千円

第1問対策

第2問対策

第3問対策

第4問(1)対策

第4問(2)・第5問対策

第 2 問 対 策

3 連結会計

01 連結会計

1. 親会社

親会社とは、「他の企業の意思決定機関を**支配**している企業」をいい、他の企業の議決権（株式）の過半数（**50%超**）を所有している企業、またはその他一定の要件を満たす企業をいいます。

2. 連結財務諸表

連結財務諸表（連結 F/S）とは、**親会社**と**子会社**の関係（支配従属関係）にある2つ以上の企業からなる企業集団を単一の組織とみなして、親会社が作成する企業集団の財務諸表です。

(1) 連結財務諸表の作成方法

連結財務諸表は、親会社と子会社の**個別財務諸表を基礎**として作成されます。なお、連結財務諸表の作成は、**個別会計上の帳簿には影響を与えません。**

作成手順としては、まず、親会社と子会社の**個別財務諸表を合算**し、次に**連結修正仕訳**を行い、連結財務諸表を作成します。

(2) 連結財務諸表の構成

日商簿記2級では、①**連結貸借対照表**（連結 B/S）、②**連結損益計算書**（連結 P/L）、③**連結株主資本等変動計算書**（連結 S/S）の3つを学習します。

① 連結貸借対照表（連結 B/S）

連結貸借対照表は、企業集団の財政状態を報告するものです。その様式は以下のとおりです。

連 結 貸 借 対 照 表
×年×月×日

資 産 の 部

Ⅰ	流 動 資 産		×××
Ⅱ	固 定 資 産		
	1．有形固定資産	×××	
	2．無形固定資産		
	⋮	×××	
	の れ ん*1	×××	×××
	3．投資その他の資産	×××	×××
	資 産 合 計		×××

負 債 の 部

Ⅰ	流 動 負 債		×××
Ⅱ	固 定 負 債		
	⋮	×××	
	退職給付に係る負債*2	×××	×××
	負 債 合 計		×××

純 資 産 の 部

Ⅰ	株 主 資 本		
	1．資 本 金	×××	
	2．資 本 剰 余 金*3	×××	
	3．利 益 剰 余 金*3	×××	×××
Ⅱ	その他の包括利益累計額*4		×××
Ⅲ	非支配株主持分*5		×××
	純 資 産 合 計		×××
	負債及び純資産合計		×××

＊1　「のれん」は「無形固定資産」の区分に表示します。
＊2　「退職給付引当金」は「退職給付に係る負債」として「固定負債」の区分に表示します。
＊3　「資本剰余金」と「利益剰余金」については、内訳は表示せず一括して記載します。
＊4　個別貸借対照表上の「評価・換算差額等」の区分は「その他の包括利益累計額」として表示します。
＊5　「非支配株主持分」は「純資産の部」に区分して表示します。

第1問対策

第2問対策

第3問対策

第4問(1)対策

第4問(2)・第5問対策

② 連結損益計算書（連結 P/L）

連結損益計算書は、企業集団の経営成績を報告するものです。その様式は以下のとおりです。

連 結 損 益 計 算 書
自×年×月×日　至×年×月×日

Ⅰ　売　上　高		×××
Ⅱ　売　上　原　価*1		×××
売　上　総　利　益		×××
Ⅲ　販売費及び一般管理費		
⋮		
のれん償却*2	×××	×××
営　業　利　益		×××
Ⅳ　営　業　外　収　益		
⋮		
	×××	×××
Ⅴ　営　業　外　費　用		
⋮		
	×××	×××
経　常　利　益		×××
Ⅵ　特　別　利　益		
⋮		
負ののれん発生益*3	×××	×××
Ⅶ　特　別　損　失		×××
税金等調整前当期純利益*4		×××
法人税、住民税及び事業税		×××
当　期　純　利　益		×××
非支配株主に帰属する当期純利益　　*5		×××
親会社株主に帰属する当期純利益		×××

＊1　「売上原価」は一括して記載し、内訳は表示しません。
＊2　「のれん償却」は「販売費及び一般管理費」の区分に表示します。
＊3　「負ののれん発生益」は「特別利益」の区分に表示します。
＊4　個別損益計算書上の「税引前当期純利益」は「税金等調整前当期純利益」として表示します。
＊5　「当期純利益」から「非支配株主に帰属する当期純利益」を控除した残額を「親会社株主に帰属する当期純利益」として表示します。

3. 支配獲得日の連結

　ある会社が他の会社の支配を獲得し、親会社と子会社の関係（支配従属関係）が成立した日から連結財務諸表は作成されます。支配獲得日には、連結財務諸表のうち、**連結貸借対照表のみ**を作成します。

4. 投資と資本の相殺消去

(1)　投資と資本の相殺消去の基礎

　連結貸借対照表は、親会社と子会社の個別財務諸表を合算して作成します。しかし、ただ合算しただけでは、企業集団内部における出資の結果として生じた**親会社の投資（子会社株式）**と**子会社の資本（純資産）**が重複してしまうので、相殺消去する仕訳を行う必要があります。これを、連結修正仕訳といいます。

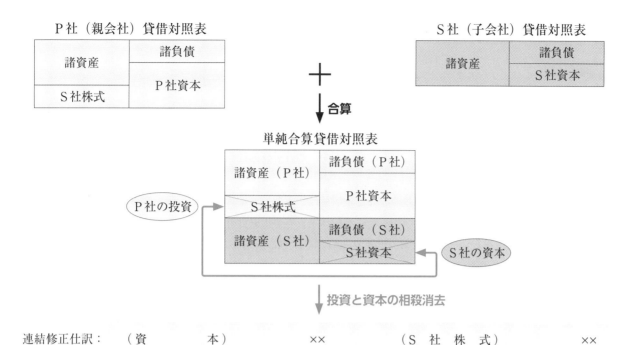

連結修正仕訳： （資　　　本）　　　××　　　（S　社　株　式）　　　××

(2) のれんの計上

　親会社の投資と子会社の資本が必ず同額になるとは限らないため、投資と資本の相殺消去にあたって差額が生じることがあります。差額が借方に生じた場合、「**のれん（無形固定資産）**」として連結貸借対照表に表示し、貸方に生じた場合は「**負ののれん発生益（特別利益）**」として連結損益計算書に表示します。

　例） P社がS社（資本金 1,000 円、資本剰余金 600 円、利益剰余金 400 円）の株式 100%を① 2,300 円で取得した場合の連結修正仕訳　② 1,700 円で取得した場合の連結修正仕訳

① 2,300 円で取得した場合				② 1,700 円で取得した場合			
（資　本　金）	1,000	（S 社 株 式）	2,300	（資　本　金）	1,000	（S 社 株 式）	1,700
（資本剰余金）	600			（資本剰余金）	600	（負ののれん発生益）	300
（利益剰余金）	400			（利益準備金）	400		
（の　れ　ん）	300						

(3) 非支配株主持分の計上

① 部分所有の連結

　親会社が子会社の議決権のすべてを所有していない場合でも、部分的に所有している場合、その他一定の事実により支配が認められる場合には、子会社を連結の範囲に含める必要があります。これを**部分所有の連結**といい、子会社には親会社以外の外部株主（**非支配株主**）が存在します。

② 非支配株主持分

　部分所有の連結では、投資と資本の相殺消去にあたって、子会社の資本を持分割合に応じて親会社の持分と非支配株主の持分に按分します。親会社の持分は親会社の投資と相殺消去し、非支配株主の持分は「**非支配株主持分（純資産）**」という勘定科目に振り替えます。

　例） P社がS社（資本金 1,000 円、資本剰余金 600 円、利益剰余金 400 円）の株式 80%を 1,900 円で取得した場合の連結修正仕訳

（資　　本　　金）	1,000	（S 社 株 式）	1,900
（資 本 剰 余 金）	600	（非支配株主持分）	400[*2]
（利 益 剰 余 金）	400		
（の　　れ　　ん）	300[*1]		

＊1　(1,000 円 + 600 円 + 400 円) × 80% = 1,600 円　　1,900 円 − 1,600 円 = 300 円
＊2　(1,000 円 + 600 円 + 400 円) × (100% − 80%) = 400 円

第1問対策

第2問対策

第3問対策

第4問(1)対策

第4問(2)・第5問対策

5. 支配獲得後1期目の連結

(1) 開始仕訳

① 連結財務諸表

支配獲得後の連結会計期間において、**連結貸借対照表、連結損益計算書、連結株主資本等変動計算書**を作成します。前期以前に行った連結修正仕訳は、当期の個別財務諸表には反映されていないため、支配獲得日に行った連結修正仕訳を当期の連結精算表で再び行います。これを**開始仕訳**といいます。

② 連結株主資本等変動計算書

支配獲得日の連結貸借対照表における純資産項目は、翌期の連結株主資本等変動計算書における「当期首残高」となるので、開始仕訳として行うときは連結株主資本等変動計算書におけるそれぞれの「**当期首残高**」を相殺消去する処理を行います。なお、連結株主資本等変動計算書を作成しないときは、純資産項目について「当期首残高」と「当期変動額」を区別する必要はありません。

例） 前期末にP社がS社（資本金1,000円、資本剰余金600円、利益剰余金400円）の株式80％を1,900円で取得した場合の当期における開始仕訳

（資本金当期首残高）	1,000	（S 社 株 式）	1,900
（資本剰余金当期首残高）	600	（非支配株主持分当期首残高）	400
（利益剰余金当期首残高）	400		
（の れ ん）	300		

(2) 期中仕訳

子会社が当期1年間活動することによって生じた新たな個別会計上と連結会計上の差異を修正・消去する仕訳を**期中仕訳**といいます。

① のれんの償却

のれんは原則として、計上後20年以内に、定額法その他合理的な方法により償却しなければなりません。「**のれん償却**」は、連結損益計算書の「**販売費及び一般管理費**」の区分に表示します。

例） 前期末にP社がS社の株式を取得した際に300円ののれんを計上した。のれんは計上年度の翌年から20年で償却する。

（の れ ん 償 却）	15*	（の れ ん）	15

* 300円 ÷ 20年 = 15円

② 子会社当期純利益の非支配株主持分への振り替え

部分所有の場合、子会社の当期純利益は、持分比率に応じて、親会社に帰属する部分と非支配株主に帰属する部分に按分します。非支配株主に帰属する部分を連結上の利益（利益剰余金）から控除し、**非支配株主持分を増加**させます。

例） P社はS社株式の80％を所有している。当期において、S社は1,200円の当期純利益を計上した。

（非支配株主に帰属する当期純利益）	240*	（非支配株主持分当期変動額）	240

* 1,200円 × (100% − 80%) = 240円

③　子会社配当金の修正

　　子会社が配当を行った場合、親会社に対する配当は内部取引に該当するため消去します。非支配株主に対する配当は内部取引に該当しませんが、配当により減少した利益剰余金の分、**非支配株主持分を減少**させます。

　　例） P社はS社株式の80％を所有している。当期にS社は500円の配当を行っている。

（受 取 配 当 金）	400*1	（利 益 剰 余 金）	500
		剰余金の配当	
（非支配株主持分当期変動額）	100*2		

＊1　500円×80％＝400円（親会社受取配当金）
＊2　500円×（100％－80％）＝100円（非支配株主負担額）

参考 タイムテーブルを使った解き方

資本連結では、タイムテーブルを用いて開始仕訳と期中仕訳を求めることができます。

例） ×1年3月31日、P社がS社（資本金1,000円、資本剰余金600円、利益剰余金400円）の株式80％を1,900円で取得した。のれんは計上年度の翌年から20年で償却する。当期において、S社は1,200円の当期純利益を計上し、500円の配当を行った。

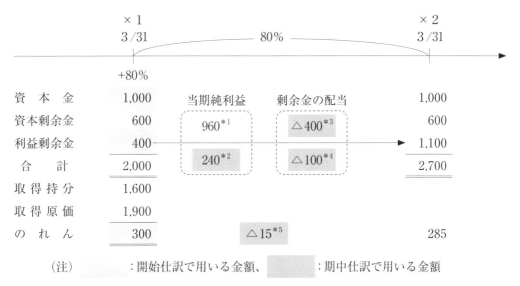

	×1 3/31	当期純利益	剰余金の配当	×2 3/31
	+80%			
資 本 金	1,000			1,000
資本剰余金	600	960*1	△400*3	600
利益剰余金	400	240*2	△100*4	1,100
合　　計	2,000			2,700
取 得 持 分	1,600			
取 得 原 価	1,900			
の れ ん	300	△15*5		285

　　（注）　□：開始仕訳で用いる金額、■：期中仕訳で用いる金額

＊1　1,200円×80％＝960円
＊2　1,200円×（100％－80％）＝240円
＊3　△500円×80％＝△400円
＊4　△500円×（100％－80％）＝△100円
＊5　300円÷20年＝15円

6. 支配獲得後2期目の連結

　　支配獲得後2期目の連結決算日に行う**開始仕訳**は、前期までに行った**連結修正仕訳を累積**したものとなります。また、前期における**連結損益計算書項目**は「**利益剰余金当期首残高**」で処理し、**連結株主資本等変動計算書項目**は、「○○当期首残高」に置き換えて処理します。

〈参考〉タイムテーブルの例から1年経過した2期目の連結財務諸表を作成するための開始仕訳は次のようになります。

①　投資と資本の相殺消去

（資本金当期首残高）	1,000	（S 社 株 式）	1,900
（資本剰余金当期首残高）	600	（非支配株主持分当期首残高）	400
（利益剰余金当期首残高）	400		
（の れ ん）	300		

② のれんの償却

（利益剰余金当期首残高）	15	（の　れ　ん）	15
のれん償却			

③ 当期純利益の振り替え

（利益剰余金当期首残高）	240	（非支配株主持分当期首残高）	240
非支配株主に帰属する当期純利益			

④ 配当金の修正

（利益剰余金当期首残高）	400	（利益剰余金当期首残高）	500
受取配当金		剰余金の配当	
（非支配株主持分当期首残高）	100		

開始仕訳（①～④の合計）

（資本金当期首残高）	1,000	（S　社　株　式）	1,900
（資本剰余金当期首残高）	600	（非支配株主持分当期首残高）	540
（利益剰余金当期首残高）	555		
（の　れ　ん）	285		

7. 成果連結と連結修正仕訳

連結会社相互間における取引は、企業集団内部の取引に過ぎないため、相殺消去します。

(1) 内部取引高と債権・債務の相殺消去

① 内部取引高の相殺消去

例） P社はS社株式の80％を所有している。P社の売上高のうち2,000円はS社に対する売上である。また、P社の受取利息のうち200円はS社から受け取ったものである。

（売　上　高）	2,000	（売　上　原　価）	2,000
（受　取　利　息）	200	（支　払　利　息）	200

② 債権・債務の相殺消去

例） P社はS社株式の80％を所有している。当期末におけるP社の貸借対照表の売掛金のうちS社に対するものは15,000円、受取手形のうちS社に対するものは10,000円、貸付金のうちS社に対するものは5,000円、未収収益のうちS社に対するものは1,000円、前払費用のうちS社に対するものは500円である。

（買　掛　金）	15,000	（売　掛　金）	15,000
（支　払　手　形）	10,000	（受　取　手　形）	10,000
（借　入　金）	5,000	（貸　付　金）	5,000
（未　払　費　用）	1,000	（未　収　収　益）	1,000
（前　受　収　益）	500	（前　払　費　用）	500

③ 割引手形の修正

連結会社相互間において振り出した約束手形を外部の銀行で割り引いた場合、連結上は手形の振り出しにより銀行から資金を借り入れたと考え、「**短期借入金**」として処理します。

例）P社はS社株式の80%を所有している。P社は、S社がP社に対して振り出した約束手形のうち5,000円を外部の銀行で割り引いた。

（支 払 手 形）	5,000	（短 期 借 入 金）	5,000

(2) 貸倒引当金の修正

連結会社相互間の債権・債務の期末残高を相殺消去した場合、相殺消去した債権に設定されている貸倒引当金を修正します。また、子会社の貸倒引当金を修正した場合、非支配株主持分の調整も必要となります。

① 親会社の貸倒引当金を修正する場合

例）P社はS社株式の80%を所有している。P社の貸借対照表の売掛金のうちS社に対するものは、前期末では10,000円、当期末では15,000円であった。P社は売掛金に対して3%の貸倒引当金を設定している。

（買 掛 金）	15,000	（売 掛 金）	15,000
（貸 倒 引 当 金）	450[*1]	（利益剰余金当期首残高）	300[*2]
		（貸倒引当金繰入）	150[*3]

* 1　当期末売掛金15,000円×3% = 450円
* 2　前期末売掛金10,000円×3% = 300円
* 3　貸借差額

② 子会社の貸倒引当金を修正する場合

例）P社はS社株式の80%を所有している。S社の貸借対照表の売掛金のうちP社に対するものは、前期末では10,000円、当期末では15,000円であった。S社は売掛金に対して3%の貸倒引当金を設定している。

（買 掛 金）	15,000	（売 掛 金）	15,000
（貸 倒 引 当 金）	450	（利益剰余金当期首残高）	300
		（貸倒引当金繰入）	150
（利益剰余金当期首残高）	60[*1]	（非支配株主持分当期首残高）	60
（非支配株主に帰属する当期純利益）	30[*2]	（非支配株主持分当期変動額）	30

* 1　利益剰余金当期首残高 300円×(100% − 80%) = 60円
* 2　貸倒引当金繰入 150円×(100% − 80%) = 30円

(3) 棚卸資産に含まれる未実現利益の消去

連結会社間で利益を付して売買した棚卸資産を期末において所有していた場合、その棚卸資産に含まれる利益は連結上未実現利益となり、全額消去する必要があります。また前期末の未実現利益を消去した場合、当期において、開始仕訳と未実現利益が実現したとみなす実現仕訳を合わせた連結修正仕訳を行います。

① ダウン・ストリーム：全額消去・親会社負担

親会社から子会社へ商品などを販売することを「ダウン・ストリーム」といい、親会社の負担で未実現利益の全額を消去します。

例）S社は前期末と当期末にP社（S社株式を80%所有）から仕入れた商品をそれぞれ8,000円と10,000円保有している。P社がS社に販売する商品の売上総利益率は前期、当期ともに30%であった。

（利益剰余金当期首残高）	2,400	（売 上 原 価）	2,400[*1]
（売 上 原 価）	3,000	（商 品）	3,000[*2]

* 1　期首商品 8,000円×30% = 2,400円
* 2　期末商品 10,000円×30% = 3,000円

② アップ・ストリーム：全額消去・持分按分負担

子会社から親会社へ商品などを販売することを「アップ・ストリーム」といい、子会社の負担で未実現利益の全額を消去します。ただし、部分所有の場合、消去した未実現利益に対する非支配株主の持分割合について「非支配株主持分」を減少させます。

例）P社（S社株式を80%所有）は前期末と当期末にS社から仕入れた商品をそれぞれ8,000円と10,000円保有している。S社がP社に販売する商品の売上総利益率は前期、当期ともに30%であった。

（利益剰余金当期首残高）	2,400	（売　上　原　価）	2,400
（売　上　原　価）	3,000	（商　　　　　品）	3,000
（非支配株主持分当期首残高）	480	（利益剰余金当期首残高）	480*1
（非支配株主に帰属する当期純利益）	480	（非支配株主持分当期変動額）	480
（非支配株主持分当期変動額）	600	（非支配株主に帰属する当期純利益）	600*2

＊1　期首未実現利益 2,400 円×（100% − 80%）= 480 円
＊2　3,000 円×（100% − 80%）= 600 円

(4) 土地など（非償却性有形固定資産）の売買に含まれる未実現損益の消去

連結会社相互間において土地などを売買した場合、売り手側の売却損益は、その資産を連結外部へ売却するまでは、連結上未実現損益とみなし、全額消去します。

① ダウン・ストリーム：全額消去・親会社負担

親会社が計上した「土地売却損益」を消去し、子会社が計上した「土地」の取得原価を修正します。

例）P社はS社株式を80%所有している。次の条件で、P社がS社に土地を売却していた場合の連結修正仕訳を示しなさい。

① 土地（帳簿価額 800 円）を 1,000 円で売却した場合

| （土 地 売 却 益） | 200 | （土　　　　　地） | 200 |

② 土地（帳簿価額 800 円）を 500 円で売却した場合

| （土　　　　　地） | 300 | （土 地 売 却 損） | 300 |

② アップ・ストリーム：全額消去・持分按分負担

子会社が計上した「土地売却損益」を消去し、親会社が計上した「土地」の取得原価を修正します。また消去した土地売却損益に対する非支配株主の持分割合について、非支配株主持分を修正します。

例）P社はS社株式を80%所有している。次の条件で、S社がP社に土地を売却していた場合の連結修正仕訳を示しなさい。

① 土地（帳簿価額 800 円）を 1,000 円で売却した場合

| （土 地 売 却 益） | 200 | （土　　　　　地） | 200 |
| （非支配株主持分当期変動額） | 40* | （非支配株主に帰属する当期純利益） | 40 |

＊　200 円×（100% − 80%）= 40 円

② 土地（帳簿価額 800 円）を 500 円で売却した場合

| （土　　　　　地） | 300 | （土 地 売 却 損） | 300 |
| （非支配株主に帰属する当期純利益） | 60 | （非支配株主持分当期変動額） | 60* |

＊　300 円×（100% − 80%）= 60 円

02 連結精算表

1. 連結精算表とは

　連結精算表とは、個別財務諸表の金額を合算して連結修正仕訳を加減算するという、連結財務諸表を作成するまでの過程を1つにまとめた表です。記入例は以下のとおりです。

連　結　精　算　表　　　　　　　　　　（単位：円）

科　　　目	❶ 個別財務諸表		❷ 修正・消去		❸ 連　結 財務諸表
	P　社	S　社	借　方	貸　方	
貸借対照表					連結貸借対照表
諸　　資　　産	1,900	940			2,840
商　　　　　品	550	260		10	800
S　社　株　式	430	—		430	—
の　　れ　　ん	—	—	100	10	90
資　産　合　計	2,880	1,200	100	450	3,730
諸　　負　　債	(770)	(600)			(1,370)
資　　本　　金	(1,750)	(350)	350		(1,750)
利　益　剰　余　金	(360)	(250)	1,540	1,300	(370)
非　支　配　株　主　持　分	—	—	40	280	(240)
負債・純資産合計	(2,880)	(1,200)	1,930	1,580	(3,730)
損益計算書					連結損益計算書
売　　上　　高	(3,110)	(2,370)	1,200		(4,280)
売　　上　　原　　価	2,250	1,800	10	1,200	2,860
販 売 費 及 び 一 般 管 理 費	700	420			1,120
の　れ　ん　償　却	—	—	10		10
受　取　配　当　金	(60)	—	60		—
当　期　純　利　益	(220)	(150)	1,280	1,200	(290)
非支配株主に帰属する当期純利益			60		60
親会社株主に帰属する当期純利益			1,340	1,200	(230)
株主資本等変動計算書					連結株主資本等変動計算書
資 本 金 当 期 首 残 高	(1,750)	(350)	350		(1,750)
資 本 金 当 期 末 残 高	(1,750)	(350)	350		(1,750)
利 益 剰 余 金 当 期 首 残 高	(260)	(200)	200		(260)
剰　余　金　の　配　当	120	100		100	120
親会社株主に帰属する当期純利益	(220)	(150)	1,340	1,200	(230)
利 益 剰 余 金 当 期 末 残 高	(360)	(250)	1,540	1,300	(370)
非支配株主持分当期首残高				220	(220)
非支配株主持分当期変動額			40	60	(20)
非支配株主持分当期末残高			40	280	(240)

（注）カッコ内の金額は、貸方項目を表す。

第1問対策　第2問対策　第3問対策　第4問(1)対策　第4問(2)・第5問対策

2. 連結精算表の作成

連結精算表は、「**連結損益計算書 → 連結株主資本等変動計算書 → 連結貸借対照表**」の順番で作成します。

(1) 連結損益計算書の作成

連　結　精　算　表　　　　　　　　　　（単位：円）

科　　　　目	個別財務諸表		修正・消去		連　結財務諸表 ❷
	P　社	S　社	借　方	貸　方	
損益計算書			❶		連結損益計算書
売　　上　　高	（　3,110）	（　2,370）	1,200		（　4,280）
売　上　原　価	2,250	1,800	10	1,200	2,860
販売費及び一般管理費	700	420			1,120
の　れ　ん　償　却	—	—	10		10
受　取　配　当　金	（　60）	—	60		—
当　期　純　利　益	（　220）	（　150）	1,280	1,200	（　290）
非支配株主に帰属する当期純利益			60		60
親会社株主に帰属する当期純利益			1,340	1,200	（　230）
			❸		
株主資本等変動計算書					連結株主資本等変動計算書
親会社株主に帰属する当期純利益	（　220）	（　150）	1,340	1,200	

(2) 連結株主資本等変動計算書の作成

連 結 精 算 表　　　　　　　　　　(単位：円)

科　　　目	個別財務諸表		修正・消去		連　結財務諸表
	P　社	S　社	借　方	貸　方	
貸借対照表					連結貸借対照表
資　　本　　金	(1,750)	(350)	350		
利　益　剰　余　金	(360)	(250)	1,540	1,300	
非　支　配　株　主　持　分	—	—	40	280	
			❸		❷
株主資本等変動計算書			❶		連結株主資本等変動計算書
資 本 金 当 期 首 残 高	(1,750)	(350)	350		(1,750)
資 本 金 当 期 末 残 高	(1,750)	(350)	350		(1,750)
利 益 剰 余 金 当 期 首 残 高	(260)	(200)	200		(260)
剰　余　金　の　配　当	120	100		100	120
親会社株主に帰属する当期純利益	(220)	(150)	1,340	1,200	(230)
利 益 剰 余 金 当 期 末 残 高	(360)	(250)	1,540	1,300	(370)
非支配株主持分当期首残高				220	(220)
非支配株主持分当期変動額			40	60	(20)
非支配株主持分当期末残高			40	280	(240)

❶　修正・消去欄に連結修正仕訳の金額を記入し、各純資産項目の「当期末残高」の行に修正・消去欄の合計額を記入します。

❷　個別株主資本等変動計算書の金額を合算して、修正・消去欄の金額を加減算した後の金額を、連結株主資本等変動計算書欄に記入します。

　　　剰余金の配当（純資産の減少項目）→ 修正・消去欄の借方金額はプラス、貸方金額はマイナス
　　　その他の純資産項目 → 修正・消去欄の借方金額はマイナス、貸方金額はプラス

❸　各純資産項目の「当期末残高」の修正・消去欄に記入した金額を、貸借対照表の対応する純資産項目の行にそのまま記入します。

第1問対策　第2問対策　第3問対策　第4問(1)対策　第4問(2)・第5問対策

(3) 連結貸借対照表の作成

連 結 精 算 表 （単位：円）

科　　　　　目	個別財務諸表		修正・消去		連　　結 財務諸表
	P　社	S　社	借　方 ❶	貸　方	❷
貸借対照表					連結貸借対照表
諸　　資　　産	1,900	940			2,840
商　　　　　品	550	260		10	800
S　社　株　式	430	—		430	—
の　　れ　　ん	—	—	100	10	90
資　産　合　計	2,880	1,200	100	450	3,730
諸　　負　　債	(770)	(600)			(1,370)
資　　本　　金	(1,750)	(350)	350		(1,750)
利　益　剰　余　金	(360)	(250)	1,540	1,300	(370)
非支配株主持分	—	—	40	280	(240)
負債・純資産合計	(2,880)	(1,200)	1,930	1,580	(3,730)

❶ 修正・消去欄に連結修正仕訳の金額を記入し、「資産合計」と「負債・純資産合計」の行に修正・消去欄の合計額を記入します。

❷ 個別貸借対照表の金額を合算して、修正・消去欄の金額を加減算した後の金額を、連結貸借対照表欄に記入します。

　　　　資産 → 修正・消去欄の借方金額はプラス、貸方金額はマイナス

　　　　　負債・純資産 → 修正・消去欄の借方金額はマイナス、貸方金額はプラス

第3問対策

第3問の概要

　第3問では、商業簿記の決算問題が出題されます。出題形式は主に2つに分類できます。総合的な問題が多く、受験生の実力が反映されるので、本書や予想問題を何度も解いて実力をつけて挑みましょう。

1．財務諸表作成問題

（1）貸借対照表作成問題

　　決算整理仕訳の中から、貸借対照表に関する勘定科目に注目して解くようにしましょう。

（2）損益計算書作成問題

　　決算整理仕訳の中から、損益計算書に関する勘定科目に注目して解くようにしましょう。

2．本支店会計

　　本店勘定・支店勘定の残高や本店の損益勘定を記入する問題が出題されます。

		スッキリわかる	簿記の教科書簿記の問題集	合格テキスト合格トレーニング	学習のポイント
精算表		第15章	CHAPTER16	テーマ16	決算整理事項等の仕訳を書き出す。
決算整理後残高試算表					決算整理前残高試算表の数値を増減。
財務諸表	損益計算書				集計漏れに注意。
	貸借対照表				
本支店会計		第17章	CHAPTER19	テーマ18	照合勘定は貸借逆で一致。

学習方法

　貸借対照表と損益計算書の作成問題の対策は、日商簿記3級の第3問と基本的には同様です。出題される決算整理仕訳を学習しましょう。

　本支店会計は、まずは本支店会計の仕組みから学習しましょう。問われる取引のパターンは少なく簡単なものが多いため、本支店会計の仕組みさえ理解できれば得点源にすることができます。

　個別論点として、税効果会計や収益認識基準に関する問題が出題されることもあります。これらの論点についても併せて学習しましょう。

試験中の進め方

　第3問は、頻出される論点も多く、対策しやすい問題といえます。自分の得意な論点のみ解いて、苦手な論点は後回しにしましょう。

　繰越利益剰余金や当期純利益などはすべての空欄を正しく埋めなければ正解を導くことができないため、無理に解こうとせず、他の問題を見直した方が良いでしょう。

第1問対策

第2問対策

第3問対策

第4問(1)対策

第4問(2)・第5問対策

財務諸表作成問題

01 損益計算書（報告式）の作成

　日商簿記2級では、報告式による損益計算書の作成問題が出題されます。報告式の損益計算書では、収益・費用の勘定科目を以下の区分により表示します。

損　益　計　算　書

自×1年4月1日　至×2年3月31日　　　（単位：円）

Ⅰ	売　　上　　高 ❶			×××
Ⅱ	売　上　原　価 ❷			
	1	期 首 商 品 棚 卸 高	×××	
	2	当 期 商 品 仕 入 高	×××	
		合　　　計	×××	
	3	期 末 商 品 棚 卸 高	×××	
		差　　　引	×××	
	4	商 品 評 価 損 ❷	×××	×××
		売　上　総　利　益		×××
Ⅲ	販 売 費 及 び 一 般 管 理 費			
	1	給　　　料	×××	
	2	減 価 償 却 費	×××	
	3	貸 倒 損 失	×××	
	4	貸 倒 引 当 金 繰 入 ❸	×××	
	5	支 払 地 代	×××	
	6	棚 卸 減 耗 損	×××	
	7	の れ ん 償 却	×××	×××
		営　業　利　益		×××
Ⅳ	営 業 外 収 益			
	1	受 取 利 息 ❹	×××	
	2	有 価 証 券 評 価 益	×××	×××
Ⅴ	営 業 外 費 用			
	1	貸 倒 引 当 金 繰 入 ❹	×××	
	2	為 替 差 損	×××	×××
		経　常　利　益		×××
Ⅵ	特　別　利　益			
	1	固 定 資 産 売 却 益 ❺		×××
Ⅶ	特　別　損　失			
	1	火 災 損 失 ❺		×××
		税 引 前 当 期 純 利 益		×××
		法人税、住民税及び事業税	×××	
		法 人 税 等 調 整 額	△ ×××	×××
		当 期 純 利 益		×××

❶ 売上 → 「Ⅰ　売上高」に表示

❷ 仕入 → 「Ⅱ　売上原価」に表示

　　商品評価損 → 原則、売上原価の内訳項目として表示

❸ 給料・保険料・営業債権に係る貸倒引当金繰入・減価償却費など

　　　　　→ 「Ⅲ　販売費及び一般管理費」に表示

❹ 受取利息・有価証券利息・有価証券評価益など

　　　　　→ 「Ⅳ　営業外収益」に表示

　　支払利息・有価証券売却損・営業外債権に係る貸倒引当金繰入など

　　　　　→ 「Ⅴ　営業外費用」に表示

❺ 固定資産売却益・保険差益など → 「Ⅵ　特別利益」に表示

　　固定資産除却損・火災損失など → 「Ⅶ　特別損失」に表示

02　貸借対照表の作成

貸借対照表における表示科目は、仕訳帳や総勘定元帳で用いられる勘定科目とは異なる場合があります。そのため、一部の勘定科目は以下の表示科目に変更する必要があります。

貸　借　対　照　表

×2年3月31日　　　　　　　　　　　　　　　　　（単位：円）

資　産　の　部			負　債　の　部		
Ⅰ　流　動　資　産			Ⅰ　流　動　負　債		
1　現　金　預　金		×××	1　支　払　手　形		×××
2　受　取　手　形	×××		2　買　掛　金		×××
3　売　掛　金	×××		3　未払法人税等		×××
貸倒引当金	×××	×××	流動負債合計		×××
4　有　価　証　券		×××	Ⅱ　固　定　負　債		
5　商　　　　品		×××	1　長　期　未　払　金		×××
6　未　収　入　金		×××	固定負債合計		×××
7　未　収　収　益		×××	負　債　合　計		×××
流動資産合計		×××	純　資　産　の　部		
Ⅱ　固　定　資　産			Ⅰ　資　本　金		×××
1　有形固定資産			Ⅱ　資　本　剰　余　金		
⑴建　　　　物	×××		1　資　本　準　備　金		×××
減価償却累計額	×××	×××	Ⅲ　利　益　剰　余　金		
⑵備　　　　品	×××		1　利　益　準　備　金	×××	
減価償却累計額	×××	×××	2　繰越利益剰余金	×××	×××
⑶土　　　　地		×××	純　資　産　合　計		×××
2　無形固定資産					
⑴の　れ　ん		×××			
3　投資その他の資産					
⑴長　期　貸　付　金	×××				
貸倒引当金	×××	×××			
⑵繰延税金資産		×××			
固定資産合計		×××			
資　産　合　計		×××	負債及び純資産合計		×××

勘　定　科　目	表　示　科　目
繰越商品	商品
売買目的有価証券	有価証券
満期保有目的債券	有価証券・投資有価証券
子会社株式・関連会社株式	関係会社株式
その他有価証券	投資有価証券
貸付金	短期貸付金・長期貸付金
借入金	短期借入金・長期借入金
前払保険料など	前払費用・長期前払費用
未収利息など	未収収益
前受地代など	前受収益
未払家賃など	未払費用

貸借対照表に計上された資産・負債は、**流動資産**と**固定資産**、**流動負債**と**固定負債**にわけられます。

1. 正常営業循環基準

　正常営業循環基準とは、企業における営業活動の一連のサイクルによって生じた資産・負債を**流動資産・流動負債**と表示する基準です。この基準では、現金や売掛金、受取手形、商品はつねに流動資産、買掛金や支払手形はつねに流動負債と表示します。

2. 一年基準

　一年基準とは、決算日の翌日から1年以内に決済・費用化される資産・負債を**流動資産・流動負債**、1年を超えてから決済・費用化される資産・負債を**固定資産・固定負債**と表示する基準です。なお、一年基準は正常営業循環基準の適用を受けなかった場合に適用されます。

勘　定　科　目	表　示　科　目			
	決算日の翌日から 1年以内に決済・費用化		決算日の翌日から 1年を超えて決済・費用化	
	流動資産	流動負債	固定資産	固定負債
定　期　預　金	現金預金	－	長期性預金	－
貸　付　金	短期貸付金	－	長期貸付金	－
満期保有目的債券	有価証券	－	投資有価証券	－
借　入　金	－	短期借入金	－	長期借入金
保　険　料　など	前払費用	－	長期前払費用	－

以下、第3問で出題される論点をみていきましょう。

03 商品売買

1. 仕入・売上の計上基準

⑴ 仕入の計上基準

商品を仕入れたときに仕入をいつ計上するかという計上基準には、**入荷基準**と**検収基準**があります。

入荷基準	商品の到着時に仕入を計上する。
検収基準	商品の到着後、商品の検収の終了時に仕入を計上する。

例）次の取引を仕訳しなさい。

① 先に注文した商品 800 円が到着した。代金は掛けとする。

② 商品を検収したところ、50 円の商品が品違いであったため、返品した。

	入荷基準	検収基準
①	（仕　　　入）800　（買　掛　金）800	仕　訳　な　し
②	（買　掛　金）50　（仕　　　入）50	（仕　　　入）750　（買　掛　金）750

⑵ 売上の計上基準

売上収益は、原則として販売の事実にもとづき計上します。どのような事実をもって販売とするかという計上基準には、**出荷基準**、**着荷基準**、**検収基準**があります。なお、「収益認識に関する会計基準」が適用される場合、**検収基準が原則**となります。

出荷基準	商品の発送時に売上を計上する。
着荷基準	商品が得意先に到着した時点で売上を計上する。
検収基準	商品が得意先に到着した後、得意先における検収の終了時に売上を計上する。

例）出荷基準、着荷基準、検収基準のそれぞれの基準にもとづいて売上を計上しているとき、①〜③の仕訳をしなさい。

① 先に注文を受けた商品 600 円を発送した。代金は掛けとする。

② 得意先より商品が到着した旨の連絡を受けた。

③ 得意先により検収の結果 120 円の商品が品違いである旨の連絡を受け、返品を承諾した。

	出荷基準	着荷基準	検収基準
①	（売掛金）600　（売上）600	仕　訳　な　し	仕　訳　な　し
②	仕　訳　な　し	（売掛金）600　（売上）600	仕　訳　な　し
③	（売上）120　（売掛金）120	（売上）120　（売掛金）120	（売掛金）480　（売上）480

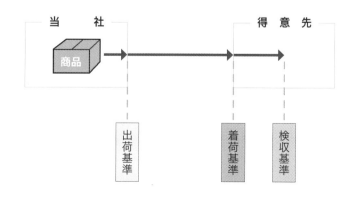

2. 期末商品の評価

(1) 期末商品の評価手順

期末商品の評価手順は以下のとおりです。

> step 1 ：棚卸減耗損を計算
>
> 棚卸減耗損＝＠原価×（帳簿棚卸数量－実地棚卸数量）
>
> step 2 ：商品評価損を計算
>
> 商品評価損＝（＠原価－＠正味売却価額）×実地棚卸数量
>
> step 3 ：貸借対照表価額（B／S価額）を計算
>
> 貸借対照表価額＝実地棚卸数量×＠正味売却価額

(2) 払出単価（＠原価）の計算方法

単価を決定する方法として、日商簿記3級で学習した①先入先出法、②移動平均法、そして2級から新たに学習する③総平均法があります。ここでは、総平均法について解説します。

総平均法	一定期間に受け入れた商品の総額を、一定期間の受入数量の合計で割って平均単価を求め、これをその期間の払出単価（＠原価）とする方法。なお、売上原価対立法は、期中販売のつど払出単価（＠原価）を決定するため、総平均法は原則として適用されません。

$$平均単価 = \frac{期首有高＋当期受入高}{期首数量＋当期受入数量}$$

例）期首商品棚卸高が2個で240円、当期商品仕入高が8個で760円である。この時、期末の商品在庫が3個の場合の期末商品棚卸高を総平均法によって求めなさい。

① 平均単価の算定

$$\frac{240円 + 760円}{2個 + 8個} = @100円$$

② 期末商品棚卸高

@100円 × 3個 = **300円**

3. 財務諸表の表示方法

前期末の繰越商品勘定から当期変動分を加減算した金額は、貸借対照表では商品 **(資産)** として表示され、仕入勘定については、損益計算書では売上原価 **(費用)** として表示されます。棚卸減耗損と商品評価損については、問題文で損益計算書のどの区分に表示するか処理方法が指示されます。

04 債権・債務

1. 手形

(1) 手形の裏書き

約束手形を他人からもらった場合、裏書譲渡をすることができます。これは、手形の払い込み期日が来る前に、仕入や買掛金の支払いとして、手形の裏に名前を書いて支払先に譲渡することをいいます。裏書譲渡がされた際

には、約束手形の代金を受け取る権利が消滅するため、**受取手形（資産）を減少**させます。

① 裏書人の処理

例）当社（丙社）は甲社から商品200円を仕入れ、当社が所有する乙社振り出しの約束手形200円を対価として譲渡した。

| （仕 入） | 200 | （受 取 手 形） | 200 |

② 被裏書人の処理

例）当社（甲社）は丙社に商品200円を売り上げ、乙社振り出しの約束手形200円を対価として譲り受けた。

| （受 取 手 形） | 200 | （売 上） | 200 |

(2) 手形の決済

約束手形の振出人は、支払期日において、手形所持人に対して手形代金を支払います。

① 振出人の処理

例）当社が振り出していた約束手形200円を小切手を振り出して決済した。

| （支 払 手 形） | 200 | （当 座 預 金） | 200 |

② 被裏書人の処理

例）裏書譲渡により受け取っていた約束手形200円が決済され、当座預金口座に振り込まれた。

| （当 座 預 金） | 200 | （受 取 手 形） | 200 |

(3) 自己振出手形の回収

以前、自社で振り出した約束手形が、裏書譲渡によって自分のもとに戻ってくることがあります。この場合、その手形を受け取ることで、手形金額を支払う義務（負債）が消滅し、誰にも手形金額を支払わずに済むようになります。よって、**支払手形（負債）の減少**で処理します。

例）かつて仕入の対価として振り出していた約束手形を、甲社への売上2,000円の対価として受け取った。

| （支 払 手 形） | 2,000 | （売 上） | 2,000 |

(4) 手形の割引き

約束手形の持ち主は、支払期日前に銀行に手形を持ち込むことで、資金調達ができます。これを**手形の割引き**といい、割引料（利息や手数料）を支払う必要があります。約束手形が消滅するため、**受取手形（資産）を減少**させ、割引料を引いた金額が入金されます。この割引料は**手形売却損（費用）**で処理されます。

例）他社振り出しの約束手形200円を、銀行で割り引いた。割引料として20円が差し引かれた残額が当座預金口座に振り込まれた。

| （当 座 預 金） | 180 | （受 取 手 形） | 200 |
| （手 形 売 却 損） | 20 | | |

2. 電子記録債権・債務

(1) 貸付金を電子記録債権に記録した場合

金銭の消費貸借について電子記録を行った場合、**貸付金（資産）、借入金（負債）**で処理します。

① 債権者の処理

例）取引先である甲社へ現金2,000円を貸し付け、ただちに甲社の承諾を得て、電子記録債権の発生記録を行った。

| （貸 付 金） | 2,000 | （現 金） | 2,000 |

第1問対策

第2問対策

第3問対策

第4問(1)対策

第4問(2)・第5問対策

② 債務者の処理

例）取引先である乙社から現金 2,000 円を借り入れた。同時に、乙社に電子記録債務の発生記録について承諾した。

（現 金）	2,000	（借 入 金）	2,000

(2) 営業外債権を電子記録債権に記録した場合

土地、建物、有価証券等の支払い代金のために電子記録債権を記録した場合は、**営業外電子記録債権（資産）**、**営業外電子記録債務（負債）**で処理します。

① 債権者の処理

例）甲社へ土地 2,000 円を帳簿価額と同額で売却し、対価については、ただちに甲社の承諾を得て、電子記録債権の発生記録を行った。

（営業外電子記録債権）	2,000	（土 地）	2,000

② 債務者の処理

例）乙社から土地 2,000 円を取得し、対価については、取得と同時に電子記録債務の発生記録を承諾した。

（土 地）	2,000	（営業外電子記録債務）	2,000

3. 財務諸表の表示方法

受取手形と**営業外受取手形**は**別建て**で**表示**します。

手形売却損については利息の性質を持つため、損益計算書の**営業外費用**に計上します。

05 引当金

1. 商品保証引当金

商品の販売にあたり、一定期間内の無料修理保証をしている場合、当期に負担させるべき金額として、**商品保証引当金繰入（費用）**、**商品保証引当金（負債）**を計上します。

(1) 決算のとき

例）決算において、商品保証引当金 200 円を設定した。なお、決算前の時点において商品保証引当金 50 円が計上されている。

（商品保証引当金繰入）	150	（商品保証引当金）	150*

* 200 円 – 50 円 = 150 円

(2) 支払いのとき

実際に保証対象商品の修理が行われた場合、商品保証引当金を取り崩します。ただし、引当金を取り崩しで補てんできない場合、**商品保証費（費用）**を計上します。

例）以前、販売していた保証対象商品の修理を行い、修理代 300 円を小切手で支払った。なお、商品保証引当金は 200 円が計上されており、これを取り崩した。

（商品保証費）	100	（当 座 預 金）	300
（商品保証引当金）	200		

2. 退職給付引当金

従業員が退職するときは、退職金が支払われます。その支払いに備えて、計上する引当金を**退職給付引当金（負債）**、当期負担分として見積もられる費用を**退職給付費用（費用）**といいます。

⑴ 決算のとき

例）決算において、退職給付費用 100 円を計上した。

（退職給付費用）	100	（退職給付引当金）	100

⑵ 会社が退職給付を支払ったとき

例）従業員が退職したため、退職金として 100 円を現金で支払った。なお、退職給付引当金の残高は 500 円が計上されている。

（退職給付引当金）	100	（現　　　　金）	100

3. 賞与引当金

従業員に対して賞与を支給しているとき、次期に予想される賞与の支払額のうち、当期に属する金額を、決算時に**賞与引当金繰入（費用）**として借方に計上し、貸方科目として**賞与引当金（負債）**を計上します。なお、役員に対する賞与については、**役員賞与引当金繰入（費用）**と**役員賞与引当金（負債）**で処理します。

また、賞与の支給対象期間と、決算日にはズレが生じていることが多く、当期に属する金額を求めるためには月割計算を行う必要があります。

⑴ 決算のとき

例）決算（3 月末）にあたり、次期 6 月に支給する予定の賞与 600 円（支給対象期間：12 月 1 日～5 月 31 日）について賞与引当金を設定した。

（賞与引当金繰入）	400*	（賞　与　引　当　金）	400

$$* \quad 600 円 \times \frac{当期に属する期間 4 か月（12 月 1 日～3 月 31 日）}{計算期間 6 か月（12 月 1 日～5 月 31 日）} = 400 円$$

⑵ 会社が賞与を支払ったとき

例）6 月末となり、予定通り従業員に対して賞与 600 円を現金で支給した。

（賞　与　引　当　金）	400	（現　　　　金）	600
（賞　　　　与）	200*		

$$* \quad 600 円 - 400 円 = 200 円$$

4. 引当金における税効果会計

⑴ 税効果会計

税効果会計とは、企業会計上の「収益・費用」と法人税法上の「益金・損金」の相違で生じた差異を、適切な期間配分により合理的に対応させる手続きをいいます。日商簿記 2 級では、**引当金の設定、減価償却、その他有価証券評価差額金**にかかる一時差異が問われます。

⑵ 算定方法

引当金の設定額（課税所得）に税率を乗じた額を、**法人税等調整額（法人税等の調整項目）**、**繰延税金資産（資産）**もしくは**繰延税金負債（負債）**として計上します。

例）売掛金 30,000 円に対して 300 円の貸倒引当金を設定した。この貸倒引当金は、法人税法上損金不算入となった。なお、法人税等の税率は 30％である。

| （繰延税金資産） | 90* | （法人税等調整額） | 90 |

* 300円 × 30% = 90円

5. 財務諸表の表示方法

　引当金は、基本的に負債の部に表示されますが、**貸倒引当金**は**資産の評価勘定**であるため、資産の部の対象債権の下に記載します。

06 現金および預金

1. 現金の実査

(1) 現金過不足の処理

　現金の帳簿残高と実際有高は、記帳漏れなどの原因により一致しないことが多いです。この場合、その事実に合わせて帳簿残高を実際有高に修正し、その不足額または過剰額を一時的に現金過不足で処理しておきます。後日、原因が判明したときに正しい勘定に振り替えます。

(2) 決算日の処理

　決算日になっても原因が判明しない場合は、決算整理仕訳において、不足額は現金過不足勘定から**雑損（費用）**または**雑損失**へ、過剰額は現金過不足勘定から**雑益（収益）**または**雑収入**へ振り替えます。なお、雑損は損益計算書の「**営業外費用**」の区分に表示し、雑益は「**営業外収益**」の区分に表示します。

例） 決算において、現金過不足100円（借方残高）について調査したところ、通信費90円について未処理だと判明したが、残額については原因不明であった。

| （通　信　費） | 90 | （現金過不足） | 100 |
| （雑　　　　損） | 10 | | |

2. 当座預金の調整（銀行勘定調整表）

　決算日や月末において、企業の当座預金勘定の残高と銀行側の当座預金口座の残高とが一致しないことがあります。そこで、銀行に残高証明書を発行してもらい、以下のような銀行勘定調整表を作成して、不一致の原因を明らかにし、その調整を行います。

銀行勘定調整表

○銀行○支店　　×年×月×日

当座預金勘定残高		1,010	銀行残高証明書残高		900
加　算			加　算		
(4) 入金連絡未通知	100		(1) 時間外預入	150	
(6) 未渡小切手	50	150	(2) 未取立小切手	50	200
減　算			減　算		
(4) 引落連絡未通知	80		(3) 未取付小切手		100
(5) 売掛金誤記入	80	160			
		1,000			1,000

(1)　時間外預入（銀行側の調整）

　　企業側は預け入れ当日に当座預金の増加処理をしますが、銀行側は翌営業日の入金として処理されるため、両者の残高は一時的に一致しません。時間外預入は、時の経過（翌日、銀行が入金処理をする）により両者の残高は一致するため、修正仕訳は**不要**です。

(2)　未取立小切手（銀行側の調整）

　　企業側は小切手の預入日に「当座預金の増加」として処理していますが、銀行側ではその小切手を手形交換所（小切手交換所）へ持ち込み、決済を行った段階で入金処理するため、両者の残高は一致しません。未取立小切手は、時の経過（銀行が取り立てる）により両者の残高は一致するため、修正仕訳は**不要**です。

(3)　未取付小切手（銀行側の調整）

　　企業側は小切手を振り出した当日に当座預金の減少処理をしますが、銀行側は小切手が呈示されたときに支払いの記帳がされるので、両者の残高は一時的に一致しません。未取付小切手は、時の経過（取引先が小切手を銀行に持ち込む）により両者の残高は一致するため、修正仕訳は**不要**です。

(4)　連絡未通知（未処理事項）（企業側の調整）

　　連絡未通知とは、当座振り込みや当座引き落としがあったにもかかわらず、銀行からの連絡が企業側に未達のことをいいます。したがって、銀行側は処理済みですが企業側は未処理なので、両者の残高は一致しません。連絡未通知の場合、企業側が未処理のため、修正仕訳が**必要**です。

　例）決算において、売掛金100円が決済され当座預金口座に振り込まれていたが、その連絡が未通知であった。また、支払手形80円が決済を迎えていたため当座預金口座から引き落とされていたが、その連絡が未通知であった。

| （当 座 預 金） | 100 | （売　　掛　　金） | 100 |
| （支 払 手 形） | 80 | （当 座 預 金） | 80 |

(5)　企業側誤記入（訂正仕訳）（企業側の調整）

　　企業側が、実際に預け入れた金額、または引き出した金額と異なる金額で記帳してしまうことを誤記入といい、銀行側の残高と不一致が生じます。誤記入は、企業側が誤った仕訳を正しい仕訳に直すための修正仕訳が**必要**です。

　例）得意先から売掛金400円を回収した際、誤って480円と処理していた。

① 誤った仕訳の逆仕訳：（売　　掛　　金）	480	（当 座 預 金）	480
② 正 し い 仕 訳：（当 座 預 金）	400	（売　　掛　　金）	400
③ 訂正仕訳(①+②)：（売　　掛　　金）	80	（当 座 預 金）	80

(6)　未渡小切手（企業側の調整）

　　決算日に未渡小切手があった場合は、小切手による支払いは行われなかったことになります。しかし、企業側では小切手を作成した時点で「当座預金の減少」として処理しているので、この処理を取り消すために修正仕訳が**必要**です。

　例）決算において、買掛金50円の支払いのために振り出していた小切手が相手に未渡しであったことが判明した。

| （当 座 預 金） | 50 | （買　　掛　　金） | 50 |

3. 財務諸表の表示方法

　現金、当座預金、普通預金は流動資産の**現金預金**として表示します。また、定期預金であっても満期日が貸借対照表日の翌日から1年以内のものは流動資産の現金預金に含めます。

　定期預金のうち満期日が貸借対照表日の翌日から1年を超えるものは固定資産（投資その他の資産）の**長期性預金**として表示します。

07 有価証券

1. 株式の処理

(1) 株式の購入

株式を購入した場合は、本体の価額である購入代価に購入手数料などの付随費用を加算した金額をもって取得原価とします。

取得原価＝購入代価（1株あたりの株価×株式数）＋購入手数料など

例）売買目的でD社株式20株を1株あたり10円で購入し、購入手数料100円とあわせて現金で支払った。

（売買目的有価証券）	300*	（現　　　　金）	300

＊　10円×20株＋100円＝300円

(2) 株式の売却

株式を売却した場合は、売却した株式の帳簿価額を減額し、売却価額と帳簿価額との差額を**有価証券売却益（収益）**または**有価証券売却損（費用）**として計上します。

売却価額＞帳簿価額→有価証券売却益
売却価額＜帳簿価額→有価証券売却損

例）売買目的で所有していたD社株式20株（帳簿価額300円）を1株あたり20円で売却し、現金で受け取った。

（現　　　　金）	400*	（売買目的有価証券）	300
		（有価証券売却益）	100

＊　20円×20株＝400円

(3) 配当の受け取り

株主は会社の所有者として利益の分配（配当）を受けることができます。配当を受け取ったときは、**受取配当金（収益）**を計上します。

例）所有していたD社株式に対する配当金50円について配当金領収証を受け取った。

（現　　　　金）	50	（受 取 配 当 金）	50

2. 公社債の処理

(1) 公社債と利息

社債券を取得した場合、その会社の債権者としてその社債券に付属するクーポン（利札）により**利息を受け取る**ことができます。クーポンにはそれぞれ期日が記載されていて、その期日が到来したクーポンは**現金として扱われ**、あわせて利息の受け取りを認識して、**有価証券利息（収益）を計上**することになります。

例）所有していたE社社債の利払日となり、クーポン50円が期日を迎えた。

（現　　　　金）	50	（有 価 証 券 利 息）	50

(2) 公社債の購入と売却

① 公社債の購入

売買目的の公社債を購入したときは、本体の価額である**購入代価に購入手数料などの付随費用を加算した額**をもって**取得原価**とします。以下に公社債の取得原価の計算方法を示します。

$$取得原価＝購入代価\left(1口あたりの単価×\frac{額面金額}{100円}\right)＋購入手数料など$$

例）売買目的でE社社債10口（額面総額1,000円）を1口あたり99円で購入した。なお、購入対価は売買手数料10円とあわせて現金で支払った。

| （売買目的有価証券） | 1,000* | （現 　　 金） | 1,000 |

＊　99円×10口＋10円＝1,000円

② 公社債の売却

売買目的の公社債を売却したときは、株式の場合と同様に公社債の帳簿価額を減額します。

売却価額と帳簿価額の差額は株式の場合と同様に**有価証券売却益（収益）**または**有価証券売却損（費用）**として計上します。

例）売買目的で所有していたE社社債10口（額面総額100円）を、1口あたり11円で売却し対価は現金で受け取った。

| （現 　　 金） | 110 | （売買目的有価証券） | 100 |
| | | （有価証券売却益） | 10 |

(3) 端数利息の授受

端数利息とは、公社債の売買が利払日と利払日の間で行われるときに、その買主が売主に対して支払うクーポン（利札）の経過利息のことです。

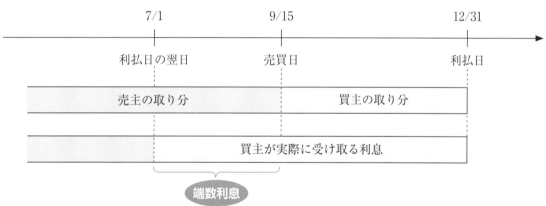

端数利息の計算は以下のように行います。なお、端数利息を月割りで計算する場合もあります。

$$端数利息＝公社債の額面金額×年利率×\frac{前利払日の翌日から売買当日までの日数}{365日}$$

例）売買目的で所有していたE社社債100円（年利率10％）を110円で売却し対価は現金で受け取った。なお、前利払日の翌日から売却日までの73日分の端数利息は日割りで計算すること。

（現 　　 金）	110	（売買目的有価証券）	100
		（有価証券売却益）	8*2
		（有 価 証 券 利 息）	2*1

＊1　$100円×10\%×\dfrac{73日}{365日}=2円$

＊2　貸借差額

3. 有価証券の期末評価

(1) 売買目的有価証券

① 算定方法および表示方法

売買目的有価証券は決算日において時価により評価替えを行います。評価差額は有価証券評価損益として処理されます。借方残高であれば有価証券評価損（費用）として営業外費用に表示し、貸方残高であれば有価証券評価益（収益）として営業外収益に表示します。

時価＞帳簿価額→有価証券評価益
時価＜帳簿価額→有価証券評価損

② 評価差額の会計処理

評価差額の会計処理には切放方式と洗替方式があり、切放方式とは、当期末において時価評価をし、翌期はその時価を帳簿価額として処理する方法です。

一方、洗替方式とは、当期末において時価評価をしても、翌期首において再振替仕訳（評価差額の振り戻し仕訳）を行い、帳簿価額を取得原価に戻して処理する方法です。

例）決算において、売買目的で所有していたF社株式（取得原価100円）を時価110円に評価替えした。

〈決算日〉

（売買目的有価証券） 10 （有価証券評価損益） 10

〈翌期首〉

切放方式： 仕訳なし

洗替方式： （有価証券評価損益） 10 （売買目的有価証券） 10

(2) 満期保有目的債券

① 算定方法

満期保有目的債券は、取得原価をもって貸借対照表価額とします。ただし、額面金額と異なる価額で取得し、額面金額と取得価額の差額が金利調整差額と認められるときは、償却原価法にもとづく償却原価を貸借対照表価額とします。

② 償却原価法

償却原価法とは、金利調整差額を満期保有目的債券の償還期に至るまで、定額法等毎期一定の方法で帳簿価額に加減し、償却額を有価証券利息（収益）で処理する方法をいいます。

$$当期償却額 = (満期保有目的債券の額面金額 - 取得原価) \times \frac{当期所有月数}{取得日から償還日までの月数}$$

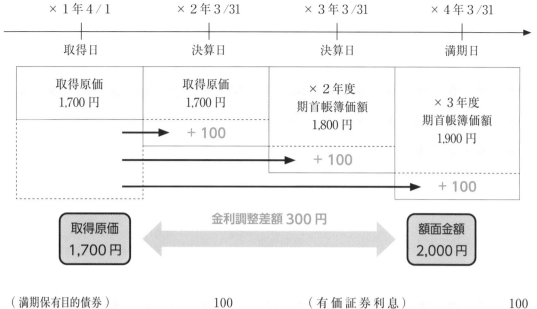

第1問対策

第2問対策

第3問対策

第4問(1)対策

第4問(2)・第5問対策

| （満期保有目的債券） | 100 | （有価証券利息） | 100 |

(3) その他有価証券

① 算定方法

その他有価証券は、時価をもって貸借対照表価額とし、評価差額については、日商簿記2級では全部純資産直入法により処理します。

② 全部純資産直入法

全部純資産直入法とは「評価差額（評価差益および評価差損)」の合計額を貸借対照表の純資産の部にその他有価証券評価差額金として計上する方法です。なお、その他有価証券の「評価差額」の会計処理は洗替方式によるので、翌期首において再振替仕訳を行います。

例）決算において、投資目的で所有していたG社株式（取得原価100円）を時価120円に評価替えした。

〈決算日〉

| （その他有価証券） | 20 | （その他有価証券評価差額金） | 20 |

〈翌期首〉

| （その他有価証券評価差額金） | 20 | （その他有価証券） | 20 |

③ 税効果会計

その他有価証券（全部純資産直入法）においては、法人税等調整額を使用せず、評価差額に税率を乗じた金額をその他有価証券評価差額金から直接控除して、繰延税金資産 **(資産)** または繰延税金負債 **(負債)** に計上します。

なお、翌期の再振替仕訳により差異は解消します。

例）決算日につき保有するその他有価証券（取得原価1,000円、時価1,500円）の評価替えを行う。なお法人税等の税率を30%として税効果会計を適用すること。

〈決算日〉

| （その他有価証券） | 500 | （その他有価証券評価差額金） | 350[*2] |
| | | （繰延税金負債） | 150[*1] |

* 1　1,500円 − 1,000円 = 500円（評価差額）
　　500円 × 30% = 150円
* 2　500円 ×（100% − 30%）= 350円

〈翌期首〉

（その他有価証券評価差額金）	350	（その他有価証券）	500
（繰延税金負債）	150		

4. 財務諸表の表示方法

有価証券の表示は、次のように区分されます。

表示科目	表示区分	内　容
有価証券	流動資産	・売買目的有価証券 ・満期日が決算日の翌日から1年以内の満期保有目的債券およびその他有価証券
投資有価証券	固定資産 （投資その他の資産）	・有価証券に該当しない満期保有目的債券およびその他有価証券
関係会社株式		・子会社株式、関連会社株式
繰延税金資産		・その他有価証券の時価が帳簿価額より低い場合
繰延税金負債	固定負債	・その他有価証券の時価が帳簿価額より高い場合
その他有価証券評価差額金	評価・換算差額等	・その他有価証券の評価差額

有形固定資産

1. 減価償却

(1) 定率法

定率法とは、固定資産の期首時点の未償却残高（取得原価－期首減価償却累計額）に一定の償却率を乗じて、減価償却費を計上する方法です。定率法は、毎期の償却額が時の経過にともない逓減していく減価償却方法です。

なお、定率法の計算は**定率法（狭義）**と**200％定率法**に区別されます。

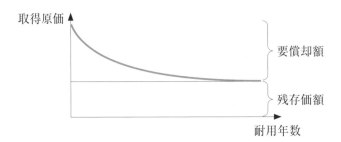

① 定率法（狭義）

定率法（狭義）と200％定率法の基本的な計算方法は同様であり、以下の計算式で求めます。

1年分の減価償却費＝（取得原価－期首減価償却累計額）×年償却率

定率法（狭義）の償却率は問題文に必ず指示があります。また、会計期間の途中で取得した固定資産については、減価償却費を月割計算します。

例）決算において、前期首に取得した備品（取得原価800円、減価償却累計額200円）について、定率法（償却率25％）により減価償却を行う。なお、記帳方法は間接法で行っている。

（減 価 償 却 費）	150*	（備品減価償却累計額）	150

* （取得原価800円－減価償却累計額200円）×償却率25％＝150円

② 200％定率法

200％定率法とは、定額法の償却率を2倍した率を償却率として使用する方法であり、償却率は以下の計算式で求めます。

$$定額法償却率＝\frac{1}{耐用年数}$$

$$定率法償却率＝定額法償却率×200％$$

例）決算において、当期首に取得した備品（取得原価400円、耐用年数5年、残存価額ゼロ）について、200％定率法により減価償却を行う。なお、記帳方法は間接法で行っている。

（減 価 償 却 費）	160*	（備品減価償却累計額）	160

* $\frac{1}{耐用年数5年}＝0.2$（定額法償却率）
0.2 × 200％＝0.4（定率法償却率）
取得原価400円× 0.4＝160円

200％定率法は、本来の償却率で計算した減価償却費が**償却保証額**を下回る年度から、期首帳簿価額に**改定償却率**を乗じた額を減価償却費として計上します。

> ① 本来の償却率で計算した減価償却費＝期首帳簿価額×償却率
> ② 償却保証額＝取得原価×保証率
> ③ ①≧②の場合 → 減価償却費＝①の額
> 　 ①＜②の場合 → 減価償却費＝切替年度における期首帳簿価額×改定償却率

耐用年数到来時には、償却済みの固定資産があることを記録しておくため、**1円（備忘価額）だけ残しておく処理**を行います。

(2) 生産高比例法

生産高比例法とは、固定資産の耐用期間中、毎期当該資産による生産または用役（利用）の提供の度合に比例した減価償却費を計上する方法をいいます。減価償却費は以下の計算式で求めます。

$$1年分の減価償却費＝\underset{要償却額}{(取得原価－残存価額)}×\frac{当期利用量}{総利用可能量}$$

なお、生産高比例法の場合、会計期間の途中で取得した固定資産でも、月割計算は行いません。

例）決算につき、当期首に購入した車両運搬具（取得原価2,000円、残存価額10％、総走行可能距離6,000km、間接法で記帳）について、生産高比例法により減価償却を行う。なお、当期の走行距離は300kmである。

（減 価 償 却 費）	90*	（車両運搬具減価償却累計額）	90

* 取得原価2,000円× 0.9 × $\frac{当期走行距離300km}{総走行可能距離6,000km}$ ＝ 90円

第1問対策

第2問対策

第3問対策

第4問(1)対策

第4問(2)・第5問対策

2. 有形固定資産における税効果会計（減価償却限度超過額）

(1) 一時差異

　　税法上、損金計上できる減価償却費には限度額があり、これを超える金額については課税所得の計算において加算調整が行われ、**一時差異が発生**します。

　　その後、減価償却資産を売却または除却した事業年度において減算調整が行われ、**一時差異が解消**します。

　　例1）取得価額300円の備品（会計上の耐用年数2年、税法上の耐用年数3年、定額法で償却）

*1　300円÷2年＝150円
*2　300円÷3年＝100円
*3　150円－100円＝50円

① 一時差異の発生

　　例2）×1年度決算において計上した例1の備品の減価償却費150円のうち、減価償却限度超過額50円（減価償却限度額100円）が損金不算入となった。なお、法定実効税率は30％である。

（繰延税金資産）	15*	（法人税等調整額）	15

　*　減価償却限度超過額50円×法定実効税率30％＝15円

② 一時差異の解消

　　例3）×3年度において、例1の備品の売却にともない、×1年度および×2年度に加算調整された減価償却限度超過額の累計額100円の損金算入が認められた。なお、法定実効税率は30％である。

（法人税等調整額）	30	（繰延税金資産）	30*

　*　100円×30％＝30円

(2) 表示区分

① 繰延税金資産・繰延税金負債の貸借対照表の表示

　　決算日において繰延税金資産と繰延税金負債を相殺し、**相殺後の純額**が借方残高であれば貸借対照表の**固定資産（投資その他の資産）**、貸方残高であれば**固定負債**に表示します。

② 法人税等調整額の損益計算書の表示

　　法人税等調整額が借方残高のときは**法人税、住民税及び事業税**の金額に**加算**し、貸方残高のときは**法人税、住民税及び事業税**の金額から**減算**します。

3. 建設仮勘定

　建物などの引き渡しまでに長期間を要する建設について、完成前に代金の一部を手付金等として支払うことがあります。その支払額を一時的に**建設仮勘定（資産）**で処理し、工事が完成し、引き渡しを受けたときに固定資産に振り替えます。

(1) 建設中の固定資産の手付金を支払ったとき

　　例）本社ビルを建設するため、手付金500円を小切手を振り出して支払った。

（建設仮勘定）	500	（当座預金）	500

(2) 固定資産が完成し、引き渡しを受けたとき
　　例）本社ビルが完成し引き渡しを受けた。代金800円のうち、手付金500円を差し引いた残額300円は小切手を振り出して支払った。

| （建　　　物） | 800 | （建 設 仮 勘 定） | 500 |
| | | （当 座 預 金） | 300 |

4. 臨時損失

　固定資産が火災等で失われた場合において、臨時的に簿価の切り下げが行われます。これを臨時損失といい、その固定資産に保険を付しているかどうかにより、処理が異なってきます。

(1) 保険を付していない場合
　　火災により固定資産を焼失した場合、火災時の帳簿価額を**火災損失（費用）**として処理します。
　　例）本社ビル（取得原価800円、建物減価償却累計額500円）が火災で焼失した。

| （建物減価償却累計額） | 500 | （建　　　物） | 800 |
| （火 災 損 失） | 300 | | |

(2) 保険を付している場合
　① 火災発生時
　　保険会社から支払われる保険金額が確定するまで、焼失した固定資産の火災時の帳簿価額を**未決算（資産）**または**火災未決算（資産）**という仮勘定で処理しておきます。
　　例）本社ビル（取得原価800円、建物減価償却累計額500円）が火災で焼失した。なお、本社ビルには保険金1,000円がかかっており、これを請求した。

| （建物減価償却累計額） | 500 | （建　　　物） | 800 |
| （未　　決　　算） | 300 | | |

　② 保険金額確定時
　　焼失した固定資産に付していた火災保険の保険金額が確定した場合、確定した金額を**未収入金（資産）**で処理し、未決算を減少させます。
　　確定した保険金額との差額が借方残高であれば**火災損失（費用）**、貸方残高であれば**保険差益（収益）**で処理します。
　　例1）かねてより請求していた火災に対する保険金300円について、400円の支払いが確定した。

| （未 収 入 金） | 400 | （未　　決　　算） | 300 |
| | | （保 険 差 益） | 100 |

　　例2）かねてより請求していた火災に対する保険金300円について、200円の支払いが確定した。

| （未 収 入 金） | 200 | （未　　決　　算） | 300 |
| （火 災 損 失） | 100 | | |

5. 圧縮記帳

　国庫補助金などにより固定資産を取得した場合、その金額だけ取得原価を減額（圧縮）する処理をします。これを圧縮記帳といいます。

(1) 国庫補助金の受取時
　　国庫補助金を受け取ったときは、**国庫補助金受贈益（収益）**を計上します。

例）事業所を建設するため国庫補助金100円を現金で受け取った。

（現　　　　金）	100	（国庫補助金受贈益）	100

(2) 固定資産取得時（直接減額方式）

日商簿記2級では**直接減額方式**により圧縮記帳を行います。

直接減額方式とは、受け取った国庫補助金（圧縮相当額）の金額を**固定資産圧縮損（費用）**として計上するとともに、固定資産の取得原価から圧縮相当額を直接減額する方法をいいます。

例）事業所を建設し、建設代金500円を現金で支払った。また、かねてより受け取っていた国庫補助金100円について圧縮記帳を行った。

（建　　　　物）	500	（現　　　　金）	500
（固定資産圧縮損）	100	（建　　　　物）	100

(3) 圧縮記帳をした固定資産の減価償却

直接減額方式により圧縮記帳を行った場合は、**圧縮後の帳簿価額**をもとに減価償却費を計算します。

(4) 表示区分

国庫補助金受贈益は損益計算書の「**特別利益**」、固定資産圧縮損は損益計算書の「**特別損失**」に表示します。

09 無形固定資産

1. 無形固定資産

(1) 無形固定資産とは

無形固定資産とは、具体的な形のない長期保有目的の資産をいいます。法律上の権利である「特許権」や「商標権」の他、経済的な価値である「ソフトウェア」および「のれん」などがあります。

(2) 取得したとき

無形固定資産を取得したときは、その**取得に要した支出額**を取得原価とします。

例）製品製造に関する特許権200円を取得し、対価は現金で支払った。

（特　許　権）	200	（現　　　　金）	200

(3) 決算のとき

償却方法は、**残存価額をゼロ**とし、原則として**定額法**で行い、記帳方法は**直接法**のみです。間接法を用いることはできないので、無形固定資産の勘定から償却額を直接減額します。また、その償却額は「**〇〇償却（費用）**」として処理し、原則として、損益計算書の「販売費及び一般管理費」の区分に計上します。

例）ソフトウェア（取得原価100円、耐用年数4年で定額法により償却）を償却した。

（ソフトウェア償却）	25*	（ソフトウェア）	25

* 100円÷4年＝25円

(4) 売却・除却したとき

① 売却したとき

売却時の帳簿価額と売却価額の差額から売却損益を求め、「**固定資産売却益（収益）**」または「**固定資産売却損（費用）**」を計上します。

例）当社の所有する商標権 100 円を 80 円で譲渡し、対価は現金で受け取った。

| （現　　　　金） | 80 | （商　標　権） | 100 |
| （固定資産売却損） | 20 | | |

②　除却したとき

除去時における無形固定資産の帳簿価額について「固定資産除却損 **（費用)**」を計上します。

例）ソフトウェア（帳簿価額 80 円）を除却した。

| （固定資産除却損） | 80 | （ソフトウェア） | 80 |

10　月次損益の計算と決算整理仕訳

企業の業績を月単位で把握する場合、毎月末の月次決算により月次損益を計算します。

1. 減価償却

月次損益を計算する場合、期首時点の固定資産をもとに 1 年分の減価償却費の見積額を計算します。その後、これを各月に配分し、毎月末の月次決算における減価償却費を計上します。

例）当期首に計算された減価償却費の概算額は、建物が 3,000 円、備品が 600 円である。当月末の月次決算において減価償却費を計上する仕訳を行いなさい。

| （減　価　償　却　費） | 300 | （建物減価償却累計額） | 250[*1] |
| | | （備品減価償却累計額） | 50[*2] |

＊1　3,000 円 ÷ 12 か月 = 250 円
＊2　600 円 ÷ 12 か月 = 50 円

2. 経過勘定項目

月次損益を計算する場合、以下の方法により経過勘定項目に関する費用・収益を計上します。

⑴　前払費用・前受収益を計上する場合

1 年分の費用・収益を支払ったときまたは受け取ったときに前払費用・前受収益を計上し、毎月末の月次決算において 1 か月分の前払費用・前受収益を取り崩します。

例）×1 年 8 月 1 日に、1 年分の損害保険料 5,400 円を現金で前払いしている。当月末の月次決算における前払費用に関する仕訳を行いなさい。

| （保　　険　　料） | 450[*] | （前　払　保　険　料） | 450 |

＊　5,400 円 ÷ 12 か月 = 450 円

⑵　未払費用・未収収益を計上する場合

毎月末の月次決算において 1 か月分の金額を未払費用・未収収益として計上し、1 年分の費用・収益を支払ったときまたは受け取ったときに未払費用・未収収益を取り崩します。

例）×1 年 9 月 1 日に、家賃 1 年分 7,800 円を後払いする契約で建物を賃借した。当月末の月次決算における未払費用に関する仕訳を行いなさい。

| （支　払　家　賃） | 650[*] | （未　払　家　賃） | 650 |

＊　7,800 円 ÷ 12 か月 = 650 円

11 収益認識

1. 収益認識に関する会計基準

　収益認識に関する会計基準とは、顧客との契約から生じる収益に関する会計処理について定めた基準です。以下の**5つのステップ**により収益を認識します。

①	契約の識別	締結した契約が「顧客との契約」にあたるかどうかを判定します。
②	履行義務の識別	識別した契約に含まれる「履行義務」を識別します。履行義務とは、顧客との契約において一定の財またはサービスを顧客に移転する約束をいいます。
③	取引価格の算定	識別した契約の「取引価格」を算定します。取引価格とは、一定の財またはサービスの顧客への移転と交換に企業が権利を得ると見込む対価の額をいいます。
④	取引価格の配分	契約において約束した別個の財またはサービスの独立販売価格の比率に基づき、それぞれの履行義務に取引価格を配分します。
⑤	収益の認識	履行義務が「一時点」で充足されるのか、「一定期間」で充足されるのかを区別し、それぞれの態様に応じて、履行義務を充足した時にまたは充足するにつれて収益を認識します。

例) 当期首に700円で商品と2年間の保守サービスを提供する契約を締結した。当社はただちに現金700円と引き換えに商品を引き渡し、翌期末まで保守サービスを行う。商品の販売価格は500円、1年あたりの保守サービスの販売価格は100円である。

① 当期首：対価の受け取りと商品の引き渡し

　　商品の引き渡しによって履行義務を充足したため、**売上（収益）**を計上します。一方、保守サービスはまだ履行義務を充足していないため、**契約負債（負債）**または**前受金（負債）**を計上します。

（現　　　　金）	700	（売　　　　上）	500
		（契　約　負　債）	200*

* 保守サービス100円×2年＝200円

② 当期末：保守サービスに係る売上

　　1年間の保守サービスの履行義務を充足したため、**契約負債（負債）**または**前受金（負債）**を取り崩し**売上（収益）**を計上します。

（契　約　負　債）	100	（売　　　　上）	100

2. 用語の定義

契約資産	企業が顧客に移転した財またはサービスと交換に受け取る対価に対する企業の権利（ただし債権を除く）のうち、履行義務の一部を充足したものの、対価を受け取るには残りの履行義務を充足する必要がある（＝無条件では受け取れない）もの。
債権 （売掛金）	企業が顧客に移転した財またはサービスと交換に受け取る対価に対する企業の権利のうち、期限が到来したら対価を無条件に受け取れるもの。
契約負債 （前受金）	サービスの提供が終了していない段階での対価の受取額。
返金負債	商品の販売時に売上割戻（リベート）がある場合において、予想される割戻し額（＠割戻し額×販売数）。
役務収益	役務（サービス）の提供を主たる営業とする企業において「売上」に相当する金額。 サービスの提供が完了したときに計上する。
役務原価	役務（サービス）の提供を主たる営業とする企業において「売上原価」に相当する金額。役務収益との期間対応を図るため、役務収益とのタイムラグがある場合はいったん「**仕掛品（資産）**」に計上する。

3. 契約資産

契約資産（資産）は、対価の受け取りについて期限の到来以外の条件が残っている場合に計上します。

履行義務を果たしたものの、まだ対価を受け取っていない場合、売上の計上に際して、**契約資産**と売上債権（＝**売掛金**）を区別します。

例） 当社は商品X（100円）、商品Y（200円）を売り渡す契約を結び、ただちに商品Xを引き渡した。しかし、対価の受け取りは両商品の引き渡しを条件とする。

① 商品Xだけを引き渡した場合

商品Yの引き渡しがまだ残っているため、売掛金ではなく契約資産を計上します。

（契約資産）	100	（売　　　　上）	100

② ①の後、現金300円を受け取り、商品Yを引き渡した場合

（現　　　　金）	300	（売　　　　上）	200
		（契　約　資　産）	100

4. 売上割戻

売上割戻とは、一定額以上の売上に対して行われる商品代金の返戻金（いわゆるリベート）をいいます。「収益認識に関する会計基準」では、商品の販売時に予想できる割戻し額は初めから売上に計上せず、**返金負債（負債）**として計上します。

例） 当社は、A社に対し商品Z（50円）を販売しており、1か月あたりの販売個数が100個に達した場合、毎月末において1個あたり10円の金額を割戻し、売掛金と相殺する。なお、A社に対する販売個数は1か月あたり120個と見積もられた。

（1） 4月：商品Zの販売個数は120個であった。

① 販売時

割戻しが予想できる金額について、売上ではなく返金負債を計上します。

第1問対策　第2問対策　第3問対策　第4問(1)対策　第4問(2)・第5問対策

| （売　掛　金） | 6,000[*1] | （売　　　　　上） | 4,800[*2] |
| | | （返　金　負　債） | 1,200[*3] |

＊1　@ 50 円× 120 個 = 6,000 円
＊2　（@ 50 円 – @ 10 円）× 120 個 = 4,800 円
＊3　@ 10 円× 120 個 = 1,200 円

② 月末

割戻しの条件を満たしているため、返金負債を取り崩し、売掛金を減少させます。

| （返　金　負　債） | 1,200 | （売　掛　金） | 1,200 |

(2) 5月：商品Zの販売個数は80個であった。

① 販売時

販売時の予想販売個数は120個であるため、4月と同様に返金負債を計上します。

| （売　掛　金） | 4,000[*1] | （売　　　　　上） | 3,200[*2] |
| | | （返　金　負　債） | 800[*3] |

＊1　@ 50 円× 80 個 = 4,000 円
＊2　（@ 50 円 – @ 10 円）× 80 個 = 3,200 円
＊3　@ 10 円× 80 個 = 800 円

② 月末

割戻しの条件を満たしていないため、割戻しは実施されず返金負債を取り崩し売上を計上します。

| （返　金　負　債） | 800 | （売　　　　　上） | 800 |

5. サービス業

(1) 役務収益と役務原価

　　役務（サービス）の提供を主たる営業とする企業においては、売上に相当する金額を**役務収益（収益）**、また、売上原価に相当する金額を**役務原価（費用）**として計上します。

(2) 仕掛品

　　役務収益はサービスの提供が完了したときに計上しますが、役務原価は、役務収益との期間対応をもって計上するため、役務収益とのタイムラグがある場合はいったん**仕掛品（資産）**に計上します。

　例1）当社はイベントの企画を行い、チケット（1枚1,000円）30枚をすべて現金で販売した。

| （現　　　　　金） | 30,000* | （前　受　金） | 30,000 |

＊　1,000 円× 30 枚 = 30,000 円

　例2）イベント開催のために必要な諸経費10,000円を現金で支払った。

| （仕　　掛　　品） | 10,000 | （現　　　　　金） | 10,000 |

　例3）その後、予定していたイベントを開催した。

| （前　受　金） | 30,000 | （役　務　収　益） | 30,000 |
| （役　務　原　価） | 10,000 | （仕　　掛　　品） | 10,000 |

第1部

第1問対策

第2問対策

第3問対策

第4問(1)対策

第4問(2)・第5問対策

01 本支店会計

1. 本支店会計とは

　企業規模が拡大すると、各地に支店を設けるようになります。このような、本店と支店がある場合の本支店間あるいは支店相互間の取引を処理する会計制度を本支店会計といいます。

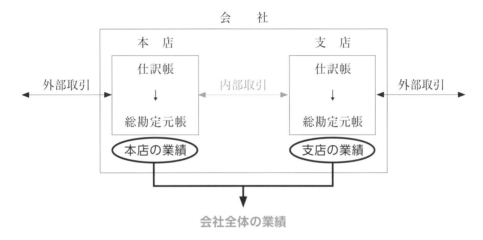

2. 本支店間取引（内部取引）

(1) 支店勘定と本店勘定

　本支店会計では、本店と支店の間で取引（本支店間取引）が行われた場合、企業内部における債権・債務の関係とみなされ、本店では支店勘定を、支店では本店勘定を用いて処理します。なお、支店勘定の残高と本店勘定の残高は貸借逆で必ず一致します。

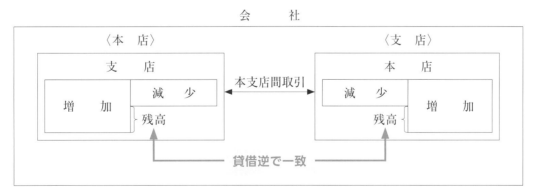

例）本店は支店に現金 600 円を送付し、支店はこれを受け取った。

〈本店側〉				〈支店側〉			
（支　店）	600	（現　金）	600	（現　金）	600	（本　店）	600

支　店		本　店	
600	残高 600	残高 600	600

貸借逆で一致

(2) 本支店間の取引

　本支店間の取引には送金取引以外に、債権・債務の決済取引、費用の立替払いなど様々な取引があります。

　例）支店は本店の買掛金200円を現金で支払った。

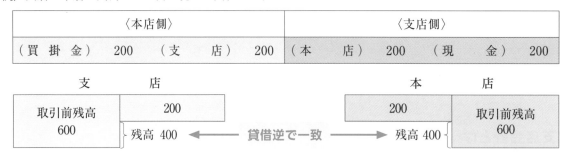

3. 支店相互間取引（支店が複数ある場合）

(1) 支店分散計算制度

　支店分散計算制度とは、それぞれの支店が本店を経ずに直接処理する方法です。それぞれの支店において、各支店勘定を用いて処理します。

　例）奈良支店は、兵庫支店に現金900円を送付した。

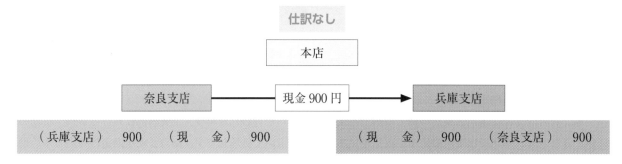

(2) 本店集中計算制度

　本店集中計算制度とは、支店間の取引を本店と各支店の取引とみなして処理する方法です。

　例）奈良支店は、兵庫支店に現金900円を送付した。

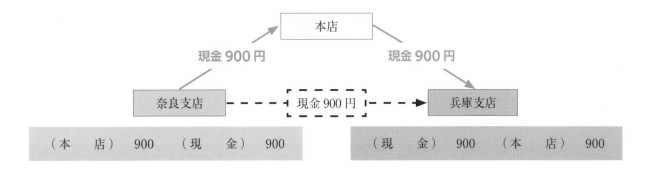

4. 決算振替（損益振替）

本店・支店において決算整理後の収益・費用の諸勘定を締め切り、それぞれの帳簿に設けた損益勘定に振り替えます。その後、支店側で計算された純損益を支店の損益勘定から本店勘定へ振り替えます。また、本店側では、支店の純損益を支店勘定に記入するとともに、本店の損益勘定へ振り替えます。

例）本店の決算整理後の諸収益は 3,200 円、諸費用は 2,500 円であり、支店の決算整理後の諸収益は 1,200 円、諸費用は 800 円である場合について、決算整理仕訳を行いなさい。

① 諸収益、諸費用の損益勘定への振り替え

〈本店側〉						〈支店側〉					
（諸 収 益）	3,200	（損	益）	3,200		（諸 収 益）	1,200	（損	益）	1,200	
（損	益）	2,500	（諸 費 用）	2,500		（損	益）	800	（諸 費 用）	800	

② 支店純損益の振り替え

〈本店側〉						〈支店側〉					
（支	店）	400	（損	益）	400	（損	益）	400*	（本	店）	400

* 1,200 円 − 800 円 = 400 円（支店純利益）

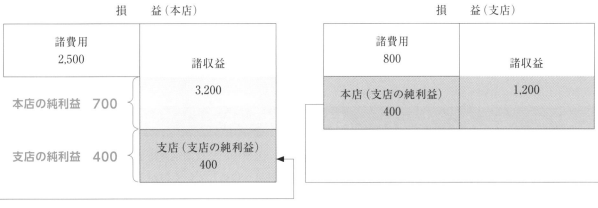

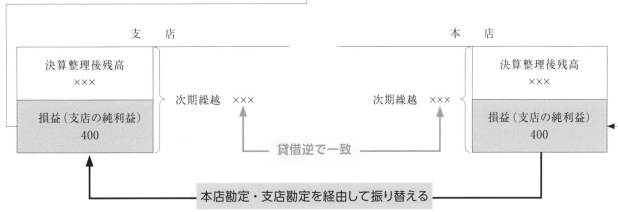

第4問(1)対策

第4問(1)の概要

　第4問(1)では、工業簿記に関する**3問の仕訳問題**が必ず出題されます。仕訳問題では、問題ごとに与えられる勘定科目（**ア～カの選択肢**）から適切なものを選び、記号で解答します。記号を書き間違えてしまうようなケアレスミスをしないように、答案用紙に記入する際は、正しい記号か確認するようにしましょう。

		スッキリわかる	簿記の教科書 簿記の問題集	合格テキスト 合格トレーニング	学習のポイント
費目別計算		第1～4章	CHAPTER 01～04	テーマ 01～07	集計する項目に注意。
個別原価計算	単純個別原価計算	第5章	CHAPTER 05	テーマ 08,09	完成品と仕掛品の区別。
	部門別個別原価計算	第6章	CHAPTER 06	テーマ 10,11	
総合原価計算	単純総合原価計算	第7,9章	CHAPTER 07,09	テーマ 12～14	期末仕掛品の原価配分方法に注意。 等級別では等価係数を掛け忘れずに！
	工程別総合原価計算	第8,9章	CHAPTER 08,09	テーマ 14,15	
	組別総合原価計算			テーマ 14,16	
	等級別総合原価計算				
標準原価計算		第12章	CHAPTER 12	テーマ 18,19	原価標準の設定と原価差異に注意。
本社工場会計		第11章	CHAPTER 11	テーマ 22	勘定連絡図を作成。

学習方法

　日商簿記2級で出題される仕訳は、**文章による仕訳問題**です。工業簿記では勘定連絡を理解することが重要となります。モノの流れを意識しながら、どの勘定科目からどの勘定科目へ移動していくのか学習しましょう。

試験中の進め方

　仕訳問題では、与えられた勘定科目をヒントに仕訳を考えましょう。答えがわからなくても、答案用紙には何かしらの解答を記入しておきましょう。

001

材料の購入①
（材料副費）

主要材料75kg（@ 246円/kg）を購入し、
代金は翌月末に支払うことにした。なお、こ
の購入にかかる運送費等の諸費用1,500円は
小切手を振り出して支払った。

 Hint! 材料を購入したときには、購入し
た材料そのものの金額（購入代価）
に、購入手数料や引取運賃などの
付随費用（材料副費）を加算した
金額（購入原価）で処理します。

（材　　　料）19,950*2（買　掛　　金）18,450*1
　　　　　　　　　　　（当　座　預　金）1,500

*1 @ 246円×75 kg = 18,450円
*2 購入代価18,450円＋付随費用1,500円
　 = 19,950円（購入原価）

解答のPoint!

① 材料の購入→材料の増加
② 代金は翌月末に支払い→買掛金の増加
③ 小切手を振り出して支払った→当座預金の減少

002

材料の購入②
（材料副費の予定配賦）

材料を掛けで購入した。内訳は素材200kg（購
入代価300円/kg）、補助材料20,000円（購
入代価）である。なお、材料副費については
購入代価の10%を予定配賦した。

 Hint! 材料副費は、材料の購入原価に含
めて処理します（材料の購入原価
＝購入代価＋材料副費）。

（材　　　料）88,000（買　掛　　金）80,000*1
　　　　　　　　　　（材　料　副　費）8,000*2

*1 @ 300円×200 kg ＋ 20,000円= 80,000円
*2 80,000円×10 % = 8,000円

解答のPoint!

① 材料を掛けで購入→材料の増加、買掛金の増加
② 材料副費の予定配賦→材料副費勘定から材料勘定への
　 振り替え

⚠ ここも注意！
　材料副費を予定配賦したときは、材料副費勘定の貸方に
記入します。

003

材料の購入③
（材料副費の予定計算）

当月の材料副費の実際発生額は7,250円で
あったので、材料副費予定配賦額6,600円と
の差額を材料副費配賦差異勘定に振り替え
る。

 Hint! 予定配賦額よりも実際発生額の
方が大きいので借方差異となりま
す。

（材料副費配賦差異）650*（材　料　副　費）650

* 6,600円－7,250円=△650円（借方差異）

解答のPoint!

① 材料副費予定配賦額との差額を材料副費配賦差異勘定
　 に振り替える→材料副費配賦差異は借方差異を計上

⚠ ここも注意！
　実際発生額よりも予定配賦額の方が大きい場合は貸方差
異となります。

004

材料費①
（材料の消費）

当月の材料の消費は、素材 1,600 円、買入部
①   ②
品 240 円、工場消耗品 80 円であった。
              ③

💡 Hint! 直接材料費は仕掛品で処理し、間
接材料費は製造間接費で処理しま
す。

（仕　掛　品）1,840* （材　　　　料）1,920
（製 造 間 接 費）　 80

* 　1,600 円＋ 240 円＝ 1,840 円

解答のPoint!

① 材料の消費→材料の減少
② 素材 1,600 円、買入部品 240 円→直接材料費は仕
掛品で処理
③ 工場消耗品 80 円→間接材料費は製造間接費で処理

⚠ ここも注意！

　一般に素材・買入部品は直接材料費となり、工場消耗品
は間接材料費となります。

005

材料費②
（平均法）

主要材料 200kg（製造指図書 #11 に対して
①
100kg、製造指図書 #12 に対して 75kg、製
造指図書 #13 に対して 25kg）を製造現場に
払い出した。なお、主要材料の月初在庫量は
50kg（@ 468 円 /kg）、当月購入量は 250kg
（@ 504 円 /kg）であり、主要材料費の計算
には平均法を用いている。

💡 Hint! 直接材料費は、材料勘定から仕掛
品勘定へ振り替えられます。

（仕　掛　品）99,600* （材　　　　料）99,600

*　月初材料：@ 468 円× 50 kg ＝ 23,400 円
　当月購入：@ 504 円× 250 kg ＝ 126,000 円

平均単価： $\frac{23,400 円＋ 126,000 円}{50 kg ＋ 250 kg}$ ＝@ 498 円

　製造指図書 #11：@ 498 円× 100 kg ＝ 49,800 円 ⎫
　製造指図書 #12：@ 498 円× 75 kg ＝ 37,350 円 ⎬ 計 99,600 円
　製造指図書 #13：@ 498 円× 25 kg ＝ 12,450 円 ⎭

解答のPoint!

① 主要材料を製造現場に払い出し→材料の減少、直接材
料費は仕掛品へ振り替え

⚠ ここも注意！

　一般に、主要材料は製品の本体を構成する材料の消費
額であり、直接材料費となります。

006

材料費③（予定消費単価①）

材料の消費価格差異を計上した。材料の月初
①
在庫は 20kg（購入原価 1 kg あたり 20 円）、
当月仕入は 300kg（購入原価 1 kg あたり 35 円）、
月末在庫は 50kg であり、棚卸減耗はなかった。
また、実際払出価格は先入先出法により処理
している。なお、材料費の計算には 1 kg あた
り 30 円の予定消費価格を用いている。

💡 Hint! 実際消費額＞予定消費額は借方差
異（不利差異）、実際消費額＜予
定消費額は貸方差異（有利差異）
になります。

（材料消費価格差異）1,050*6 （材　　　　料）　1,050

解答のPoint!

① 材料の消費価格差異を計上→材料勘定から、材料消費
価格差異勘定への振り替え

*1　20 kg×@ 20 円＝ 400 円
*2　300 kg×@ 35 円＝ 10,500 円
*3　50 kg×@ 35 円＝ 1,750 円
*4　400 円＋ 10,500 円− 1,750 円＝ 9,150 円

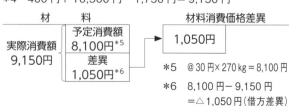

*5　@ 30 円× 270 kg ＝ 8,100 円
*6　8,100 円− 9,150 円
　　＝△ 1,050 円（借方差異）

007

材料費④（予定消費単価②）

当工場では、個別受注生産を行っており、実際個別原価計算を採用している。次の[資料]にもとづいて、当月分の直接材料費を計上する。なお、直接材料費は予定消費単価①を用いて計算しており、予定消費単価は 200 円 /kg である。主要材料の消費額はすべて直接材料費である。

[資料]

当月の主要材料消費量

指図書番号	#101	#201	#202
主要材料消費量	29kg	171kg	160kg

（仕 掛 品）72,000 （材 料）72,000*

* #101：@ 200 円× 29 kg ＝ 5,800 円
#201：@ 200 円× 171 kg ＝ 34,200 円 }計 72,000 円
#202：@ 200 円× 160 kg ＝ 32,000 円

解答の Point！

① 主要材料を消費→材料の減少、直接材料費は仕掛品へ振り替え

⚠ ここも注意！

予定消費単価を用いた場合で、材料を消費したときは、予定消費単価に実際消費量を掛けて材料費を計算します。

008

材料費⑤（材料の消費）

熊本製造株式会社では、実際個別原価計算を採用している。本日、材料を消費した。直接材料の消費額の計算には実際払出価格 100 円 /kg を用いており、当月の実際消費量は製造指図書 #404：14kg、製造指図書 #501：24kg、製造指図書 #502：19kg、製造指図書なし：2 kg であった。なお、棚卸減耗はなかった。②

 関連する製造指図書のないものは、製造間接費として処理します。

（仕 掛 品）5,700*³ （材 料）5,900*¹
（製 造 間 接 費） 200*²

*1 @ 100 円×（14 kg＋ 24 kg＋ 19 kg＋ 2 kg）＝ 5,900 円

*2 @ 100 円× 2 kg＝ 200 円

*3 @ 100 円×（14 kg＋ 24 kg＋ 19 kg）＝ 5,700 円

解答の Point！

① 直接材料の消費（製造指図書番号あり）→材料の減少、仕掛品の増加

② 間接材料の消費（製造指図書番号なし）→材料の減少、製造間接費の発生

009

月末材料の管理（棚卸減耗損）

甲社の当月における素材の月初有高 4,000 円、当月仕入高 90,000 円、月末帳簿残高は 3,000 円であった。なお、棚卸の結果、素材の減耗 300 円（通常発生する程度と認められる）が発見された。

 素材は直接材料費として処理し、材料の棚卸減耗損は間接経費（製造間接費）として処理します。

（仕 掛 品）91,000* （材 料）91,300
（製 造 間 接 費） 300

* 4,000 円＋ 90,000 円－ 3,000 円＝ 91,000 円

材 料		
月初有高 4,000円	当月消費 91,000円	
当月仕入高 90,000円	棚卸減耗 300円	}月末帳簿残高
	月末有高 2,700円	3,000円

解答の Point！

① 材料の消費→材料の減少、素材は直接材料費→仕掛品で処理

② 棚卸減耗は間接経費→製造間接費で処理

010

賃金の支払額①

工場従業員へ賃金 70,000 円を現金で支払った。

> Hint! 従業員の賃金・給料を支払ったときには、賃金・給料勘定の借方に記入します。

(賃 金・給 料)70,000 (現　　　　金)70,000

解答のPoint!
① 賃金を現金で支払った→賃金・給料の増加、現金の減少

011

賃金の支払額②

当月の賃金の支給総額は 31,000 円であり、内訳は直接工 24,800 円、間接工 6,200 円であった。源泉所得税、社会保険料の従業員負担分 4,200 円を差し引き、残額を現金で支給した。

> Hint! 賃金や給料の支払時に控除した源泉所得税や社会保険料の従業員負担分は預り金で処理します。

(賃 金・給 料) 31,000 (預　り　金) 4,200
　　　　　　　　　　　(現　　　金)26,800*

* 貸借差額

解答のPoint!
① 賃金の支払い→賃金・給料の増加
② 源泉所得税、社会保険料の従業員負担分を差し引き→預り金の増加
③ 現金で支払い→現金の減少

012

労務費① (予定消費賃率)

直接工の作業時間報告書より、直接作業時間は 200 時間、間接作業時間は 10 時間であった。なお、当工場では直接工の労務費の計算に予定賃率 (300 円 / 時間) を用いている。また、間接工の当月賃金支払高は 16,000 円、前月賃金未払高は 6,000 円、当月賃金未払高は 5,000 円であった。以上より、当月の賃金の消費額を計上する。

> Hint! 直接工の賃金のうち間接作業にかかる金額および間接工の賃金は、間接労務費として賃金・給料勘定から製造間接費勘定に振り替えます。

(仕　　掛　　品)60,000*1 (賃 金・給 料) 78,000
(製 造 間 接 費)18,000*2

*1　@ 300 円× 200 時間＝ 60,000 円
*2　@ 300 円× 10 時間＋(16,000 円－ 6,000 円＋ 5,000 円)
　　＝ 18,000 円

解答のPoint!
① 直接工の直接作業→仕掛品で処理
② 直接工の間接作業→製造間接費で処理
③ 間接工の賃金→製造間接費で処理
④ 労務費の消費→賃金・給料から振り替え

013

労務費②（消費賃金の計算）

当工場では、個別受注生産を行っており、実際個別原価計算を採用している。次の[資料]にもとづいて、①当月分の賃金の消費額を計上する。なお、②直接工賃金の消費額は予定消費賃率を用いて計算しており、予定消費賃率は 150 円/時間である。また、③間接工賃金については、前月未払高 4,100 円、当月支払高 14,900 円、当月未払高 4,200 円であった。

[資料]

当月の直接作業時間

指図書番号	#101	#201	#202
直接作業時間	84時間	140時間	36時間

（仕　掛　品）39,000*¹（賃金・給料）54,000
（製 造 間 接 費）15,000*²

*1　#101：@ 150 円×　84 時間＝ 12,600 円 ⎫
　　#201：@ 150 円×140 時間＝ 21,000 円 ⎬ 計 39,000 円
　　#202：@ 150 円×　36 時間＝　5,400 円 ⎭

*2　当月支払高 14,900 円－前月未払高 4,100 円
　　＋当月未払高 4,200 円＝ 15,000 円

解答の Point！

① 賃金の消費→賃金・給料から振り替え
② 直接工賃金（直接労務費）→直接労務費は仕掛品で処理
③ 間接工賃金（間接労務費）→間接労務費は製造間接費で処理

014

労務費③
（予定消費賃率・直接工の賃率差異）

当月の賃金の支払額は直接工が 24,800 円、間接工が 6,200 円であった。また、直接工の未払賃金は、月初に 10,400 円、月末に 12,200 円であり、間接工の未払賃金は、月初に 5,200 円、月末に 7,600 円であった。なお、直接工については、予定消費賃率を用いて賃金の消費額を計上しており、予定消費額は 23,800 円であった。当月末に、間接工の消費賃金に関して、要支払額を計上し、あわせて直接工の消費賃金について賃率差異を計上する。

（製 造 間 接 費）8,600*¹（賃金・給料）11,400
（原　価　差　異）2,800*²

*1　当月支払 6,200 円－月初未払 5,200 円＋月末未払 7,600 円＝ 8,600 円
*2　①直接工の予定消費賃金：23,800 円
　　②直接工の実際消費賃金：当月支払 24,800 円－月初未払 10,400 円＋月末未払 12,200 円＝ 26,600 円
　　③直接工の賃率差異：23,800 円－ 26,600 円
　　　＝△ 2,800 円（借方差異）

解答の Point！

① 間接工の消費賃金を算定し、賃金・給料勘定から製造間接費勘定へ振り替え
② 直接工の実際消費賃金を算定し、予定消費賃金との差額を賃率差異として計上

015

労務費④
（直接工の賃率差異）

直接工賃金の当月要支払高は、98,000 円であった。また、直接工の予定賃率は 300 円/時間、実際就業時間は 300 時間であった。直接工の賃率差異を計上する。①

（原　価　差　異）8,000*（賃金・給料）8,000

*　予定消費額：@ 300 円× 300 時間＝ 90,000 円
　原価差異（賃率差異）：90,000 円－ 98,000 円
　　　　　　　　　　　＝△ 8,000 円（借方差異）

賃金・給料

実際消費額 98,000 円	予定消費額 90,000 円
	差異8,000円

原価差異（賃率差異）

差異8,000円

解答の Point！

① 賃率差異を計上→予定消費額 90,000 円と実際消費額 98,000 円の差額を賃金・給料勘定から原価差異勘定（賃率差異勘定）に振り替え→予定消費額が実際消費額になるように賃金・給料勘定の金額を調整→賃金・給料（貸方）、原価差異（借方）の計上

016

経費
（経費の仕訳と勘定記入）

外注業者に対して、外注加工賃 20,000 円を
①
小切手を振り出して支払った。

💡 **Hint!** 外注加工賃や特許権使用料などは
直接経費となり仕掛品勘定で処理
します。

（仕　掛　品）20,000（当 座 預 金）20,000

解答の Point!

① 外注加工賃を小切手を振り出して支払った→仕掛品の
増加、当座預金の減少

⚠ ここも注意！
　勘定科目群の中に仕掛品勘定がない場合は、外注加工賃
勘定などを用います。

017

個別原価計算①
（製造間接費の予定配賦①）

製造間接費を配賦した。製造間接費は直接労
①
務費の 150％を予定配賦している。なお、直
接労務費は、製造指図書 #404：24,000 円、
製造指図書 #501：12,000 円、製造指図書
#502：2,000 円である。

💡 **Hint!** 製造間接費予定配賦額を、製造間
接費勘定から仕掛品勘定へ振り替
えます。

（仕　掛　品）57,000（製 造 間 接 費）57,000*

* #404：24,000 円×150％＝36,000 円 ⎫
　#501：12,000 円×150％＝18,000 円 ⎬計：57,000 円
　#502：2,000 円×150％＝ 3,000 円 ⎭

解答の Point!

① 製造間接費を配賦→製造間接費勘定から仕掛品勘定へ
の振り替え

製 造 間 接 費		仕 掛 品
57,000	→	57,000

018

個別原価計算②
（製造間接費の予定配賦②）

当工場では、個別受注生産を行っており、実
際個別原価計算を採用している。次の［資料］
にもとづいて、①当月分の製造間接費を予定
配賦する。なお、製造間接費の配賦基準は直
接作業時間である。

［資料］
1．当月の直接作業時間

指 図 書 番 号	#101	#201	#202
直 接 作 業 時 間	84時間	140時間	36時間

2．年間製造間接費予算額　384,000 円
3．年間予定直接作業時間　3,200 時間

（仕　掛　品）31,200（製 造 間 接 費）31,200*

* 年間製造間接費予算額 384,000 円÷年間予定直接作業時
間 3,200 時間＝@ 120 円／時間（予定配賦率）
#101：@ 120 円× 84 時間＝ 10,080 円 ⎫
#201：@ 120 円×140 時間＝ 16,800 円 ⎬計：31,200 円
#202：@ 120 円× 36 時間＝ 4,320 円 ⎭

解答の Point!

① 製造間接費を配賦→製造間接費勘定から仕掛品勘定へ
の振り替え

製 造 間 接 費		仕 掛 品
31,200	→	31,200

⚠ ここも注意！
　製造間接費予定配賦率は、年間製造間接費予算額を年間
予定配賦基準数値（基準操業度）で割って計算します。

019

個別原価計算③
(完成品原価の製品勘定への振り替え)

当月の完成品原価を計上した。埼玉製作所では、個別原価計算を採用し、製品X(製造指図書 #001)と製品Y(製造指図書 #002)を製造している。月初仕掛品原価は製品X(製造指図書 #001)3,000円、当月製造費用は製品X(製造指図書 #001)20,000円、製品Y(製造指図書 #002)15,000円であった。

当期において製品X(製造指図書 #001)は完成したが、製品Y(製造指図書 #002)は未完成である。

(製 品)23,000*	(仕 掛 品)23,000

* 製品X(製造指図書 #001):
月初仕掛品原価 3,000円+当月製造費用 20,000円=
23,000円

解答の Point!

① 完成品原価の計上→製品の増加、仕掛品の減少

020

個別原価計算④
(製品原価の売上原価勘定への振り替え)

当月において製造指図書 #001 を販売した。当社では単純個別原価計算を採用しており、製造指図書 #001 に集計された製造原価は11,250円である。売上原価に関する仕訳を示しなさい。

💡 **Hint!** 完成した製品を顧客に引き渡したときには、その原価を製品勘定から売上原価勘定に振り替えます。

(売 上 原 価)11,250	(製 品)11,250

解答の Point!

① 売上原価の計上→売上原価の増加、製品の減少

021

個別原価計算⑤
(製造間接費の予定配賦)

製造間接費予定配賦額と実際発生額の差額を原価差異勘定に振り替えた。なお、当月の予定配賦額は 47,500円、実際発生額は 40,000円であった。

💡 **Hint!** 製造間接費の予定配賦額は製造間接費勘定の貸方に、実際発生額は製造間接費勘定の借方に集計されるので、この差額を原価差異勘定(製造間接費配賦差異勘定)に振り替えます。

(製 造 間 接 費)7,500*	(原 価 差 異)7,500

* 47,500円 − 40,000円 = 7,500円(貸方差異)

製 造 間 接 費		原価差異(製造間接費配賦差異)
		7,500円
実際発生額 40,000円	予定配賦額 47,500円	
差異 7,500円		

解答の Point!

① 製造間接費予定配賦額と実際発生額の差額を原価差異勘定に振り替え→予定配賦額が実際発生額になるように製造間接費勘定の金額を調整する→製造間接費(借方)、原価差異(貸方)

022

製造間接費配賦差異の分析
(予算差異・操業度差異)

製造間接費の配賦基準は直接作業時間であ
①
り、予定配賦率を適用している。当月の製造
間接費の実際発生額は 305,000 円であり、予
定配賦額との差額を予算差異勘定と操業度差
②   ③
異勘定に振り替える。なお、年間製造間接費
予算(固定予算)は 3,600,000 円、年間予定
直接作業時間は 7,200 時間である。また、当
月の実際直接作業時間は 580 時間であった。

💡 **Hint!** 操業度差異は、実際操業度と基準
操業度との差に予定配賦率を掛け
て計算します。

(予 算 差 異) 5,000*¹ (製 造 間 接 費) 15,000
(操 業 度 差 異) 10,000*²

*1 (3,600,000 円÷ 12 か月)- 305,000 円
　 =△ 5,000 円 (借方差異)

*2 (3,600,000 円÷ 7,200 時間)
　 ×(580 時間- 7,200 時間÷ 12 か月)
　 =△ 10,000 円 (借方差異)

解答の Point!

① 製造間接費について、予定配賦率を適用している→製
造間接費から予算差異・操業度差異へ振り替え

② 予算差異→実際発生額の方が大きい→予算差異は借方
差異を計上

③ 操業度差異→実際操業度の方が小さい→操業度差異は
借方差異を計上

023

部門別個別原価計算①
(製造部門費の予定配賦①)

大阪工場では、製造間接費を部門別予定配賦
①
率により、各製造指図書へ配賦している。機
械運転時間を配賦基準とし、予定配賦率は第
1 製造部が 180 円 / 時間、第 2 製造部が 100
円 / 時間である。なお、実際機械運転時間は
第 1 製造部が 200 時間、第 2 製造部が 300 時
間である。

💡 **Hint!** 貸方について各製造部門に関する
勘定科目の指示がないため、製造
間接費勘定とします。

(仕　　掛　　品) 66,000* (製 造 間 接 費) 66,000

* (@180 円× 200 時間)+(@100 円× 300 時間)
　 = 66,000 円

解答の Point!

① 製造間接費を配賦→製造間接費勘定から仕掛品勘定へ
の振り替え

⚠ ここも注意!

　貸方について各製造部門に関する勘定科目についての指
示がある場合は、その勘定科目を使用します。

024

部門別個別原価計算②
(製造部門費の予定配賦②)

当工場では、部門別個別原価計算を採用して
おり、第 1 製造部門の予定配賦率は 25 円 /
時間であり、直接作業時間を基準として予定
配賦している。当月の第 1 製造部門の直接作
業時間は、製造指図書 #001 が 600 時間、製
造指図書 #002 が 400 時間であった。なお、
第 1 製造部門費の実際発生額は 30,000 円で
①
あった。
そこで、第 1 製造部門費の配賦差異を原価差
②
異勘定へ振り替えた。

(原　価　差　異) 5,000* (第 1 製造部門費) 5,000

第 1 製造部門費		原 価 差 異
実際発生額 30,000円	予定配賦額 25,000円	5,000円
	差異 5,000円	

* 製造指図書# 001:@25 円× 600 時間= 15,000 円
　 製造指図書# 002:@25 円× 400 時間= 10,000 円　} 25,000 円
　 25,000 円- 30,000 円=△ 5,000 円 (借方差異)

解答の Point!

① 第 1 製造部門費の実際発生額→第 1 製造部門費勘定の
借方に計上

② 予定配賦額と第 1 製造部門費の差額→原価差異 (借方
差異) の発生

025

単純総合原価計算
（完成品原価の振り替え）

単純総合原価計算で製品原価を計算している乙社において、完成品総合原価を製品勘定へ振り替えた。なお、月初仕掛品原価は6,000円、当月製造費用は90,000円、月末仕掛品原価は8,000円であった。

 Hint! 月初仕掛品原価と当月製造費用の合計から月末仕掛品原価を差し引くことにより、差額で完成品総合原価を計算します。

（製　　　品）88,000* （仕　掛　品）88,000

* （6,000円＋90,000円）− 8,000円＝ 88,000円

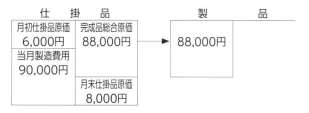

仕　掛　品	
月初仕掛品原価 6,000円	完成品総合原価 88,000円
当月製造費用 90,000円	
	月末仕掛品原価 8,000円

製　　　　品
88,000円

解答の Point!

① 完成品総合原価を製品勘定へ振り替え→製品の増加、仕掛品の減少（完成したので加工途中のものがなくなる）

026

総合原価計算①
（工程別総合原価計算）

工程別総合原価計算を採用している奈良株式会社は、労務費を消費した。
なお、第1工程における消費賃率は1時間あたり75円、直接作業時間は200時間であり、第2工程における消費賃率は1時間あたり65円、直接作業時間は300時間であった。

 Hint! 工程別総合原価計算では、工程ごとに原価を計算していきます。

（第1工程仕掛品）15,000*1 （賃 金・給 料） 34,500

（第2工程仕掛品）19,500*2

*1 @ 75 円× 200 時間＝ 15,000 円
*2 @ 65 円× 300 時間＝ 19,500 円

解答の Point!

① 労務費の消費→賃金・給料から振り替え
② 第1工程消費高→第1工程仕掛品へ振り替え
③ 第2工程消費高→第2工程仕掛品へ振り替え

⚠ ここも注意！

工程別総合原価計算とは、同一製品を、2つ以上の作業工程によって大量生産する生産形態に適用される原価計算をいいます。

027

総合原価計算②
（組別総合原価計算）

組別総合原価計算を採用している山梨製作所においてA組製品（売価：14,000円、売上製品製造原価：9,000円）およびB組製品（売価：13,000円、売上製品製造原価：10,000円）を掛けにより販売した。よって、売上高と売上原価を計上する。

Hint! 組別総合原価計算の完成品原価は各組製品勘定へ集計されているため、製品を販売したときには各組製品勘定から売上原価勘定へ振り替えます。

（売　掛　金）27,000 （売　　　　上）27,000*1
（売 上 原 価）19,000*2 （A 組 製 品） 9,000
　　　　　　　　　　　　（B 組 製 品）10,000

*1 売価合計：14,000 円＋ 13,000 円＝ 27,000 円
*2 売上製品製造原価合計：9,000 円＋ 10,000 円＝ 19,000 円

解答の Point!

① 売上高の計上→売掛金の増加、売上の増加
② 売上原価の計上→売上原価の増加、各組製品の減少

⚠ ここも注意！

組別総合原価計算とは、同じ作業工程で、2つ以上の異種製品を大量に生産する生産形態に適用される原価計算をいい、製品の種類のことを「組」とよびます。

028

総合原価計算③ (等級別総合原価計算)

等級別総合原価計算を採用している山形産業株式会社においてA等級製品100個と、B等級製品150個が完成した。ただし、完成品の総合原価は840円であり、等価係数はA等級製品は2、B等級製品は1である。

💡 **Hint!** 各等級製品の完成品数量に等価係数を掛けた値を積数といい、積数によって完成品総合原価を各等級製品に按分します。

（A 等 級 製 品）480*1 （仕 掛 品） 840
（B 等 級 製 品）360*2

① 各等級製品の積数
　A等級製品：100個×2＝200
　B等級製品：150個×1＝150

② 各等級製品の完成品総合原価
　*1　A等級製品：$840 円 × \dfrac{200}{200+150} = 480 円$

　*2　B等級製品：$840 円 × \dfrac{150}{200+150} = 360 円$

解答のPoint!

① A等級製品とB等級製品が完成した→A等級製品とB等級製品の増加、仕掛品の減少

029

標準原価計算① (直接材料費)

当社では標準原価計算を採用しており、シングル・プランにより記帳している。製品1個あたりの標準直接材料費は1,400円であり、当月投入量は10個であった。なお、当月の実際直接材料費は13,000円であった。直接材料費の当月消費額に関する仕訳を示しなさい。

💡 **Hint!** シングル・プランの場合は、各原価要素の勘定から仕掛品勘定への振替額は、標準原価となります。

（仕 掛 品） 14,000 （材 料）14,000*

* @1,400 円× 10 個＝ 14,000 円

解答のPoint!

① 材料を消費した→材料の減少、仕掛品の増加

⚠ ここも注意！
パーシャル・プランを採用している場合、各原価要素の勘定から仕掛品勘定への振替額は、実際原価となります。

030

標準原価計算② (労務費)

製品Xを生産している群馬製作所では、標準原価計算を採用している。製品X1個あたりの標準直接労務費は150円であった。なお、製品Xの生産実績は、月初仕掛品150個（加工進捗度60％）、当月投入量700個、月末仕掛品200個（加工進捗度40％）、当月完成品650個であった。完成品に対する標準直接労務費を計上した。

💡 **Hint!** 標準原価計算においては、原価標準にもとづいて、完成品原価や月末仕掛品原価を計算します。

（製 品）97,500* （仕 掛 品）97,500

* @150 円× 650 個＝ 97,500 円

解答のPoint!

① 当月完成品650個に対する標準直接労務費を計上→製品の増加、仕掛品の減少

⚠ ここも注意！
月末仕掛品原価については、製品1個あたりの標準直接労務費に月末仕掛品完成品換算数量を乗じて算定します。

031

標準原価計算③
（直接材料費差異の分析）

当月において材料価格差異と材料消費数量差異を計上した。当社では標準原価計算を採用しておりパーシャル・プランにより記帳している。直接材料費の標準消費価格は材料1kg あたり75円であり、標準材料消費量は500kg である。

また、直接材料費の実際消費価格は材料1kg あたり80円であり、実際材料消費量は600kg である。

（材料価格差異）3,000*1 （仕 掛 品）10,500
（材料消費数量差異）7,500*2

*1 （@75円－@80円）×600kg＝△3,000円（借方差異）
*2 @75円×（500kg － 600kg）＝△7,500円（借方差異）

解答の Point!

① 材料価格差異→材料価格差異は借方差異を計上
② 材料消費数量差異→材料消費数量差異は借方差異を計上
③ パーシャル・プランにより記帳→仕掛品勘定より、材料価格差異勘定、材料消費数量差異勘定へ振り替え

⚠ ここも注意！
　シングル・プランを採用している場合は、直接材料費差異は材料勘定から各原価差異の勘定へ振り替えます。

032

標準原価計算④
（直接労務費差異の分析）

当月において賃率差異と作業時間差異を計上した。当社では標準原価計算を採用しており、パーシャル・プランにより記帳している。直接工の標準賃率は作業時間1時間あたり60円であり、標準直接作業時間は40時間である。また、直接工の実際賃率は作業時間1時間あたり70円であり、実際直接作業時間は36時間である。

（賃 率 差 異）360*1 （仕 掛 品）120*3
（作業時間差異）240*2

*1 （@60円－@70円）×36時間＝△360円（借方差異）
*2 @60円×（40時間－36時間）＝ 240円（貸方差異）
*3 貸借差額

解答の Point!

① 賃率差異→賃率差異は借方差異を計上
② 作業時間差異→作業時間差異は貸方差異を計上
③ パーシャル・プランにより記帳→仕掛品より、賃率差異、作業時間差異へ振り替え

⚠ ここも注意！
　シングル・プランを採用している場合は、直接労務費差異は賃金勘定から各原価差異の勘定へ振り替えます。

033

標準原価計算⑤
（製造間接費差異の分析）

製造間接費予定配賦額と実際発生額の差額を予算差異勘定と操業度差異勘定に振り替えた。なお、月間の製造間接費予算額（固定予算）は4,500円、予定配賦額は4,000円、実際発生額は4,160円であった。

💡 Hint! 予算差異とは、製造間接費の予算許容額と実際発生との差額をいいます。なお、本問では固定予算であるため、予算許容額は月間予算額となります。

（操 業 度 差 異）500*1 （予 算 差 異）340*2
（製 造 間 接 費）160*3

*1 4,000円－4,500円＝△500円（借方差異）
*2 4,500円－4,160円＝ 340円（貸方差異）
*3 貸借差額

解答の Point!

① 予算差異勘定→貸方差異を計上
② 操業度差異勘定→借方差異を計上

034
本社工場会計①
（工場会計を独立させた場合①）

材料 320 円を掛けで購入し、工場の倉庫に搬
①
入された。なお、当社では、本社会計から工
場会計は独立しており、材料の発注は本社で
行い、材料の納入業者は工場の倉庫へ直接搬
入している。工場側の仕訳を示しなさい。

💡 Hint! 材料の発注は本社が実施している
ので、工場における仕訳には買掛
金は計上されません。

（材 料）	320	（本 社）	320

解答のPoint!

① 材料が工場の倉庫に搬入された→材料の増加、相手勘
定は本社

⚠ ここも注意！

買掛金については、本社における仕訳において計上され
ます。なお、本社側の仕訳は次のとおりです。

（工 場）	320	（買 掛 金）	320

035
本社工場会計②
（工場会計を独立させた場合②）

製品 90,000 円が完成し、本社の製品倉庫に
①
搬送、保管された。本社会計から工場会計は
独立している。工場側で行われる仕訳を示し
なさい。なお、製品勘定は本社に設置されて
いる。

💡 Hint! 製品が完成し、本社の製品倉庫に
搬送、保管されたため、工場側で
は完成品原価を仕掛品勘定の貸方
に記入するとともに、本社勘定の
借方に記入します。

（本 社）	90,000	（仕 掛 品）	90,000

解答のPoint!

① 製品が完成し、本社の製品倉庫に搬送、保管された→
仕掛品の減少、相手勘定は本社

⚠ ここも注意！

本社側では、完成品原価を製品勘定の借方に記入すると
ともに、工場勘定の貸方に記入します。なお、本社側の仕
訳は次のとおりです。

（製 品）	90,000	（工 場）	90,000

036
本社工場会計③
（工場会計を独立させた場合③）

本社から工場会計を独立させている大分製作
所では、当月の機械装置の減価償却を行った。
①
機械装置の減価償却費の年間見積額は 84,000
円である。なお、機械装置の減価償却累計額
勘定は本社で設定している。工場の仕訳を示
しなさい。

💡 Hint! 機械装置減価償却累計額勘定は、
本社で設定されているため、工場
側では、貸方を本社勘定とします。

（製 造 間 接 費）	7,000*	（本 社）	7,000

* 当月の減価償却費：84,000 円÷12 か月＝7,000 円

解答のPoint!

① 機械装置の減価償却を行った→間接経費として製造間
接費で処理、相手勘定は本社

⚠ ここも注意！

製造間接費勘定ではなく、減価償却費勘定を用いること
もあるので、問題に与えられた勘定科目群に注意しましょ
う。なお、本社側の仕訳は次のとおりです。

（工 場）	7,000	（機械装置減価償却累計額）	7,000

第4問⑵・第5問対策

第4問⑵と第5問の概要

第4問⑵と第5問では、工業簿記の総合問題が出題されます。出題論点は主に10論点あります。

- 1．（単純）個別原価計算
- 2．部門別個別原価計算
- 3．（単純）総合原価計算
- 4．工程別総合原価計算
- 5．組別総合原価計算
- 6．等級別総合原価計算
- 7．標準原価計算
- 8．直接原価計算
- 9．CVP分析
- 10．予算実績差異分析

このうち、7．標準原価計算、8．直接原価計算、9．CVP分析が第5問に出題される傾向が強く、他の論点は第4問⑵に出題される傾向があります。

		スッキリ わかる	簿記の教科書 簿記の問題集	合格テキスト 合格トレーニング	学習のポイント
費目別計算		第1〜4章	CHAPTER 01〜04	テーマ 01〜07	集計する項目に注意。
個別原価計算	単純個別原価計算	第5章	CHAPTER 05	テーマ 08,09	完成品と仕掛品の区別。
	部門別個別原価計算	第6章	CHAPTER 06	テーマ 10,11	
総合原価計算	単純総合原価計算	第7,9章	CHAPTER 07,09	テーマ 12〜14	期末仕掛品の原価配分方法に注意。等価係数を忘れずに！仕損・減損の発生点に注意。
	工程別総合原価計算	第8,9章	CHAPTER 08,09	テーマ15	
	組別総合原価計算			テーマ16	
	等級別総合原価計算				
標準原価計算		第12章	CHAPTER 12	テーマ 18,19	原価標準の設定と、原価差異に注意。
直接原価計算 CVP分析		第13章	CHAPTER 13	テーマ 20,21	原価を変動費と固定費に分ける。

学習方法

工業簿記の問題は種類が多く、苦手とする方も多いのですが、**完成品原価**と**仕掛品原価**がどのように計算されるのかに着目した学習を行うと良いでしょう。

また、基本的に上記に列挙した出題論点を1から順番に学習すると効率的です。

試験中の進め方

第4問⑵と第5問は苦手とする方も多いのですが、配点の大きい問題です。難しいと感じた場合には、部分点だけでも取れるように考えましょう。

たとえば、**標準原価計算の完成品原価**などは簡単に求めることができる問題です。また、**総合原価計算の仕掛品勘定のうち借方項目**は比較的記入しやすい問題が多く出題されています。

取れる得点を確実に積み上げることで合格を目指しましょう。

01 個別原価計算

1. 個別原価計算

個別原価計算とは、顧客から注文を受けて特定の製品を個別に製造する場合に適用される計算方法です。

注文ごとに製造着手日や完成予定日を記載した**製造指図書**を発行します。製造指図書は注文を受けたとき以外に、**仕損品**（品質や規格を満たさない不合格品）を補修するときにも発行されます。

2. 原価計算表

製造指図書は**原価計算表**にまとめられます。個別原価計算の問題では、原価計算表を読み取って仕掛品勘定や製品勘定を作成します。原価計算表の備考欄に完成とあれば製品勘定、仕掛中とあれば仕掛品勘定、引渡しとあれば売上原価勘定へ振り替えます。

3. 製造原価報告書

工企業（メーカー）の財務諸表には、損益計算書や貸借対照表のほかに**製造原価報告書**があります。なお、**損益計算書**は損益勘定、損益計算書の**売上原価の内訳は製品勘定**、**製造原価報告書は仕掛品勘定**に対応しています。

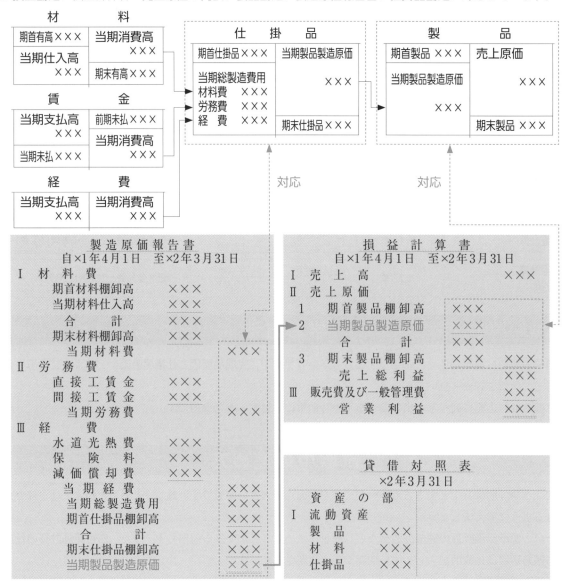

例　題

当工場では個別原価計算を採用している。次の資料にもとづいて、仕掛品勘定と製品勘定を完成させなさい。

なお、当月は8月であり、製造間接費は直接作業時間を基準に予定配賦している。

また当期の年間製造間接費予算額は800,000円、基準操業度は10,000時間である。

[資料]

製造指図書	直接材料費	直接労務費	直接作業時間	備　考
No.301	56,000円	45,000円	600時間	7月着手・完成 8月引渡し
No.302	48,000円（7月分） －円（8月分）	15,000円（7月分） 35,000円（8月分）	200時間（7月分） 500時間（8月分）	7月着手 8月完成・引渡し
No.303	62,000円	28,000円	400時間	8月着手・完成 8月末未引渡し
No.303-1	8,000円	7,000円	100時間	8月補修開始 8月補修完了
No.304	36,500円	21,000円	300時間	8月着手 8月末未完成

（注）No.303-1は仕損が生じたNo.303を補修して合格品とするために発行した指図書であり、仕損は正常なものであった。

仕　掛　品

前 月 繰 越	（　　　　　）	製　　　品	（　　　　　）
直 接 材 料 費	（　　　　　）	次 月 繰 越	（　　　　　）
直 接 労 務 費	（　　　　　）		
製 造 間 接 費	（　　　　　）		
	（　　　　　）		（　　　　　）

製　　　品

前 月 繰 越	（　　　　　）	売 上 原 価	（　　　　　）
仕 掛 品	（　　　　　）	次 月 繰 越	（　　　　　）
	（　　　　　）		（　　　　　）

解　答

仕　掛　品

前 月 繰 越	（ 79,000 ）	製　　　品	（ 299,000 ）
直 接 材 料 費	（ 106,500 ）	次 月 繰 越	（ 81,500 ）
直 接 労 務 費	（ 91,000 ）		
製 造 間 接 費	（ 104,000 ）		
	（ 380,500 ）		（ 380,500 ）

製　　　品

前 月 繰 越	（ 149,000 ）	売 上 原 価	（ 303,000 ）
仕 掛 品	（ 299,000 ）	次 月 繰 越	（ 145,000 ）
	（ 448,000 ）		（ 448,000 ）

1. 製造間接費の予定配賦額

(1) 製造間接費の予定配賦率：800,000 円 ÷ 10,000 時間 ＝ @ 80 円 / 時間

(2) 前月分の製造間接費

No. 301（7月分）：@ 80 円 / 時間 × 600 時間 ＝ 48,000 円

No. 302（7月分）：@ 80 円 / 時間 × 200 時間 ＝ 16,000 円

(3) 当月分の製造間接費

No. 302（8月分）：@ 80 円 / 時間 × 500 時間 ＝ 40,000 円

No. 303（8月分）：@ 80 円 / 時間 × 400 時間 ＝ 32,000 円

No. 303-1（8月分）：@ 80 円 / 時間 × 100 時間 ＝ 8,000 円

No. 304（8月分）：@ 80 円 / 時間 × 300 時間 ＝ 24,000 円

2. 各製造指図書に集計された原価

No. 301（7月分）：56,000 円 ＋ 45,000 円 ＋ 48,000 円 ＝ 149,000 円

No. 302（7月分）：48,000 円 ＋ 15,000 円 ＋ 16,000 円 ＝ 79,000 円

（8月分）：35,000 円 ＋ 40,000 円 ＝ 75,000 円

（合　計）：79,000 円 ＋ 75,000 円 ＝ 154,000 円

No. 303（8月分）：62,000 円 ＋ 28,000 円 ＋ 32,000 円 ＋ 23,000 円(注) ＝ 145,000 円

（注）No. 303-1 に集計された仕損費を No. 303 へ賦課します。
No. 303-1（8月分）：8,000 円 ＋ 7,000 円 ＋ 8,000 円 ＝ 23,000 円

No. 304（8月分）：36,500 円 ＋ 21,000 円 ＋ 24,000 円 ＝ 81,500 円

3. 仕掛品勘定の記入

前 月 繰 越：前月（7月）において着手済・未完成である No. 302（7月分）の原価を記入します。
79,000 円

直接材料費：8月分の直接材料費を記入します。
62,000 円 ＋ 8,000 円 ＋ 36,500 円 ＝ 106,500 円

直接労務費：8月分の直接労務費を記入します。
35,000 円 ＋ 28,000 円 ＋ 7,000 円 ＋ 21,000 円 ＝ 91,000 円

製造間接費：8月分の製造間接費を記入します。
40,000 円 ＋ 32,000 円 ＋ 8,000 円 ＋ 24,000 円 ＝ 104,000 円

> 備考欄から、各製品の状況を的確に判断できるようにしましょう。

製　　　品：当月に完成した No. 302 と No. 303 の原価を記入します。
154,000 円 ＋ 145,000 円 ＝ 299,000 円

次 月 繰 越：当月に未完成品である No. 304 の原価を記入します。
81,500 円

仕　掛　品

前 月 繰 越	(79,000)	製　　　品	(299,000)
直 接 材 料 費	(106,500)	次 月 繰 越	(81,500)
直 接 労 務 費	(91,000)		
製 造 間 接 費	(104,000)		
	(380,500)		(380,500)

ここで、原価計算表を作成すると以下のとおりです。

原価計算表　　　　　（単位：円）

	No.302	No.303	No.303-1	No.304	合　計
前 月 繰 越	79,000	—	—	—	79,000
直 接 材 料 費	—	62,000	8,000	36,500	106,500
直 接 労 務 費	35,000	28,000	7,000	21,000	91,000
製 造 間 接 費	40,000	32,000	8,000	24,000	104,000
小　　　計	154,000	122,000	23,000	81,500	380,500
仕 損 費	—	23,000	△23,000	—	0
合　　　計	154,000	145,000	0	81,500	380,500
備　　　考	完成・引渡済	完成・未引渡	No.303へ賦課	未完成	

　なお、No.301は前月中に完成しているので原価計算表では集計しない点に注意しましょう。

4. 製品勘定の記入

前月繰越：前月（7月）において完成・未引渡しであるNo.301の原価を記入します。
　　　　　149,000円

売上原価：当月において引渡済みのNo.301とNo.302の原価を記入します。
　　　　　149,000円＋154,000円＝303,000円

次月繰越：完成しているが当月未引渡しのNo.303の原価を記入します。
　　　　　145,000円

製　　　　品

前 月 繰 越	(149,000)	売 上 原 価	(303,000)
仕 掛 品	(299,000)	次 月 繰 越	(145,000)
	(448,000)		(448,000)

02 部門別個別原価計算

1. 部門別個別原価計算

　部門別個別原価計算とは、製造部門以外に補助部門がある製造工程で適用される計算方法です。

　製造部門には、切削部門や組立部門など製品を直接加工するためのものがあり、補助部門には、動力部門、修繕部門、工場事務部門など製品の加工に直接かかわるのではなく、製造部門に用役（サービス）を提供するものがあります。

2. 補助部門費の配賦方法

　製造間接費のうちどの部門で発生したかが明らかな費用を部門個別費といい、どの部門で発生したかが明らかでない費用を部門共通費といいます。このうち補助部門で集計された費用を製造部門へ配賦する計算には、日商簿記2級では直接配賦法と相互配賦法（簡便法）を用います。

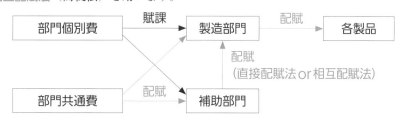

3. 補助部門費の製造部門への配賦計算

補助部門費は配賦基準にもとづいて配賦します。配賦基準は問題に与えられます。

製造部門の原価を求めるにあたって重要なポイントは、「部門共通費の各部門への配賦」と「補助部門費の製造部門への配賦」です。部門共通費配賦後の補助部門費を製造部門に配賦していくことに注意してください。また、日商簿記2級では補助部門費の製造部門への配賦方法として、「直接配賦法」と「相互配賦法」の2つがあります。

例 題

次の資料にもとづいて、答案用紙の製造間接費部門別配賦表を完成させなさい。

(1) 補助部門費の製造部門への配賦が直接配賦法による場合
(2) 補助部門費の製造部門への配賦が相互配賦法による場合

[資料]

1. 部門個別費は答案用紙に示したとおりである。
2. 部門共通費
   建物減価償却費　48,000円　　　　　電力料　30,000円
3. 部門共通費の配賦基準

	合　計	第1製造部門	第2製造部門	修繕部門	工場事務部門
占有面積	2,000㎡	800㎡	600㎡	400㎡	200㎡
電力消費量	1,000kWh	500kWh	400kWh	80kWh	20kWh

4. 補助部門費の配賦基準

	配賦基準	第1製造部門	第2製造部門	修繕部門	工場事務部門
修繕部門	修繕回数	16回	8回	4回	6回
工場事務部門	従業員数	60人	30人	10人	10人

(1) 直接配賦法の場合

製造間接費部門別配賦表　　　（単位：円）

摘　　要	合　計	製造部門		補助部門	
		第1製造部門	第2製造部門	修繕部門	工場事務部門
部門個別費	114,200	50,000	36,000	16,800	11,400
部門共通費					
建物減価償却費					
電　力　料					
部　門　費					
修繕部門費					
工場事務部門費					
製造部門費					

(2) 相互配賦法の場合

製造間接費部門別配賦表 （単位：円）

摘要	合計	製造部門		補助部門	
		第1製造部門	第2製造部門	修繕部門	工場事務部門
部門個別費	114,200	50,000	36,000	16,800	11,400
部門共通費					
建物減価償却費					
電力料					
部門費					
第1次配賦					
修繕部門費					
工場事務部門費					
第2次配賦					
修繕部門費					
工場事務部門費					
製造部門費					

解答

(1) 直接配賦法の場合

製造間接費部門別配賦表 （単位：円）

摘要	合計	製造部門		補助部門	
		第1製造部門	第2製造部門	修繕部門	工場事務部門
部門個別費	114,200	50,000	36,000	16,800	11,400
部門共通費					
建物減価償却費	48,000	19,200	14,400	9,600	4,800
電力料	30,000	15,000	12,000	2,400	600
部門費	192,200	84,200	62,400	28,800	16,800
修繕部門費		19,200	9,600		
工場事務部門費		11,200	5,600		
製造部門費	192,200	114,600	77,600		

(2) 相互配賦法の場合

製造間接費部門別配賦表　　　　　　　(単位：円)

摘　　　要	合　　計	製造部門		補助部門	
		第1製造部門	第2製造部門	修繕部門	工場事務部門
部門個別費	114,200	50,000	36,000	16,800	11,400
部門共通費					
建物減価償却費	48,000	19,200	14,400	9,600	4,800
電　力　料	30,000	15,000	12,000	2,400	600
部　門　費	192,200	84,200	62,400	28,800	16,800
第1次配賦					
修繕部門費		15,360	7,680	―	5,760
工場事務部門費		10,080	5,040	1,680	―
第2次配賦				1,680	5,760
修繕部門費		1,120	560		
工場事務部門費		3,840	1,920		
製造部門費	192,200	114,600	77,600		

解答の手順

Step1　部門共通費の配賦 ◄―――――

> 部門共通費を適切な配賦基準にもとづいて各部門に配賦します。

① **建物減価償却費**

第1製造部門：
第2製造部門：$\dfrac{48,000\text{円}}{2,000\text{㎡}} \times$
修　繕　部　門：
工場事務部門：

- 800㎡ = 19,200円
- 600㎡ = 14,400円
- 400㎡ = 9,600円
- 200㎡ = 4,800円

② **電　力　料**

第1製造部門：
第2製造部門：$\dfrac{30,000\text{円}}{1,000\text{kWh}} \times$
修　繕　部　門：
工場事務部門：

- 500kWh = 15,000円
- 400kWh = 12,000円
- 80kWh = 2,400円
- 20kWh =   600円

製造間接費部門別配賦表　　　　　　　(単位：円)

摘　　　要	合　　計	製造部門		補助部門	
		第1製造部門	第2製造部門	修繕部門	工場事務部門
部門個別費	114,200	50,000	36,000	16,800	11,400
部門共通費					
建物減価償却費	48,000	19,200	14,400	9,600	4,800
電　力　料	30,000	15,000	12,000	2,400	600
部　門　費	192,200	84,200	62,400	28,800	16,800
修繕部門費					
工場事務部門費					
製造部門費					

Step2 補助部門費の配賦

(1) 直接配賦法 ◀ ─ 直接配賦法は、補助部門間の用役の提供を無視して、製造部門にのみ用役を提供したと仮定して計算します。

① 修繕部門費

第1製造部門： $\dfrac{28,800\,円}{16\,回 + 8\,回} \times \begin{cases} 16\,回 = 19,200\,円 \\ 8\,回 = 9,600\,円 \end{cases}$
第2製造部門：

② 工場事務部門費

第1製造部門： $\dfrac{16,800\,円}{60\,人 + 30\,人} \times \begin{cases} 60\,人 = 11,200\,円 \\ 30\,人 = 5,600\,円 \end{cases}$
第2製造部門：

製造間接費部門別配賦表　　　　　（単位：円）

摘　　　要	合　　計	製造部門		補助部門	
		第1製造部門	第2製造部門	修繕部門	工場事務部門
部門個別費	114,200	50,000	36,000	16,800	11,400
部門共通費					
建物減価償却費	48,000	19,200	14,400	9,600	4,800
電　力　料	30,000	15,000	12,000	2,400	600
部　門　費	192,200	84,200	62,400	28,800	16,800
修繕部門費		19,200	9,600		
工場事務部門費		11,200	5,600		
製造部門費	192,200	114,600	77,600		

(2) 相互配賦法

1. 第1次配賦 ◀ ─ 1回目の配賦は、製造部門だけでなく他の補助部門へも配賦します。なお、自部門への用役の提供は無視して計算します。

① 修繕部門費

第1製造部門：
第2製造部門： $\dfrac{28,800\,円}{16\,回 + 8\,回 + 6\,回} \times \begin{cases} 16\,回 = 15,360\,円 \\ 8\,回 = 7,680\,円 \\ 6\,回 = 5,760\,円 \end{cases}$
工場事務部門：

② 工場事務部門費

第1製造部門：
第2製造部門： $\dfrac{16,800\,円}{60\,人 + 30\,人 + 10\,人} \times \begin{cases} 60\,人 = 10,080\,円 \\ 30\,人 = 5,040\,円 \\ 10\,人 = 1,680\,円 \end{cases}$
修　繕　部　門：

2. 第2次配賦 ◀ ─ 2回目の配賦は、製造部門のみに配賦します。

① 修繕部門費

第1製造部門： $\dfrac{1,680\,円}{16\,回 + 8\,回} \times \begin{cases} 16\,回 = 1,120\,円 \\ 8\,回 = 560\,円 \end{cases}$
第2製造部門：

② 工場事務部門費

第1製造部門： $\dfrac{5,760\,円}{60\,人 + 30\,人} \times \begin{cases} 60\,人 = 3,840\,円 \\ 30\,人 = 1,920\,円 \end{cases}$
第2製造部門：

製造間接費部門別配賦表　　　　（単位：円）

摘　　要	合　計	製造部門		補助部門	
		第1製造部門	第2製造部門	修繕部門	工場事務部門
部門個別費	114,200	50,000	36,000	16,800	11,400
部門共通費					
建物減価償却費	48,000	19,200	14,400	9,600	4,800
電　力　料	30,000	15,000	12,000	2,400	600
部　門　費	192,200	84,200	62,400	28,800	16,800
第1次配賦					
修繕部門費		15,360	7,680	—	5,760
工場事務部門費		10,080	5,040	1,680	—
第2次配賦				1,680	5,760
修繕部門費		1,120	560		
工場事務部門費		3,840	1,920		
製造部門費	192,200	114,600	77,600		

4. 製品への配賦計算

　各製造部門の原価は、各製品に配賦します。製造部門ごとに配賦率が異なるため、それぞれの配賦率を求めてから各製品に配賦される金額を計算します。

例　題

　当工場は、製造間接費について部門別計算を行っており、製造部門費は直接作業時間を配賦基準として各製品に実際配賦している。補助部門費配賦後の各製造部門費は、以下のとおりである。

製造間接費部門別配賦表　　　　（単位：円）

摘　　要	合　計	製造部門		補助部門	
		第1製造部門	第2製造部門	修繕部門	工場事務部門
部門個別費	114,200	50,000	36,000	16,800	11,400
部門共通費					
建物減価償却費	48,000	19,200	14,400	9,600	4,800
電　力　料	30,000	15,000	12,000	2,400	600
部　門　費	192,200	84,200	62,400	28,800	16,800
修繕部門費		19,200	9,600		
工場事務部門費		11,200	5,600		
製造部門費	192,200	114,600	77,600		

⑴　当月実際直接作業時間合計は1,000時間（第1製造部門600時間、第2製造部門400時間）である。

⑵　製造指図書№101にかかった当月実際直接作業時間は360時間（第1製造部門200時間、第2製造部門160時間）であった。

　部門別配賦率を用いて実際配賦を行った場合、№101に配賦される製造間接費の金額を答えなさい。

No.101 に配賦される製造間接費： _____ 円

解　答

No.101 に配賦される製造間接費：　**69,240**　円

解答の手順

・部門別配賦率を用いた場合のNo.101 に配賦される製造間接費

① 第1製造部門費の配賦 ◀

実際配賦率：$\dfrac{114,600\,円}{600\,時間}$ ＝ @191円

No.101 への配賦額：@191円 × 200時間 ＝ 38,200円

> 部門ごとに配賦率をまとめて、製品に配賦します。

② 第2製造部門費の配賦 ◀

実際配賦率：$\dfrac{77,600\,円}{400\,時間}$ ＝ @194円

No.101 への配賦額：@194円 × 160時間 ＝ 31,040円

③ No.101 に配賦される製造間接費

38,200円 ＋ 31,040円 ＝ **69,240円**

03 総合原価計算

1. 総合原価計算

総合原価計算とは、同じ規格の製品を連続して大量生産する場合に適用される計算方法です。

総合原価計算では、同じ規格の製品を大量生産するため、個別に原価計算をするのではなく、1か月ごとの製造原価をまとめて計算します。

2. 総合原価計算の計算方法

総合原価計算では、月初仕掛品と当月製造費用を完成品原価と月末仕掛品原価に按分します。

完成品原価と月末仕掛品原価に按分する方法には、先入先出法と平均法があります。

3. 先入先出法と平均法

先入先出法は、先に投入したもの（月初仕掛品）から優先的に完成させ、その後に当月投入分を完成させていくという仮定にもとづいて按分する方法です。平均法は、月初仕掛品と当月投入分の合計から平均的に製品が完成するという仮定にもとづいて按分する方法です。

例　題

次の資料にもとづいて、完成品原価と月末仕掛品原価を求めなさい。なお、直接材料は工程の始点で投入している。

<table>
<tr><td colspan="3">生産データ</td><td colspan="2">製造原価データ</td></tr>
<tr><td>月初仕掛品</td><td>40個</td><td>（50%）</td><td colspan="2">月初仕掛品</td></tr>
<tr><td>当 月 投 入</td><td>500個</td><td></td><td>直接材料費：</td><td>10,680円</td></tr>
<tr><td>合　　　計</td><td>540個</td><td></td><td>加 工 費：</td><td>9,060円</td></tr>
<tr><td>月末仕掛品</td><td>20個</td><td>（50%）</td><td colspan="2">当月製造費用</td></tr>
<tr><td>完 　成 　品</td><td>520個</td><td></td><td>直接材料費：</td><td>120,000円</td></tr>
<tr><td></td><td></td><td></td><td>加 工 費：</td><td>204,000円</td></tr>
</table>

※　（　　）内の数値は加工進捗度を示す。

問1　先入先出法を採用している場合
問2　平均法を採用している場合

問1　完成品原価 ＿＿＿＿＿＿＿＿ 円、月末仕掛品原価 ＿＿＿＿＿＿＿＿ 円
問2　完成品原価 ＿＿＿＿＿＿＿＿ 円、月末仕掛品原価 ＿＿＿＿＿＿＿＿ 円

解　答

問1　完成品原価　**334,940**　円、月末仕掛品原価　**8,800**　円
問2　完成品原価　**334,880**　円、月末仕掛品原価　**8,860**　円

＿＿＿＿ 解 答 の 手 順 ＿＿＿＿＿＿＿＿＿＿＿＿＿＿＿＿＿＿＿＿＿＿＿＿＿＿＿＿＿＿＿

問1　先入先出法の場合

・月初仕掛品は完成品原価に、当期投入分は完成品原価と月末仕掛品原価に按分します。

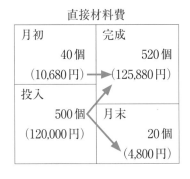
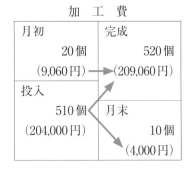

直接材料費：$120,000円 \times \dfrac{20個}{500個} = 4,800円$（月末仕掛品）

$10,680円 + 120,000円 - 4,800円 = 125,880円$（完成品）

加 工 費：$204,000円 \times \dfrac{10個}{510個} = 4,000円$（月末仕掛品）

$9,060円 + 204,000円 - 4,000円 = 209,060円$（完成品）

完成品原価：$125,880円 + 209,060円 = $**334,940円**

月末仕掛品原価：$4,800円 + 4,000円 = $**8,800円**

問2 平均法の場合

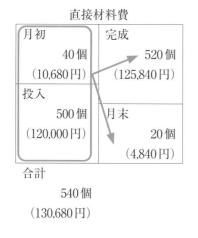

直接材料費

月初 40個 (10,680円)	完成 520個 (125,840円)
投入 500個 (120,000円)	月末 20個 (4,840円)

合計
540個
(130,680円)

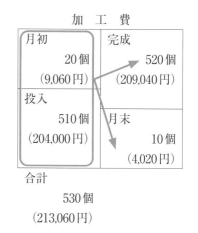

加 工 費

月初 20個 (9,060円)	完成 520個 (209,040円)
投入 510個 (204,000円)	月末 10個 (4,020円)

合計
530個
(213,060円)

・月初仕掛品と当月投入分の合計を求めて、当月の平均単価を計算します。

　　直接材料費：130,680円 ÷ 540個 = 242円 / 個

　　加　工　費：213,060円 ÷ 530個 = 402円 / 個

・平均法では完成品換算量での単価は完成品原価も月末仕掛品原価も同じになるため、平均単価を完成品換算量に乗じてそれぞれの原価を求めます。

　　直接材料費：242円 / 個 × 20個 = 4,840円（月末仕掛品）、242円 / 個 × 520個 = 125,840円（完成品）

　　加　工　費：402円 / 個 × 10個 = 4,020円（月末仕掛品）、402円 / 個 × 520個 = 209,040円（完成品）

　　完成品原価：125,840円 + 209,040円 = **334,880円**

　　月末仕掛品原価：4,840円 + 4,020円 = **8,860円**

4. 材料の投入方法

　直接材料は、どのタイミングで投入するかによって計算方法が異なります。始点投入、終点投入、工程の途中で投入、工程を通じて平均投入という4つのタイミングがあり、投入状況における月末仕掛品の材料費の負担は以下のとおりです。

投入状況			月末仕掛品の材料費の負担
始点投入		材料 0% 首 末 100%	負担する
途中点投入	投入点≦仕掛品の加工進捗度	材料 0% 首 末 100%	負担する
	投入点>仕掛品の加工進捗度	材料 0% 首 末 100%	負担しない
終点投入		材料 0% 首 末 100%	負担しない
平均投入		材料 0% 首 末 100%	加工進捗度に応じて負担する

例　題

　次の資料にもとづいて、完成品原価（直接材料費分）、月末仕掛品原価（直接材料費分）を求めなさい。なお、A材料は工程の始点で、B材料は工程の終点で、C材料は加工進捗度50％の時点で、D材料は加工進捗度80％の時点で、E材料は工程を通じて平均的に投入している。

(1) 生産データ

月初仕掛品	20個（30％）	
当月投入	80個	
合　計	100個	
月末仕掛品	30個（70％）	※　（　）内は加工進捗度を示す。
完成品	70個	※　原価配分法は平均法とする。

(2) 製造原価データ

	A材料費	B材料費	C材料費	D材料費	E材料費
月初仕掛品原価	100円	0円	0円	0円	150円
当月製造費用	500円	1,000円	2,000円	800円	760円

完成品原価（直接材料費分）＿＿＿＿＿＿＿＿＿円

月末仕掛品原価（直接材料費分）＿＿＿＿＿＿＿＿＿円

解　答

完成品原価（直接材料費分）　**4,320**　円

月末仕掛品原価（直接材料費分）　**990**　円

....

解答の手順

・A材料費

A材料は工程の始点で投入しているので、通常どおりに計算します。

仕掛品 − A材料

月初 20個 (100円)	完成 70個 (420円)
投入 80個 (500円)	月末 30個 (180円)

$$\frac{100円 + 500円}{20個 + 80個} \times 70個 = 420円$$

$$\frac{100円 + 500円}{20個 + 80個} \times 30個 = 180円$$

・B材料費

B材料は工程の終点で投入しているので、当月投入分はすべて完成品原価になります。

仕掛品 − B材料

月初 0個 (0円)	完成 70個 (1,000円)
投入 70個 (1,000円)	月末 0個 (0円)

・C材料費

C材料は加工進捗度50％の時点で投入しているので、加工進捗度30％の月初仕掛品にはC材料は含まれていませんが、加工進捗度70％の月末仕掛品にはC材料は含まれています。したがって、当月投入分を完成品と月末仕掛品に按分します。

第1問対策

第2問対策

第3問対策

第4問(1)対策

第4問(2)・第5問対策

仕掛品－C材料

月初		完成	
	0個		70個
	（0円）		（1,400円）
投入			
	100個	月末	
	（2,000円）		30個
			（600円）

$\dfrac{2{,}000\,円}{100\,個} \times 70\,個 = 1{,}400\,円$

$\dfrac{2{,}000\,円}{100\,個} \times 30\,個 = 600\,円$

・D材料費

　D材料は加工進捗度80%の時点で投入しているので、加工進捗度30%の月初仕掛品と加工進捗度70%の月末仕掛品にはD材料は含まれていません。したがって、当月投入分はすべて完成品原価となります。

仕掛品－D材料

月初		完成	
	0個		70個
	（0円）		（800円）
投入			
	70個	月末	
	（800円）		0個
			（0円）

・E材料費

　E材料は工程を通じて平均的に投入しているので、加工費と同様に完成品換算量によって、材料費の計算を行います。

仕掛品－E材料

月初		完成	
	6個		70個
	（150円）		（700円）
投入			
	85個	月末	
	（760円）		21個
			（210円）

$\dfrac{150\,円 + 760\,円}{6\,個 + 85\,個} \times 70\,個 = 700\,円$

$\dfrac{150\,円 + 760\,円}{6\,個 + 85\,個} \times 21\,個 = 210\,円$

・完成品原価（直接材料費分）

$\underset{\text{A材料費}}{420\,円} + \underset{\text{B材料費}}{1{,}000\,円} + \underset{\text{C材料費}}{1{,}400\,円} + \underset{\text{D材料費}}{800\,円} + \underset{\text{E材料費}}{700\,円} = \mathbf{4{,}320\,円}$

・月末仕掛品原価（直接材料費分）

$\underset{\text{A材料費}}{180\,円} + \underset{\text{B材料費}}{0\,円} + \underset{\text{C材料費}}{600\,円} + \underset{\text{D材料費}}{0\,円} + \underset{\text{E材料費}}{210\,円} = \mathbf{990\,円}$

5. 仕損と減損

① 仕損

　総合原価計算を適用している工場は大量生産しているため、通常は仕損が発生しても補修することはありません。ある程度の仕損が発生することはやむを得ないと考えています。このように、通常発生することがやむを得ない程度の仕損を正常仕損といいます。

② 減損

　減損とは、蒸発などによって材料が消失してしまうことをいいます。通常発生することがやむを得ない程度の

減損を**正常減損**といいます。

③ 仕損と減損の計算方法

仕損と減損は、発生原因が異なりますが、製造過程で生じるムダであるという点では共通しているため、基本的な会計処理は同じです。その処理方法として、「完成品のみ負担」と「（完成品と月末仕掛品の）両者負担」があります。どちらの処理を行うかは、仕損と減損の発生点に着目する必要があります。

例 題

次の資料にもとづいて、完成品原価と月末仕掛品原価を求めなさい。なお、先入先出法で計算している。

生産データ			製造原価データ	
月初仕掛品	500個	（20%）	月初仕掛品	
当月投入	1,000個		直接材料費：19,000円	
合　　計	1,500個		加　工　費：4,000円	
正常減損	200個		当月製造費用	
月末仕掛品	500個	（60%）	直接材料費：40,000円	
完 成 品	800個		加　工　費：60,000円	

※　（　　）内の数値は加工進捗度を示す。

※　直接材料は工程の始点で投入している。

問1　正常減損が終点で発生しているケース

問2　正常減損が加工進捗度50％時点で発生しているケース

問3　正常減損が始点で発生しているケース

問1	完成品原価	＿＿＿	円、	月末仕掛品原価	＿＿＿	円
問2	完成品原価	＿＿＿	円、	月末仕掛品原価	＿＿＿	円
問3	完成品原価	＿＿＿	円、	月末仕掛品原価	＿＿＿	円

解 答

問1	完成品原価	**88,000**	円、	月末仕掛品原価	**35,000**	円
問2	完成品原価	**80,000**	円、	月末仕掛品原価	**43,000**	円
問3	完成品原価	**80,000**	円、	月末仕掛品原価	**43,000**	円

解答の手順

問1　終点（月末仕掛品より後）で減損が発生しているため、完成品のみが正常減損費を負担します。

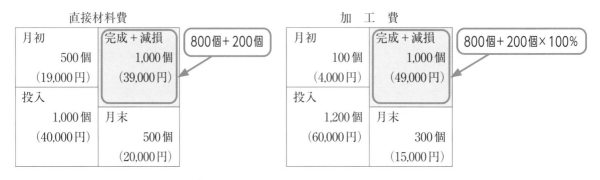

直接材料費：$40,000円 \times \dfrac{500個}{1,000個} = 20,000円$（月末仕掛品）

$19,000円 + 40,000円 - 20,000円 = 39,000円$（完成品＋減損）

$$加工費：60,000円 × \frac{300個}{1,200個} = 15,000円（月末仕掛品）$$

$$4,000円 + 60,000円 - 15,000円 = 49,000円（完成品＋減損）$$

完成品原価：39,000円 + 49,000円 = **88,000円**

月末仕掛品原価：20,000円 + 15,000円 = **35,000円**

問2・問3 どちらも月末仕掛品より前で減損が発生しているため、正常減損費を完成品と月末仕掛品の両者に負担させます。

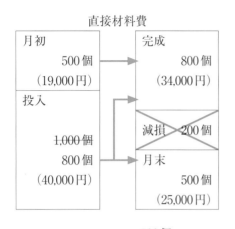
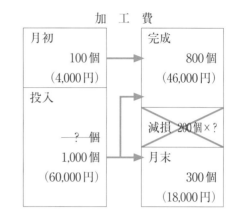

$$直接材料費：40,000円 × \frac{500個}{800個} = 25,000円（月末仕掛品）$$

$$19,000円 + 40,000円 - 25,000円 = 34,000円（完成品）$$

$$加工費：60,000円 × \frac{300個}{1,000個} = 18,000円（月末仕掛品）$$

$$4,000円 + 60,000円 - 18,000円 = 46,000円（完成品）$$

完成品原価：34,000円 + 46,000円 = **80,000円**

月末仕掛品原価：25,000円 + 18,000円 = **43,000円**

04 工程別総合原価計算

1. 工程別総合原価計算

工程別総合原価計算とは、連続する2つ以上の加工作業によって製品を製造する場合に適用される計算方法です。工程別総合原価計算では、工程ごとに原価を計算することで、工程ごとの原価管理に役立てることができます。

2. 前工程費

工程別総合原価計算では、加工作業の最初の工程を第1工程といい、次の工程を第2工程といいます。第1工程で加工した第1工程完了品原価は、第2工程の前工程費に振り替えます。このように、前の工程の完了品原価を次の工程へ振り替える方法を累加法といいます。

なお、前工程費は第2工程で始点投入された材料費と同様に完成品と月末仕掛品に按分します。

例題

次の資料にもとづいて完成品原価と月末仕掛品原価を計算しなさい。なお、直接材料は第1工程の始点で投入している。また、第1工程は先入先出法、第2工程は平均法で計算している。

第1問対策 第2問対策 第3問対策 第4問(1)対策 第4問(2)・第5問対策

	第1工程			第2工程	
月初仕掛品	40個	（50%）	月初仕掛品	50個	（50%）
当月投入	160個		当月投入	150個	
合計	200個		合計	200個	
月末仕掛品	50個	（60%）	月末仕掛品	30個	（50%）
完成品	150個		完成品	170個	

※ （　）内の数値は加工進捗度を示す。

製造原価データ

	第1工程			第2工程	
	直接材料費	加工費		前工程費	加工費
月初仕掛品	8,000円	2,000円	月初仕掛品	5,000円	5,000円
当月投入	32,000円	16,000円	当月投入	？円	32,000円

完成品原価 ＿＿＿＿＿＿＿＿ 円、月末仕掛品原価 ＿＿＿＿＿＿＿＿ 円

解　答

完成品原価 **76,500** 円、月末仕掛品原価 **23,500** 円

解 答 の 手 順

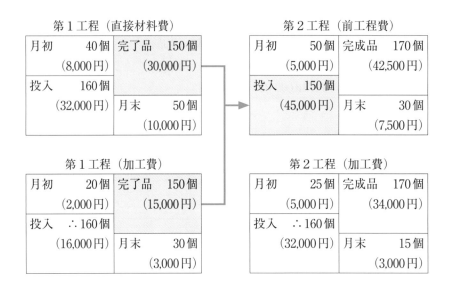

⑴ 第1工程の処理

まず、第1工程の完了品原価を計算して当月投入分の前工程費を求めます。

第1工程（直接材料費）：$32,000 円 \times \dfrac{50 個}{160 個} = 10,000 円$（第1工程月末仕掛品原価）

$8,000 円 + 32,000 円 - 10,000 円 = 30,000 円$（第1工程完了品原価）

第1工程（加工費）：$16,000 円 \times \dfrac{30 個}{160 個} = 3,000 円$（第1工程月末仕掛品原価）

$2,000 円 + 16,000 円 - 3,000 円 = 15,000 円$（第1工程完了品原価）

⑵ 第2工程の処理

第1工程完了品原価（$30,000 円 + 15,000 円 = 45,000 円$）を第2工程の前工程費に投入し、第2工程完成品原価を求めます。

$$第2工程（前工程費）：（5,000円 + 45,000円）× \frac{30個}{200個} = 7,500円（第2工程月末仕掛品原価）$$

$$（5,000円 + 45,000円）- 7,500円 = 42,500円（完成品）$$

$$第2工程（加工費）：（5,000円 + 32,000円）× \frac{15個}{185個} = 3,000円（第2工程月末仕掛品原価）$$

$$（5,000円 + 32,000円）- 3,000円 = 34,000円（完成品）$$

(3) 完成品原価と月末仕掛品原価

したがって、完成品原価と月末仕掛品原価は次のようになります。

完成品原価：42,500円 + 34,000円 = **76,500円**

月末仕掛品原価：10,000円 + 3,000円 + 7,500円 + 3,000円 = **23,500円**

> 月末仕掛品原価を計算するときには、第1工程の月末仕掛品原価の集計を忘れないようにしましょう。

05 組別総合原価計算

1. 組別総合原価計算

組別総合原価計算とは、同一の製造工程で種類の異なる2種類以上の製品を連続して大量生産する場合に適用される計算方法です。

製品の種類を組といい、A組製品・B組製品などで種類別に管理します。

2. 組間接費

組製品ごとに直接集計できる原価を組直接費といい、直接集計できない原価を組間接費といいます。組間接費は、各組製品に配賦します。

例　題

次の資料にもとづいて完成品と月末仕掛品にそれぞれ含まれる加工費を計算しなさい。

・当社はAとBという2種類の製品を同一工程で連続生産している。

・製品原価の計算方法は、A製品とB製品を組別に計算する組別総合原価計算を採用している。

・材料費は各組に直課し、加工費は機械運転時間を配賦基準とし、各組に配賦している。

・なお、月末仕掛品原価の計算方法には先入先出法を採用している。

原価データ

		合計	A製品	B製品
月初仕掛品原価	材料費	5,000円	2,000円	3,000円
	加工費	9,000円	4,000円	5,000円
当月製造費用	材料費	50,000円	20,000円	30,000円
	加工費	80,000円	—	

生産データ

	A製品			B製品	
月初仕掛品	110個	（50%）	月初仕掛品	20個	（50%）
当月投入	170個		当月投入	270個	
合　　計	280個		合　　計	290個	
月末仕掛品	50個	（50%）	月末仕掛品	60個	（50%）
完成品	230個		完成品	230個	

※　（　　）内の数値は加工進捗度を示す。

	機械運転時間
A製品	250時間
B製品	750時間

完成品に含まれる加工費	＿＿＿＿＿＿＿＿＿＿ 円
月末仕掛品に含まれる加工費	＿＿＿＿＿＿＿＿＿＿ 円

解　答

完成品に含まれる加工費	79,300	円
月末仕掛品に含まれる加工費	9,700	円

解答の手順

　本問の加工費は組間接費です。配賦基準として機械運転時間が与えられているので、指示に沿ってA製品とB製品に配賦してから計算します。

A製品：$80{,}000円 \times \dfrac{250時間}{1{,}000時間} = 20{,}000円$

B製品：$80{,}000円 \times \dfrac{750時間}{1{,}000時間} = 60{,}000円$

A製品（加工費）

月初　　　55個	完成品　230個
（4,000円）	（21,500円）
投入	
200個	月末　　　25個
（20,000円）	（2,500円）

B製品（加工費）

月初　　　10個	完成品　230個
（5,000円）	（57,800円）
投入	
250個	月末　　　30個
（60,000円）	（7,200円）

A製品：$20{,}000円 \times \dfrac{25個}{200個} = 2{,}500円$（月末仕掛品・加工費）

$4{,}000円 + 20{,}000円 - 2{,}500円 = 21{,}500円$（完成品・加工費）

B製品：$60{,}000円 \times \dfrac{30個}{250個} = 7{,}200円$（月末仕掛品・加工費）

$5{,}000円 + 60{,}000円 - 7{,}200円 = 57{,}800円$（完成品・加工費）

完成品に含まれる加工費：$21{,}500円 + 57{,}800円 = $ **79,300円**

月末仕掛品に含まれる加工費：$2{,}500円 + 7{,}200円 = $ **9,700円**

06 等級別総合原価計算

1. 等級別総合原価計算

等級別総合原価計算とは、同じ製品で大きさや重量などが異なる製品を連続して大量生産する場合に適用される計算方法です。

2. 等価係数

等級別総合原価計算は、完成品原価を**等価係数**にもとづいて計算される**積数**で按分します。等価係数とは、いずれかの製品を基準製品として、基準製品を1としたときの各等級製品が原価を負担する割合をいいます。

3. 等級別総合原価計算の計算方法

等級別総合原価計算では、まず普通の総合原価計算（単純総合原価計算）と同じように全体の完成品原価を計算します。そして完成品原価を、等価係数に生産量を掛けた**積数**で按分します。

例　題

次の資料にもとづいて各等級製品の完成品原価を計算しなさい。
・当社は同一工程で等級製品S、MおよびLを連続生産している。
・材料は始点で投入し、月末仕掛品の計算方法は先入先出法を用いている。
・完成品の内訳は製品S 20個、製品M 60個、製品L 40個である。

	生産データ	
月初仕掛品	60個	（80%）
当月投入	90個	
合　計	150個	
月末仕掛品	30個	（60%）
完成品	120個	

製造原価データ
月初仕掛品
　直接材料費：　　300円
　加工費：　　900円
当月製造費用
　直接材料費：1,200円
　加工費：2,500円

※　（　　）内の数値は加工進捗度を示す。

	製品S	製品M	製品L
等価係数	0.2	0.6	1.0

製品S ＿＿＿＿＿＿＿ 円、製品M ＿＿＿＿＿＿＿ 円
製品L ＿＿＿＿＿＿＿ 円

解　答

製品S ＿＿＿200＿＿＿ 円、製品M ＿＿＿1,800＿＿＿ 円
製品L ＿＿＿2,000＿＿＿ 円

はじめに製品全体の完成品原価を求めます。

<table>
<tr><td colspan="2" align="center">直接材料費</td></tr>
<tr><td>月初　　60個
　　　（300円）</td><td>完成品 120個
　（1,100円）</td></tr>
<tr><td>投入
　　　　90個
　　　（1,200円）</td><td>月末　　30個
　　　（400円）</td></tr>
</table>

<table>
<tr><td colspan="2" align="center">加 工 費</td></tr>
<tr><td>月初　　48個
　　　（900円）</td><td>完成品 120個
　（2,900円）</td></tr>
<tr><td>投入
　　　　90個
　　　（2,500円）</td><td>月末　　18個
　　　（500円）</td></tr>
</table>

直接材料費：$1,200 \text{円} \times \dfrac{30\,\text{個}}{90\,\text{個}} = 400\,\text{円}$ （月末仕掛品原価）

$300\,\text{円} + 1,200\,\text{円} - 400\,\text{円} = 1,100\,\text{円}$ （完成品原価）

加 工 費：$2,500\,\text{円} \times \dfrac{18\,\text{個}}{90\,\text{個}} = 500\,\text{円}$ （月末仕掛品原価）

$900\,\text{円} + 2,500\,\text{円} - 500\,\text{円} = 2,900\,\text{円}$ （完成品原価）

完成品原価：$1,100\,\text{円} + 2,900\,\text{円} = 4,000\,\text{円}$

次に完成品原価を按分するための積数を求めます。

製品Ｓ：$20\,\text{個} \times 0.2 = 4$

製品Ｍ：$60\,\text{個} \times 0.6 = 36$

製品Ｌ：$40\,\text{個} \times 1.0 = 40$

完成品原価を積数の比で各等級製品に按分します。

製品Ｓ：$4,000\,\text{円} \times \dfrac{4}{80} =$ **200 円**

製品Ｍ：$4,000\,\text{円} \times \dfrac{36}{80} =$ **1,800 円**

製品Ｌ：$4,000\,\text{円} \times \dfrac{40}{80} =$ **2,000 円**

07　標準原価計算

1. 標準原価計算

　標準原価計算とは、製品原価を実際にかかった原価（実際原価）で計算するのではなく、目標となる原価（標準原価）によって計算する方法です。

2. 標準原価と原価標準

　原価標準は製品1個あたりの目標原価をいい、標準原価は原価標準に製品生産量を乗じた金額をいいます。

3. 標準原価計算の勘定記入

標準原価計算では仕掛品勘定の借方を記入する方法として、「パーシャル・プラン」と「シングル・プラン」があります。

パーシャル・プラン	当月投入を実際原価で記入する方法
シングル・プラン	当月投入を標準原価で記入する方法

例 題

次の資料にもとづいて、次の各問に答えなさい。

生産データ			販売データ	
月初仕掛品	60個 （50%）	月初製品		30個
当月投入	90個	当月完成品		120個
合計	150個	合計		150個
月末仕掛品	30個 （50%）	月末製品		50個
完成品	120個	販売品		100個

※ （　）内の数値は加工進捗度を示す。

製造間接費は直接作業時間にもとづいて配賦している。

1. 1個あたりの標準原価
   直接材料費：10円/kg（標準単価）× 10kg（標準消費量）= 100円/個
   直接労務費：80円/時（標準賃率）× 5時間（標準直接作業時間）= 400円/個
   製造間接費：100円/時（標準配賦率）× 5時間（標準直接作業時間）= 500円/個

2. 当月の実際原価
   直接材料費：12円/kg（実際単価）× 1,000kg（実際消費量）= 12,000円
   直接労務費：85円/時（実際賃率）× 550時間（実際直接作業時間）= 46,750円
   製造間接費：50,000円

3. 直接材料費は作業工程の始点で投入されている。

問1 パーシャル・プランによって、当月の仕掛品勘定を完成させなさい。なお、記入不要な（　）内には―を記入すること。

仕掛品（パーシャル・プラン）

月初仕掛品	（　　）	完成品	（　　）
直接材料費	（　　）	月末仕掛品	（　　）
直接労務費	（　　）	直接材料費差異	（　　）
製造間接費	（　　）	直接労務費差異	（　　）
直接材料費差異	（　　）	製造間接費差異	（　　）
直接労務費差異	（　　）		
製造間接費差異	（　　）		
	（　　）		（　　）

問2　シングル・プランによって、当月の仕掛品勘定を完成させなさい。なお、記入不要な（　　）内には―を記入すること。

仕掛品（シングル・プラン）

月 初 仕 掛 品	（　　　　　）	完 成 品	（　　　　　）
直 接 材 料 費	（　　　　　）	月 末 仕 掛 品	（　　　　　）
直 接 労 務 費	（　　　　　）	直接材料費差異	（　　　　　）
製 造 間 接 費	（　　　　　）	直接労務費差異	（　　　　　）
直接材料費差異	（　　　　　）	製造間接費差異	（　　　　　）
直接労務費差異	（　　　　　）		
製造間接費差異	（　　　　　）		
	（　　　　　）		（　　　　　）

解　答

問1

仕掛品（パーシャル・プラン）

月 初 仕 掛 品	（　33,000　）	完 成 品	（　120,000　）
直 接 材 料 費	（　12,000　）	月 末 仕 掛 品	（　16,500　）
直 接 労 務 費	（　46,750　）	直接材料費差異	（　3,000　）
製 造 間 接 費	（　50,000　）	直接労務費差異	（　4,750　）
直接材料費差異	（　―　）	製造間接費差異	（　―　）
直接労務費差異	（　―　）		
製造間接費差異	（　2,500　）		
	（　144,250　）		（　144,250　）

問2

仕掛品（シングル・プラン）

月 初 仕 掛 品	（　33,000　）	完 成 品	（　120,000　）
直 接 材 料 費	（　9,000　）	月 末 仕 掛 品	（　16,500　）
直 接 労 務 費	（　42,000　）	直接材料費差異	（　―　）
製 造 間 接 費	（　52,500　）	直接労務費差異	（　―　）
直接材料費差異	（　―　）	製造間接費差異	（　―　）
直接労務費差異	（　―　）		
製造間接費差異	（　―　）		
	（　136,500　）		（　136,500　）

解 答 の 手 順

まず生産データの整理から始めます。

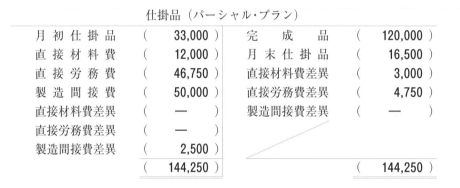

> 直接労務費と製造間接費はどちらも直接作業時間にもとづいているため、あわせて加工費として計算します。

問1　パーシャル・プランでは仕掛品勘定のうち当月製造費用だけを実際原価で記入し、他はすべて標準原価で記入します。また、原価差異を仕掛品勘定の借方・貸方のどちらに記入するか間違えないようにしましょう。

月初仕掛品原価：直接材料費@ 100 円× 60 個＋加工費（@ 400 円＋@ 500 円）× 30 個＝ 33,000 円

当月製造費用：当月の実際原価で記入

完成品原価：直接材料費@ 100 円× 120 個＋加工費（@ 400 円＋@ 500 円）× 120 個＝ 120,000 円

月末仕掛品原価：直接材料費@ 100 円× 30 個＋加工費（@ 400 円＋@ 500 円）× 15 個＝ 16,500 円

直接材料費差異：@ 100 円× 90 個－ 12,000 円＝△ 3,000 円（不利差異）

直接労務費差異：@ 400 円× 105 個－ 46,750 円＝△ 4,750 円（不利差異）

製造間接費差異：@ 500 円× 105 個－ 50,000 円＝ 2,500 円（有利差異）

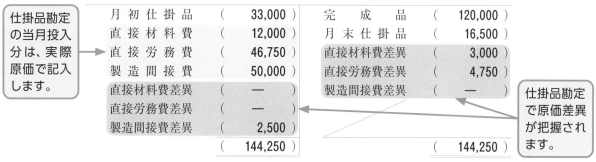

仕掛品（パーシャル・プラン）

問2　シングル・プランでは仕掛品勘定はすべて標準原価で記入します。したがって、ここではパーシャル・プランとは異なる当月製造費用だけ解説します。

当月製造費用：直接材料費@ 100 円× 90 個＝ 9,000 円

直接労務費@ 400 円× 105 個＝ 42,000 円

製造間接費@ 500 円× 105 個＝ 52,500 円

（シングル・プランでは仕掛品勘定で原価差異は把握されず、各要素別の勘定で把握されます。）

仕掛品（シングル・プラン）

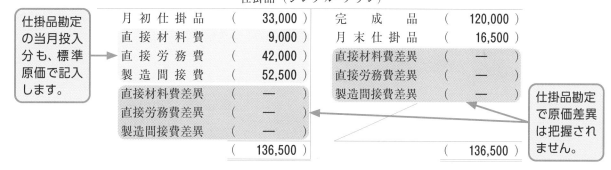

4. 原価差異の分析

標準原価で計算することで発生する原価差異を、原因別に分析すると、**直接材料費差異**（**価格差異**と**数量差異**）、**直接労務費差異**（**賃率差異**と**時間差異**）、**製造間接費差異**（**予算差異**と**操業度差異**と**能率差異**）に分類することができます。

例　題

前の例題で計算した仕掛品勘定（パーシャル・プラン）の原価差異を分析しなさい。なお、基準操業度は年間7,200時間とし、製造間接費の固定費予算額は 360,000 円（年間）とし、能率差異は変動費と固定費からなるものとする。また、差異は「有利」「不利」で答えること。

(1)　直接材料費差異

価 格 差 異 ＿＿＿＿＿＿＿＿＿＿ 円（　　）差異

数 量 差 異 ＿＿＿＿＿＿＿＿＿＿ 円（　　）差異

(2) 直接労務費差異

賃 率 差 異 ＿＿＿＿＿＿＿＿＿ 円 （　　　） 差異

時 間 差 異 ＿＿＿＿＿＿＿＿＿ 円 （　　　） 差異

(3) 製造間接費差異

予 算 差 異 ＿＿＿＿＿＿＿＿＿ 円 （　　　） 差異

操 業 度 差 異 ＿＿＿＿＿＿＿＿＿ 円 （　　　） 差異

能 率 差 異 ＿＿＿＿＿＿＿＿＿ 円 （　　　） 差異

解　答

(1) 直接材料費差異

価 格 差 異 ＿＿2,000＿＿ 円 （不利） 差異

数 量 差 異 ＿＿1,000＿＿ 円 （不利） 差異

(2) 直接労務費差異

賃 率 差 異 ＿＿2,750＿＿ 円 （不利） 差異

時 間 差 異 ＿＿2,000＿＿ 円 （不利） 差異

(3) 製造間接費差異

予 算 差 異 ＿＿7,500＿＿ 円 （有利） 差異

操 業 度 差 異 ＿＿2,500＿＿ 円 （不利） 差異

能 率 差 異 ＿＿2,500＿＿ 円 （不利） 差異

解 答 の 手 順

(1) 直接材料費差異の分析

価格差異：（10 円 － 12 円）× 1,000kg
　　　　　＝△ 2,000 円
数量差異：（900kg － 1,000kg）× 10 円
　　　　　＝△ 1,000 円

＊1　90 個 × 10kg ＝ 900kg

(2) 直接労務費差異の分析

実際賃率85円

標準賃率80円

賃率差異

標準直接労務費 42,000円

時間差異

標準直接作業時間 525時間＊2　　実際直接作業時間 550時間

賃率差異：（80 円 － 85 円）× 550 時間
　　　　　＝△ 2,750 円
時間差異：（525 時間 － 550 時間）× 80 円
　　　　　＝△ 2,000 円

＊2　105 個 × 5 時間 ＝ 525 時間

(3) 製造間接費差異の分析

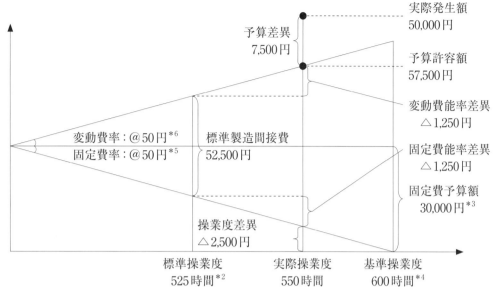

*3 年間固定費予算額 360,000 円 ÷ 12 か月 = 30,000 円
*4 年間基準操業度 7,200 時間 ÷ 12 か月 = 600 時間
*5 固定費予算額 30,000 円 ÷ 基準操業度 600 時間 = @ 50 円
*6 標準配賦率@ 100 円 − 固定費率@ 50 円 = @ 50 円

予算差異：(固定費予算額 30,000 円 + 550 時間 × 変動費率@ 50 円) − 50,000 円 = 7,500 円

操業度差異：(550 時間 − 600 時間) × 固定費率@ 50 円 = △ 2,500 円

能率差異：(525 時間 − 550 時間) × 変動費率@ 50 円 + (525 時間 − 550 時間) × 固定費率@ 50 円 = △ 2,500 円

本問のように、変動費と固定費から能率差異を計算する方法の他に、変動費のみから能率差異を求め、固定費から生じた差異はすべて操業度差異とする計算方法などもありますので、問題文の指示にしたがってください。

 直接原価計算

1. 全部原価計算

全部原価計算とは、製品の製造に要した**すべての製造原価**を製品原価とする計算方法です。製品原価は変動費・固定費ともに、販売分のみ売上原価として費用化されます。

2. 直接原価計算

直接原価計算とは、製造原価と販売費及び一般管理費を**変動費と固定費とに分解し、変動製造原価のみ**を製品原価とする計算方法です。損益計算書においては、売上高から変動費（変動売上原価と変動販売費）を差し引いた金額を**貢献利益**といい、さらに固定費（固定製造原価と固定販売費及び一般管理費）を差し引くことで営業利益が計算できます。

第1部

第1問対策

第2問対策

第3問対策

第4問(1)対策

第4問(2)・第5問対策

例　題

次の資料にもとづいて、次の各問いに答えなさい。なお、製品原価の計算は平均法による。

1．生産・販売データ

	第1期	第2期
期首製品有高	0個	0個
当期製品生産量	1,000個	1,500個
当期製品販売量	1,000個	1,400個
期末製品有高	0個	100個

※　各期首および各期末に仕掛品はない。

2．販売単価 ………………………………………………… @100円
3．製造原価：製品1個あたりの変動製造原価 …………… @40円
　　　　　　　固定製造原価（期間総額）………………… 22,500円
4．販売費：製品1個あたりの変動販売費 ……………… @10円
　　　　　　固定販売費（期間総額）…………………… 5,000円
5．一般管理費：すべて固定費（期間総額）……………… 4,000円

問1　全部原価計算による第1期の売上総利益を求めなさい。
問2　直接原価計算による第1期の貢献利益を求めなさい。
問3　全部原価計算による第2期の営業利益を求めなさい。
問4　直接原価計算による第2期の営業利益を求めなさい。
問5　仮に第2期の製品生産量を2,000個にした場合における全部原価計算および直接原価計算の営業利益を求めなさい。

問1 ＿＿＿＿＿＿＿＿ 円、問2 ＿＿＿＿＿＿＿＿ 円
問3 ＿＿＿＿＿＿＿＿ 円、問4 ＿＿＿＿＿＿＿＿ 円
問5　全部原価計算の営業利益 ＿＿＿＿＿＿＿＿ 円
　　　直接原価計算の営業利益 ＿＿＿＿＿＿＿＿ 円

解　答

問1 37,500 円、問2 50,000 円
問3 40,000 円、問4 38,500 円
問5　全部原価計算の営業利益 45,250 円
　　　直接原価計算の営業利益 38,500 円

解 答 の 手 順

問1 全部原価計算による第1期の売上総利益

ボックス図を書いて、売上原価を求めます。

変動製造原価

製　　　品

期首	販売
0個	
（0円）	1,000個
完成	（40,000円）
1,000個	期末
（40,000円）	0個
	（0円）

当期製品製造原価：@40円×1,000個
　　　　　　　　　 ＝40,000円
売　上　原　価：40,000円

固定製造原価

製　　　品

期首	販売
0個	
（0円）	1,000個
完成	（22,500円）
1,000個	期末
（22,500円）	0個
	（0円）

当期製品製造原価：22,500円
売　上　原　価：22,500円

> 全部原価計算では、製品ボックスを書いて、売上原価を求めます。
> かかった原価はすべて製品原価として計算します。

Ⅰ　売 上 高：@100円×1,000個＝100,000円

Ⅱ　売 上 原 価：40,000円＋22,500円＝62,500円

Ⅲ　売上総利益：売上高−売上原価＝100,000円−62,500円＝**37,500円**

問2 直接原価計算による第1期の貢献利益

資料の中から、変動費に関係するものを集計し、貢献利益を計算していきます。

変動製造原価

製　　　品

期首	販売
0個	
（0円）	1,000個
完成	（40,000円）
1,000個	期末
（40,000円）	0個
	（0円）

当期製品製造原価：@40円×1,000個
　　　　　　　　　 ＝40,000円
売　上　原　価：40,000円

> 直接原価計算では、固定製造原価は製品原価に含まれません。

Ⅰ　売 上 高：@100円×1,000個＝100,000円

Ⅱ　変動売上原価：40,000円

Ⅲ　変動販売費：@10円×1,000個＝10,000円

Ⅳ　貢 献 利 益：売上高−変動売上原価−変動販売費

　　　　　　　　　＝100,000円−40,000円−10,000円＝**50,000円**

問3　全部原価計算による第2期の営業利益

変動製造原価

製　　品

期首		販売	
	0個		1,400個
	（0円）		（56,000円）
完成			
	1,500個	期末	
	（60,000円）		100個
			（4,000円）

当期製品製造原価：@40円×1,500個
　　　　　　　　　　　＝60,000円
期　末　製　品：@40円×100個
　　　　　　　　　　＝4,000円
売　上　原　価：@40円×1,400個
　　　　　　　　　　＝56,000円

固定製造原価

製　　品

期首		販売	
	0個		1,400個
	（0円）		（21,000円）
完成			
	1,500個	期末	
	（22,500円）		100個
			（1,500円）

当期製品製造原価：22,500円
平均単価：$\frac{0円＋22,500円}{1,400個＋100個}$＝@15円
期　末　製　品：@15円×100個
　　　　　　　　　　＝1,500円
売　上　原　価：@15円×1,400個
　　　　　　　　　　＝21,000円

Ⅰ　売　上　高：@100円×1,400個＝140,000円

Ⅱ　売　上　原　価：56,000円＋21,000円＝77,000円

Ⅲ　販売費・一般管理費：変動販売費（@10円×1,400個）＋固定販売費5,000円＋一般管理費4,000円
　　　　　　　　　　＝23,000円

Ⅳ　営　業　利　益：売上高140,000円－売上原価77,000円－販売費・一般管理費23,000円＝**40,000円**

問4　直接原価計算による第2期の営業利益

変動製造原価

製　　品

期首		販売	
	0個		1,400個
	（0円）		（56,000円）
完成			
	1,500個	期末	
	（60,000円）		100個
			（4,000円）

当期製品製造原価：@40円×1,500個
　　　　　　　　　　　＝60,000円
期　末　製　品：@40円×100個
　　　　　　　　　　＝4,000円
売　上　原　価：@40円×1,400個
　　　　　　　　　　＝56,000円

Ⅰ　売　上　高：@100円×1,400個＝140,000円

Ⅱ　変動売上原価：56,000円

Ⅲ　変動販売費：@10円×1,400個＝14,000円

Ⅳ　固　　定　　費：固定製造原価22,500円＋固定販売費5,000円＋一般管理費4,000円＝31,500円

Ⅴ　営　業　利　益：売上高140,000円－変動売上原価56,000円－変動販売費14,000円－固定費31,500円
　　　　　　　　　　＝**38,500円**

〈全部原価計算と直接原価計算の損益計算書〉

　第1期は、期末在庫がないため、全部原価計算を採用していたとしても、固定製造原価は全額当期の費用となります。したがって、全部原価計算と直接原価計算の営業利益は一致します。

　一方、第2期は、全部原価計算では、固定製造原価のうち販売された製品分のみが当期の費用となります。したがって、期末在庫に配分された固定製造原価が当期の費用とならないため、その金額に相当する分だけ全部原価計算の営業利益が多くなります。

全部原価計算の損益計算書		
	第1期	第2期
売　上　高	100,000	140,000
売　上　原　価	62,500	77,000
売　上　総　利　益	37,500	63,000
販売費・一般管理費	19,000	23,000
営　業　利　益	18,500	40,000

直接原価計算の損益計算書		
	第1期	第2期
売　上　高	100,000	140,000
変　動　売　上　原　価	40,000	56,000
変　動　製　造　マージン	60,000	84,000
変　動　販　売　費	10,000	14,000
貢　献　利　益	50,000	70,000
固　定　費	31,500	31,500
営　業　利　益	18,500	38,500

問5　仮に第2期の製品生産量を2,000個にした場合の営業利益

(1)　全部原価計算の営業利益の金額

　全部原価計算では、販売量が同じであっても製品生産量が増加すると固定製造原価の平均単価が低下します。その結果、問3に比べて第2期の売上原価が少なく計上され、営業利益は多く計上されます。

変動製造原価

製	品	
期首	販売	
0個		
（0円）	1,400個	
完成	（56,000円）	
2,000個	期末	
（80,000円）	∴ 600個	
	（24,000円）	

問3の金額と変わらない →

固定製造原価

製	品	
期首	販売	
0個		
（0円）	1,400個	
完成	（15,750円）	
2,000個	期末	
（22,500円）	600個	
	（6,750円）	

当期製品製造原価：22,500円

平均単価：$\dfrac{0円 + 22,500円}{1,400個 + 600個} = $ @11.25円

期　末　製　品：@11.25円 × 600個 = 6,750円

売　上　原　価：@11.25円 × 1,400個 = 15,750円

売　上　原　価：56,000円 + 15,750円 = 71,750円

営　業　利　益：売上高140,000円 − 売上原価71,750円 − 販売費・一般管理費23,000円 = **45,250円**

(2)　直接原価計算の営業利益の金額

　直接原価計算では、固定製造原価は発生した金額を全額、その期間の費用として計上するため製品生産量の増加による影響を受けないので、問4の金額と同額になります。

営　業　利　益：売上高140,000円 − 変動売上原価56,000円 − 変動販売費14,000円 − 固定費31,500円 = **38,500円**

3. 全部原価計算と直接原価計算の差異

　営業利益を計算する際、固定製造原価については全部原価計算では販売分のみが、直接原価計算では全額が費用計上されるため、全部原価計算と直接原価計算の営業利益に差異が生じます。

　そこで、直接原価計算の営業利益を全部原価計算の営業利益に修正するため、期首仕掛品（製品）と期末仕掛品（製品）に含まれている固定製造原価を調整します。

$$\begin{array}{c}\text{全部原価計算}\\\text{の 営 業 利 益}\end{array} = \begin{array}{c}\text{直接原価計算}\\\text{の 営 業 利 益}\end{array} + \begin{array}{c}\text{期 末 仕 掛 品（製品）に}\\\text{含まれている固定製造原価}\end{array} - \begin{array}{c}\text{期 首 仕 掛 品（製品）に}\\\text{含まれている固定製造原価}\end{array}$$

09 CVP 分析

1.CVP 分析（損益分岐点分析）

　CVP 分析とは、Cost（原価）、Volume（売上高等）、Profit（利益）の関係性を明らかにする分析方法をいい、直接原価計算の損益計算書をもとに各分析を行います。分析する項目は、主に**損益分岐点売上高、目標営業利益を達成する売上高、目標営業利益率を達成する売上高、安全余裕率、経営レバレッジ係数**などがあります。

(1) **損益分岐点売上高**

　　営業利益がちょうどゼロになる売上高。

　　計算式 　損益分岐点売上高＝固定費÷貢献利益率

(2) **目標営業利益を達成する売上高**

　　目標とする営業利益を達成するための売上高。

　　計算式 　目標営業利益を達成する売上高＝（固定費＋目標営業利益）÷貢献利益率

(3) **目標営業利益率を達成する売上高**

　　目標とする営業利益率を達成するための売上高。

　　計算式 　目標営業利益率を達成する売上高＝固定費÷（貢献利益率－目標営業利益率）

(4) **安全余裕率**

　　予想される売上高が損益分岐点売上高からどれくらい離れているかを示す比率。

　　計算式 　安全余裕率（％）＝（予想売上高－損益分岐点売上高）÷予想売上高×100

(5) **経営レバレッジ係数**

　　固定費の利用を測定する指標。

　　計算式 　経営レバレッジ係数＝貢献利益÷営業利益

　例　題

　当社の次年度の財務データは以下のとおりである。

　予想売上高

　　　　　　　　　　　@250円×100個 ………　25,000円

　予想総原価

　　変動費

　　　直接材料費　　　　@ 30円×100個 ………　3,000円

　　　直接労務費　　　　@ 20円×100個 ………　2,000円

　　　変動製造間接費　　@ 40円×100個 ………　4,000円

　　　変動販売費　　　　@ 10円×100個 ………　1,000円

固定費

　　固定製造間接費 ……………………………………………　2,000 円

　　固定販管費 ……………………………………………………　1,000 円

予想営業利益 ………………………………………………………　12,000 円

問 1　損益分岐点売上高を求めなさい。

問 2　目標営業利益 15,000 円を達成できる売上高を求めなさい。

問 3　目標営業利益率 55％を達成できる売上高を求めなさい。

問 4　次年度の安全余裕率を求めなさい。

問 5　次年度の経営レバレッジ係数を求めなさい。

| 問 1 | | 円、問 2 | | 円 |
| 問 3 | | 円、問 4 | | %、問 5 | |

第 1 問対策

解　答

| 問 1 | 5,000 | 円、問 2 | 30,000 | 円 |
| 問 3 | 60,000 | 円、問 4 | 80 | %、問 5 | 1.25 |

第 2 問対策

解 答 の 手 順

まず、問題文の資料を整理して貢献利益率を求めます。

　　次年度の貢献利益：売上高 − 変動費

$$= 25,000 円 − 3,000 円 − 2,000 円 − 4,000 円 − 1,000 円$$

$$= 15,000 円$$

　　貢献利益率：貢献利益 ÷ 売上高

$$= 15,000 円 ÷ 25,000 円$$

$$= 0.6$$

問 1　損益分岐点売上高：固定費 ÷ 貢献利益率

$$= (2,000 円 + 1,000 円) ÷ 0.6 = \mathbf{5,000} 円$$

第 3 問対策

問 2　目標営業利益を達成する売上高：(固定費 + 目標営業利益) ÷ 貢献利益率

$$= (3,000 円 + 15,000 円) ÷ 0.6 = \mathbf{30,000} 円$$

問 3　目標営業利益率を達成する売上高：固定費 ÷ (貢献利益率 − 目標営業利益率)

$$= 3,000 円 ÷ (0.6 − 0.55) = \mathbf{60,000} 円$$

第 4 問 (1) 対策

問 4　安全余裕率：(予想売上高 − 損益分岐点売上高) ÷ 予想売上高 × 100

$$= (25,000 円 − 5,000 円) ÷ 25,000 円 × 100 = \mathbf{80} ％$$

問 5　経営レバレッジ係数：貢献利益 ÷ 営業利益

$$= 15,000 円 ÷ 12,000 円 = \mathbf{1.25}$$

第 4 問 (2) ・ 第 5 問対策

10 予算実績差異分析

1. 予算実績差異分析（売上高に関する差異分析）

　予算実績差異分析とは、予算と実績の差異を分析し、両者に違いが生じた原因を明らかにする手法です。この差異を、各損益項目（売上高など）ごとに分析する方法を項目別分析という。項目別分析のうち、売上高に関する予算実績差異分析では、予算売上高と実績売上高の差額を販売価格差異と販売数量差異に分析します。

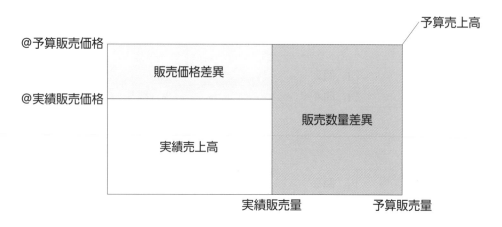

販売数量差異＝＠予算販売価格×（実績販売量－予算販売量）
販売価格差異＝（＠実績販売価格－＠予算販売価格）×実績販売量

例 題

　当社は標準原価計算を採用しており、当月における生産量と販売量は一致している。また、月初・月末ともに仕掛品と製品の在庫はなかった。以下の資料にもとづいて、売上高の予算実績差異分析を行いなさい。

［資　料］
1．予算データ
　　販売価格 100 円　生産・販売量 50 個　予算売上高 5,000 円（＠ 100 円× 50 個）
2．実績データ
　　販売価格 110 円　生産・販売量 45 個　実績売上高 4,950 円（＠ 110 円× 45 個）

販売数量差異＿＿＿＿＿＿円（　有利差異　・　不利差異　）
販売価格差異＿＿＿＿＿＿円（　有利差異　・　不利差異　）

解　答

販売数量差異	**500** 円	（　有利差異　・　(不利差異)　）
販売価格差異	**450** 円	（　(有利差異)　・　不利差異　）

解 答 の 手 順

販売数量差異は、予算販売価格における実績の販売量と予算の販売量の差額で算定します。

　販売数量差異：@ 100 円 ×（45 個 − 50 個）= △ **500 円**（不利差異）

販売価格差異は、実績販売量における実績の販売価格と予算の販売価格の差額で算定します。

　販売価格差異：（@ 110 円 − @ 100 円）× 45 個 = **450 円**（有利差異）

第**2**部

TAC予想模試
第1回〜第4回

解答解説 編

単に正解の確認だけでなく、

・本試験の解き方を示したタイムライン

・どこを取るべきか示した攻略ポイント

を意識しましょう。

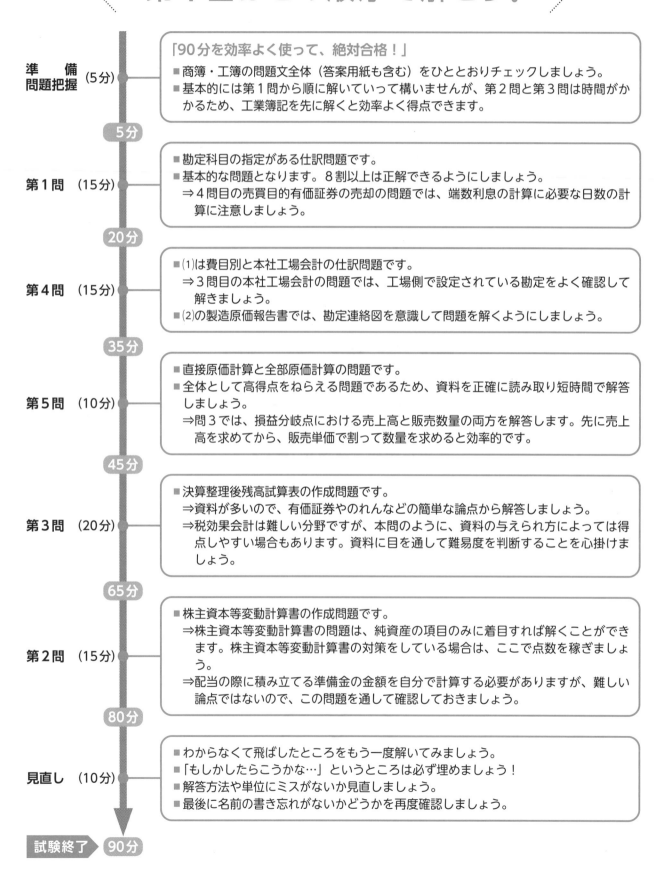

第1回 解答解説

⏱ 合格るタイムライン
第1回はこの順序で解こう！

準　備
問題把握 (5分)
「90分を効率よく使って、絶対合格！」
- 商簿・工簿の問題文全体（答案用紙も含む）をひととおりチェックしましょう。
- 基本的には第1問から順に解いていって構いませんが、第2問と第3問は時間がかかるため、工業簿記を先に解くと効率よく得点できます。

5分

第1問 (15分)
- 勘定科目の指定がある仕訳問題です。
- 基本的な問題となります。8割以上は正解できるようにしましょう。
  ⇒4問目の売買目的有価証券の売却の問題では、端数利息の計算に必要な日数の計算に注意しましょう。

20分

第4問 (15分)
- (1)は費目別と本社工場会計の仕訳問題です。
  ⇒3問目の本社工場会計の問題では、工場側で設定されている勘定をよく確認して解きましょう。
- (2)の製造原価報告書では、勘定連絡図を意識して問題を解くようにしましょう。

35分

第5問 (10分)
- 直接原価計算と全部原価計算の問題です。
- 全体として高得点をねらえる問題であるため、資料を正確に読み取り短時間で解答しましょう。
  ⇒問3では、損益分岐点における売上高と販売数量の両方を解答します。先に売上高を求めてから、販売単価で割って数量を求めると効率的です。

45分

第3問 (20分)
- 決算整理後残高試算表の作成問題です。
  ⇒資料が多いので、有価証券やのれんなどの簡単な論点から解答しましょう。
  ⇒税効果会計は難しい分野ですが、本問のように、資料の与えられ方によっては得点しやすい場合もあります。資料に目を通して難易度を判断することを心掛けましょう。

65分

第2問 (15分)
- 株主資本等変動計算書の作成問題です。
  ⇒株主資本等変動計算書の問題は、純資産の項目のみに着目すれば解くことができます。株主資本等変動計算書の対策をしている場合は、ここで点数を稼ぎましょう。
  ⇒配当の際に積み立てる準備金の金額を自分で計算する必要がありますが、難しい論点ではないので、この問題を通して確認しておきましょう。

80分

見直し (10分)
- わからなくて飛ばしたところをもう一度解いてみましょう。
- 「もしかしたらこうかな…」というところは必ず埋めましょう！
- 解答方法や単位にミスがないか見直しましょう。
- 最後に名前の書き忘れがないかどうかを再度確認しましょう。

試験終了 ▶ 90分

第1問 (20点) 解答

		借　方		貸　方	
		記　号	金　額	記　号	金　額
A	1	（　イ　）	84,600,000	（　ウ　）	84,600,000
		（　キ　）	84,600,000	（　エ　）	42,300,000
				（　カ　）	42,300,000
A	2	（　ア　）	3,600,000	（　キ　）	3,600,000
		（　オ　）	2,200,000	（　エ　）	2,200,000
A	3	（　エ　）	8,460,000	（　ウ　）	8,520,000
		（　カ　）	2,520,000	（　ア　）	2,520,000
		（　オ　）	60,000		
B	4	（　イ　）	9,960,000	（　ウ　）	9,900,000
				（　キ　）	20,000
				（　オ　）	40,000
A	5	（　ウ　）	9,200,000	（　イ　）	10,120,000
		（　カ　）	920,000		

仕訳一組につき4点を与える。合計20点。

❖ 解答への道

1 増資

　会社設立後において、新たに株式を発行して資金調達を行うことを増資といいます。増資は会社法の定める手続きに沿って行われますが、会計処理としては、(1)払込期間中における払込金の処理と(2)払込期日における振り替えの処理がポイントになります。

(1) 払込期間中 → この仕訳はすでに行われています。

　　払込期間中に払い込まれた株式の払込金について「別段預金（資産）」および「株式申込証拠金（純資産）」を計上します。

　　（別　段　預　金）　84,600,000　（株式申込証拠金）　84,600,000*

　　　＊　払込金額：@18,000円/株×4,700株＝84,600,000円

(2) 払込期日 → 本問の解答です。

　　払込期間の末日が払込期日となります。払込期日において、「**別段預金**（資産）」を「**当座預金**（資産）」へ、「**株式申込証拠金**（純資産）」を「**資本金**（純資産）」等の勘定へ、それぞれ振り替える処理を行います。なお、会社法の規定により、最低限資本金に組み入れるべき金額は払込金額の2分の1となります。また、資本金に組み入れない払込金は「**資本準備金**（純資産）」として計上します。

解答
　　（当　座　預　金）　84,600,000　（別　段　預　金）　84,600,000
　　（株式申込証拠金）　84,600,000　（資　本　金）　42,300,000*1
　　　　　　　　　　　　　　　　　（資　本　準　備　金）　42,300,000*2

　　＊1　資本金：84,600,000円×$\frac{1}{2}$＝42,300,000円

　　＊2　資本準備金：84,600,000円－42,300,000円＝42,300,000円

2 サービス業（役務原価・役務収益の計上）

解答

（売　　掛　　金）	3,600,000	（役　　務　　収　　益）	3,600,000
（役　務　原　価）	2,200,000	（仕　　掛　　品）	2,200,000

　サービス業の場合、売上に相当する収益は、サービスの提供が完了したときに**役務収益**（収益）として計上します。また、役務収益に対応する費用を**仕掛品**（資産）から**役務原価**（費用）に振り替えます。

3 固定資産の改修

解答

（建　　　　　　物）	8,460,000	（建　設　仮　勘　定）	8,520,000
（修　繕　引　当　金）	2,520,000	（当　　座　　預　　金）	2,520,000
（修　　繕　　費）	60,000		

　固定資産の改修に関する支出額は、それが完成し、引き渡しを受けるまでの間、「建設仮勘定（資産）」で処理します。また、固定資産の改修費用は、「改良（資本的支出）」と「修繕（収益的支出）」に区別して考える必要があります。さらに、修繕の部分に「**修繕引当金**（負債）」が設定されている場合には、その取り崩しを行う必要があります。

　　改良：固定資産の取得原価に算入します。

　　修繕：当期の費用（修繕費）として処理します。

(1)　過去に改修工事の代金を支払ったとき ← この仕訳はすでに行われています。

（建　設　仮　勘　定）	8,520,000	（現　　金　　な　　ど）	8,520,000

(2)　改修工事の終了

①　残代金の支払い

（建　設　仮　勘　定）	2,520,000*1	（当　　座　　預　　金）	2,520,000

　　＊1　11,040,000円 − 8,520,000円 = 2,520,000円

②　建設仮勘定の振り替え

（建　　　　　　物）	8,460,000*2	（建　設　仮　勘　定）	11,040,000
（修　繕　引　当　金）	2,520,000		
（修　　繕　　費）	60,000*3		

　　＊2　11,040,000円 − 2,580,000円 = 8,460,000円
　　＊3　2,580,000円 − 2,520,000円 = 60,000円

　問題の指示に従い、上記の仕訳(2)①、②の建設仮勘定を相殺したものが、本問の解答となります。

4 債券（売買目的有価証券）の売却

解答

（未　　収　　入　　金）	9,960,000	（売　買　目　的　有　価　証　券）	9,900,000*1
		（有　価　証　券　売　却　益）	20,000*2
		（有　価　証　券　利　息）	40,000*3

　　＊1　帳簿価額：$10,000,000円 \times \dfrac{@99.0円}{@100円} = 9,900,000円$

　　＊2　売却価額：$10,000,000円 \times \dfrac{@99.2円}{@100円} = 9,920,000円$

　　　　売却損益：売却価額9,920,000円 − 帳簿価額9,900,000円 = 20,000円（売却益）

　　＊3　端数利息：$10,000,000円 \times 7.3\% \times \dfrac{20日^{*4}}{365日} = 40,000円$

　　＊4　経過日数：10月1日 ～ 10月20日 = 20日

　売買目的で所有する公社債を売却した場合、帳簿価額と売却価額との差額から有価証券売却損益を求めます。なお、売却時に受け取る端数利息は**有価証券利息**（収益）で処理します。また、裸相場とは端数利息を含まない相場をいいます。

5 研究開発費

| （研 究 開 発 費） | 9,200,000^{*1} | （未　　払　　金） | 10,120,000 |
| （仮 払 消 費 税） | 920,000^{*2} | | |

＊1　機械装置7,700,000円＋備品1,500,000円＝9,200,000円
＊2　9,200,000円×10％＝920,000円

　新製品の研究や開発に関する人件費、外注費、原材料費などを研究開発費といい、研究開発費は、その発生時に「**研究開発費**（費用）」で処理します。なお、特定の研究開発目的にのみ使用され、他の目的に使用できない機械装置や備品などの固定資産を取得したときも、取得時の研究開発費とします。

　また、税抜方式で消費税の処理を行っている場合、消費税の支払額は「**仮払消費税**（資産）」で処理します。

Link

出題内容	合格テキスト 合格トレーニング	スッキリわかる	簿記の教科書 簿記の問題集
株式の発行（増資時）	テーマ14	第 1 章	CHAPTER01
サ ー ビ ス 業	テーマ17	第 4 章	CHAPTER13
固 定 資 産	テーマ07	第 7 章	CHAPTER08
売買目的有価証券	テーマ05	第10章	CHAPTER11
研 究 開 発 費	テーマ09	第 9 章	CHAPTER10

第2問 (20点) 解答

株 主 資 本 等 変 動 計 算 書
自×3年4月1日 至×4年3月31日 (単位：千円)

| | 株 主 資 本 | | |
| | 資 本 金 | [A] 資 本 剰 余 金 | |
		資本準備金	その他資本剰余金
当 期 首 残 高	(1,650,000)	(240,000)	(90,000)
当 期 変 動 額			
吸 収 合 併	(90,000)	(90,000)	(4,800)
資本剰余金の配当		(4,500)	[B] △79,500
利益剰余金の配当			
別途積立金の積立			
当 期 純 利 益			
株主資本以外の項目の 当期変動額（純額）			
当 期 変 動 額 合 計	(90,000)	(94,500)	(△74,700)
当 期 末 残 高	[A] 1,740,000)	[B] 334,500)	(15,300)

(下段に続く)

(上段から続く)

	株 主 資 本			評価・換算差額等	
	利 益 剰 余 金			その他有価証券 評価差額金	純資産合計
	利益準備金	その他利益剰余金			
		別途積立金	繰越利益剰余金		
当 期 首 残 高	(96,000)	(24,000)	(195,000)	(△10,500)	(2,284,500)
当 期 変 動 額					
吸 収 合 併					[B] 184,800)
資本剰余金の配当					(△75,000)
利益剰余金の配当	(4,500)		[B] △79,500)		(△75,000)
別途積立金の積立		(24,000)	(△24,000)		—
当 期 純 利 益			[A] 420,000)		(420,000)
株主資本以外の項目の 当期変動額（純額）				(22,500)	(22,500)
当 期 変 動 額 合 計	[A] 4,500)	(24,000)	(316,500)	(22,500)	(477,300)
当 期 末 残 高	(100,500)	[A] 48,000)	(511,500)	[A] 12,000)	(2,761,800)

▨ 一つにつき2点を与える。合計20点。

146

❖ 解答への道

　株主資本等変動計算書とは、期中における純資産の変動を報告するための財務諸表であり、前期末のB/S純資産と当期末におけるB/S純資産を結びつける役割を果たすものです。その記載方法は、純資産の期首残高を基礎として、期中の変動額を加算または減算し、期末残高を明らかにします。

1 吸収合併

　吸収合併では、合併会社は被合併会社の資産および負債を引き継ぐため、これらを受け入れる仕訳を行います。このとき受け入れる資産および負債の価額は、時価などを基準とした公正な価値となります。

　　受入資産総額：諸資産312,300千円（時価）

　　受入負債総額：諸負債132,000千円（時価）

　また、合併により新たに交付される株式について資本金等を計上します。

　　新たに交付した株式の価額：@12千円×15,400株＝184,800千円

　資本金：90,000千円

　資本準備金：90,000千円

　その他資本剰余金：184,800千円－90,000千円－90,000千円＝4,800千円

　なお、合併により受け入れた純資産額（受入資産総額－受入負債総額）と新たに交付される株式の価額（公正な価値）とを比較し、受け入れた純資産額が少ないときは、その差額を「のれん」勘定（無形固定資産）で処理し、受け入れた純資産額が多いときは、その差額を「負ののれん発生益」勘定（収益）で処理します。

　　受入純資産額：受入資産総額312,300千円－受入負債総額132,000千円＝180,300千円

　　のれん：新たに交付した株式の価額184,800千円－受入純資産額180,300千円＝4,500千円

（諸　　資　　産）	312,300千円	（諸　　　負　　　債）	132,000千円
（の　　れ　　ん）	4,500千円	（資　　　本　　　金）	⊕90,000千円
		（資　本　準　備　金）	⊕90,000千円
		（その他資本剰余金）	⊕ 4,800千円

2 剰余金の配当・処分

(1) 準備金積立額

　　その他資本剰余金および繰越利益剰余金を財源として配当を行ったときは、資本準備金と利益準備金の合計額が資本金の4分の1に達するまで、配当金の10分の1を法定準備金として積み立てます。なお、積立限度額を求める際に用いる資本金と準備金の金額は、配当日における金額を用います。

　① 積立限度額

　　資本金$(1,650,000千円＋90,000千円)×\dfrac{1}{4}$－｛資本準備金$(240,000千円＋90,000千円)$

　　＋利益準備金96,000千円｝＝9,000千円

　② 要積立額

　　株主配当金$(75,000千円＋75,000千円)×\dfrac{1}{10}$＝15,000千円

　③ 準備金積立額

　　積立限度額と要積立額のいずれか小さい方

　　①　積立限度額9,000千円　＜　②　要積立額15,000千円

　　∴　本問においては、積立限度額（資本金$×\dfrac{1}{4}$－｛資本準備金＋利益準備金｝）により法定準備金の積み立てを行います。

(2) その他資本剰余金の配当

① 剰余金の配当

その他資本剰余金を減額し、未払配当金を計上します。

（その他資本剰余金）	75,000千円	（未 払 配 当 金）	75,000千円

② 法定準備金（資本準備金）の積み立て

その他資本剰余金を財源として配当を行ったときは、資本準備金を積み立てます。

（その他資本剰余金）	4,500千円	（資 本 準 備 金）	4,500千円*

＊ 資本準備金積立額：$9,000千円 \times \dfrac{75,000千円}{150,000千円} = 4,500千円$

③ まとめ

（その他資本剰余金）	⊖79,500千円	（未 払 配 当 金）	75,000千円
		（資 本 準 備 金）	⊕4,500千円

(3) 繰越利益剰余金の配当

① 剰余金の配当

繰越利益剰余金を減額し、未払配当金を計上します。

（繰 越 利 益 剰 余 金）	75,000千円	（未 払 配 当 金）	75,000千円

② 法定準備金（利益準備金）の積み立て

繰越利益剰余金を財源として配当を行ったときは、利益準備金を積み立てます。

（繰 越 利 益 剰 余 金）	4,500千円	（利 益 準 備 金）	4,500千円*

＊ 利益準備金積立額：$9,000千円 \times \dfrac{75,000千円}{150,000千円} = 4,500千円$

③ まとめ

（繰 越 利 益 剰 余 金）	⊖79,500千円	（未 払 配 当 金）	75,000千円
		（利 益 準 備 金）	⊕4,500千円

(4) 別途積立金の積み立て

別途積立金の積み立ては別途積立金の増加として処理し、同額の繰越利益剰余金を減額します。

（繰 越 利 益 剰 余 金）	⊖24,000千円	（別 途 積 立 金）	⊕24,000千円

3 その他有価証券

(1) 前期末：時価評価

その他有価証券評価差額金は純資産として処理され（純資産直入）、また洗替方式によって処理されるため、前期末におけるその他有価証券評価差額金は、取得原価と前期末の時価を比較して求めます。

（その他有価証券評価差額金）	10,500千円*	（そ の 他 有 価 証 券）	10,500千円

＊ 前期末時価145,500千円 − 取得原価156,000千円 = △10,500千円（評価差損）

(2) 当期首：再振替仕訳

（そ の 他 有 価 証 券）	10,500千円	（その他有価証券評価差額金）	10,500千円

(3) 当期末：時価評価

（そ の 他 有 価 証 券）	12,000千円	（その他有価証券評価差額金）	12,000千円*

＊ 当期末時価168,000千円 − 取得原価156,000千円 = 12,000千円（評価差益）

(4) 当期の仕訳のまとめ

（そ の 他 有 価 証 券）	22,500千円	（その他有価証券評価差額金）	⊕22,500千円

4 当期純利益の計上

当期純利益を損益勘定から繰越利益剰余金勘定へ振り替えます。

（損　　　　　　　益）　420,000千円　　（繰越利益剰余金）　⊕420,000千円

5 用語の記入

株主資本は、資本金、資本剰余金、利益剰余金に区分され、さらに資本剰余金は、資本準備金とその他資本剰余金に区分されます。したがって、[　　]には**資本剰余金**が入ります。

ここ重要!

■株主資本等変動計算書の記載方法

記載方法	株主資本の各項目	
	(1)　当期首残高、当期変動額および当期末残高を示す (2)　当期変動額は、変動事由ごとに当期変動額および変動事由を示す	
	株主資本以外の各項目	
	(1)　当期首残高、当期変動額および当期末残高を示す (2)　当期変動額については、当期変動額を純額で示す	
	当期純利益（または当期純損失）	
	繰越利益剰余金の変動事由として表示する	
株主資本等変動計算書の当期首残高→前期末の貸借対照表の金額 株主資本等変動計算書の当期末残高→当期末の貸借対照表の金額		

Link

出題内容	合格テキスト 合格トレーニング	スッキリわかる	簿記の教科書 簿記の問題集
株主資本等変動計算書	テーマ15	第15章	CHAPTER16

決算整理後残高試算表
×3年3月31日　（単位：円）

借　方	勘　定　科　目	貸　方
4,871,000	現　金　預　金	
1,440,000	受　取　手　形	
2,160,000	売　　掛　　金	
	貸　倒　引　当　金	147,000
798,000	繰　越　商　品	
6,250,000	未　収　入　金	
6,000	未　収　収　益	
1,326,000	売　買　目　的　有　価　証　券	
9,000,000	建　　　　　物	
	建　物　減　価　償　却　累　計　額	4,050,000
2,400,000	備　　　　　品	
	備　品　減　価　償　却　累　計　額	1,050,000
7,000,000	土　　　　　地	
45,000	の　　れ　　ん	
1,500,000	長　期　貸　付　金	
414,000	繰　延　税　金　資　産	
	支　払　手　形	1,860,000
	買　　掛　　金	2,755,500
	未　払　法　人　税　等　 Ⓐ	717,000
	長　期　未　払　金	600,000
	資　　本　　金	18,300,000
	資　本　準　備　金	1,500,000
	利　益　準　備　金	600,000
	繰　越　利　益　剰　余　金	1,817,000
	売　　　　　上	30,000,000
	受　取　利　息	15,000
	有　価　証　券　評　価　益　 Ⓐ	51,000
	固　定　資　産　売　却　益　 Ⓐ	1,250,000
16,563,000	仕　　　　　入	
2,883,000	給　　　　　料	
5,400,000	支　払　地　代	
Ⓑ 720,000	減　価　償　却　費	
Ⓑ 10,500	為　替　差　損	
Ⓐ 9,000	棚　卸　減　耗　損	
Ⓐ 15,000	の　れ　ん　償　却	
Ⓑ 150,000	貸　倒　損　失	
Ⓑ 117,000	貸　倒　引　当　金　繰　入	
1,725,000	法人税、住民税及び事業税	
	法　人　税　等　調　整　額　 Ⓐ	90,000
64,802,500		64,802,500

　　　□□□□□　一つにつき2点を与える。合計20点。

❖ 解答への道

決算整理後残高試算表の作成

決算整理前残高試算表の各勘定残高に、未処理事項および決算整理事項の仕訳の金額を加減算して決算整理後の残高を求め、決算整理後残高試算表を作成します。以下に仕訳を示しておきます。

[決算整理事項等]

1 貸倒れ

当期の販売から生じた売掛金が回収不能となった場合は、貸倒引当金の取り崩しは行わず、貸倒損失（費用）を計上します。

（貸 倒 損 失）	150,000	（売 掛 金）	150,000

2 土地の売却

未記帳であった土地売却の取引を仕訳します。代金は翌月に受け取るため、借方に未収入金（資産）を計上します。

（未 収 入 金）	6,250,000	（土 地）	5,000,000
		（固 定 資 産 売 却 益）	1,250,000*

 * 貸借差額

3 売上原価の計算と期末商品の評価

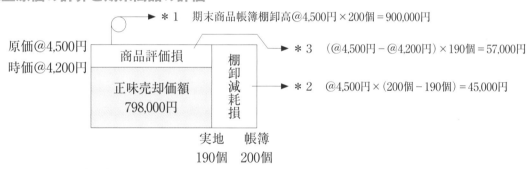

* 1　期末商品帳簿棚卸高@4,500円×200個＝900,000円

* 3　（@4,500円 － @4,200円）×190個＝57,000円

* 2　@4,500円×（200個 － 190個）＝45,000円

(1)　売上原価の計算（仕入勘定で売上原価を計算する場合）

（仕 入）	720,000	（繰 越 商 品）	720,000
（繰 越 商 品）	900,000*1	（仕 入）	900,000

(2)　棚卸減耗損および商品評価損の計上

（棚 卸 減 耗 損）	45,000*2	（繰 越 商 品）	45,000
（商 品 評 価 損）	57,000*3	（繰 越 商 品）	57,000

(3)　棚卸減耗損の売上原価への算入

原価性が認められる棚卸減耗損は売上原価の内訳科目とするため、仕入勘定に振り替えます。

（仕 入）	36,000	（棚 卸 減 耗 損）	36,000*

 *　45,000円〈棚卸減耗損〉×（100% － 20%）＝36,000円

なお、原価性が認められない棚卸減耗損9,000円（＝45,000円 － 36,000円）は、営業外費用に計上します。

(4)　商品評価損の売上原価への算入

（仕 入）	57,000	（商 品 評 価 損）	57,000

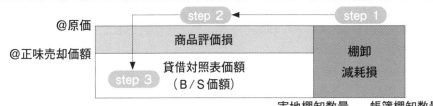

ここ重要!

■棚卸減耗損と商品評価損（商品の単価と数量の資料が与えられている場合）

	step 2 ←	step 1
@原価	商品評価損	棚卸
@正味売却価額	貸借対照表価額 （B/S価額） step 3	減耗損
	実地棚卸数量	帳簿棚卸数量

step 1 ：棚卸減耗損を計算

棚卸減耗損＝@原価×（帳簿棚卸数量－実地棚卸数量）

step 2 ：商品評価損を計算

商品評価損＝（@原価－@正味売却価額）×実地棚卸数量

step 3 ：貸借対照表価額（B/S価額）を計算

貸借対照表価額＝実地棚卸数量×@正味売却価額

なお、商品評価損は正味売却価額が原価を下回っているときだけ計上し、棚卸減耗損は実地棚卸数量が帳簿棚卸数量を下回っているときだけ計上する点に注意しましょう。

また、特に品質が低下している商品については、他の商品よりも商品評価損が大きくなります。

4 売上債権に対する貸倒引当金の設定

受取手形や売掛金などの売上債権に対する貸倒引当金の繰入額は、販売費および一般管理費の区分に表示します。なお、長期貸付金はすべて当期に生じたものであるため、前期末に貸倒引当金の設定は行われていません。したがって、貸倒引当金の期末残高30,000円は、すべて売上債権に対するものであると判断できます。

（貸 倒 引 当 金 繰 入）	42,000*	（貸 倒 引 当 金）	42,000

* 見積額：（1,440,000円〈前T/B受取手形〉＋2,310,000円〈前T/B売掛金〉－150,000円〈貸倒損失〉）× 2 ％
 ＝72,000円
 繰入額：72,000円〈見積額〉－30,000円〈前T/B貸倒引当金〉＝42,000円

5 営業外債権に対する貸倒引当金の設定

貸付金などの営業外債権に対する貸倒引当金の繰入額は、営業外費用の区分に表示します。なお、営業外債権に対する貸倒引当金の決算整理前の残高はありませんので、貸倒引当金の見積額がそのまま繰入額となります。

（貸 倒 引 当 金 繰 入）	75,000*	（貸 倒 引 当 金）	75,000

* 見積額・繰入額：1,500,000円〈前T/B長期貸付金〉× 5 ％＝75,000円

※ 貸倒引当金繰入：42,000円＋75,000円＝117,000円

6 有形固定資産の減価償却

建物および備品については、すでに 4 月から 2 月までの11か月分の減価償却費を計上済みであるため、年間確定額と当期既償却額の差額を決算月の減価償却費として計上します。

(1) 建物

① 当期既償却額：22,500円/月×11か月＝247,500円

② 年間確定額：9,000,000円×0.9÷30年＝270,000円

③ 決算月の減価償却費：270,000円－247,500円＝22,500円

(2) 備品

① 償却率：1 ÷ 8 年 × 200％ = 0.25

② 当期既償却額：37,500円/月 × 11か月 = 412,500円

③ 期首備品減価償却累計額：1,012,500円〈前 T / B 備品減価償却累計額〉− 412,500円 = 600,000円

④ 年間確定額：(2,400,000円〈前 T / B 備品〉− 600,000円〈期首備品減価償却累計額〉) × 0.25
　　　　　　　 = 450,000円

⑤ 決算月の減価償却費：450,000円 − 412,500円 = 37,500円

（減 価 償 却 費）	60,000	（建物減価償却累計額）	22,500
		（備品減価償却累計額）	37,500

※　減価償却費：660,000円〈前 T / B 減価償却費〉+ 60,000円 = 720,000円

7 売買目的有価証券の評価替え

売買目的有価証券は、期末時価を貸借対照表価額とします。したがって、その帳簿価額と期末時価との差額を有価証券評価損益として計上します。

（売 買 目 的 有 価 証 券）	51,000	（有 価 証 券 評 価 益）	51,000*

＊　評価損益：1,326,000円〈期末時価〉− 1,275,000円〈前 T / B 売買目的有価証券〉= 51,000円（評価益）

8 のれんの償却

のれんは前期の期首に取得しているので、償却期間5年のうちすでに1年分の償却が行われています。したがって、のれんの決算整理前の勘定残高は残り4年分の金額をあらわします。

（の れ ん 償 却）	15,000*	（の れ ん）	15,000

＊　償却額：60,000円〈前 T / B のれん〉× $\dfrac{12か月}{48か月（残り4年）}$ = 15,000円

9 外貨建取引

買掛金1,200ドルを決算日の為替相場で換算替えします。

（買 掛 金）	4,500	（為 替 差 損 益）	4,500*

＊　決算日の円換算額：1ドル135円 × 900ドル = 121,500円
　　為替差損益：121,500円〈決算日〉− 126,000円〈仕入時〉= △4,500円（買掛金の減少→為替差益）

※　為替差損：15,000円〈前 T / B 為替差損〉− 4,500円〈為替差益〉= 10,500円

10 未収収益の計上

（未 収 収 益）	6,000	（受 取 利 息）	6,000

※　受取利息：9,000円〈前 T / B 受取利息〉+ 6,000円 = 15,000円

11 法人税、住民税及び事業税の計上

課税所得にもとづいて法人税、住民税及び事業税を計上します。仮払法人税等を充当し残額を未払法人税等として計上します。

（法人税、住民税及び事業税）	1,725,000*1	（仮 払 法 人 税 等）	1,008,000
		（未 払 法 人 税 等）	717,000*2

＊1　法人税、住民税及び事業税：5,750,000円〈課税所得〉× 30％〈法定実効税率〉= 1,725,000円
＊2　未払法人税等：1,725,000円 − 1,008,000円〈前 T / B 仮払法人税等〉= 717,000円

12 税効果会計

　当期の課税所得の計算において加算調整され、将来の差異の解消年度における課税所得の計算において減算調整される将来減算一時差異の発生は、当期においての法人税等の「前払い」を意味するため、差異の金額に法定実効税率を乗じた金額を繰延税金資産として計上します。また、相手勘定を法人税等調整額とし、損益計算書の末尾で法人税、住民税及び事業税に調整します。

（繰 延 税 金 資 産）	90,000*	（法 人 税 等 調 整 額）	90,000

　＊　（1,380,000円〈期末〉－1,080,000円〈期首〉）×30％〈法定実効税率〉＝90,000円

ここ重要！

■税効果会計の処理

①　繰延税金資産

繰延税金資産＝将来減算一時差異×法定実効税率

②　繰延税金負債

繰延税金負債＝将来加算一時差異×法定実効税率

■一時差異の分類

分類	意義
将来減算一時差異	将来減算一時差異とは将来において課税所得の減算調整が行われ、法人税等が減少する一時差異
将来加算一時差異	将来加算一時差異とは将来において課税所得の加算調整が行われ、法人税等が増加する一時差異

参考

本問の資料をもとに損益計算書と貸借対照表を作成すると下記のようになります。

損　益　計　算　書

自×2年4月1日　至×3年3月31日　　　　　　（単位：円）

Ⅰ	売　　　　　上　　　　　高			30,000,000
Ⅱ	売　　上　　原　　価			
	1　期 首 商 品 棚 卸 高		720,000	
	2　当 期 商 品 仕 入 高		16,650,000	
	合　　　　計		17,370,000	
	3　期 末 商 品 棚 卸 高		900,000	
	差　　　　引		16,470,000	
	4　棚 卸 減 耗 損		36,000	
	5　商 品 評 価 損		57,000	16,563,000
	売　上　総　利　益			13,437,000
Ⅲ	販 売 費 及 び 一 般 管 理 費			
	1　給　　　　　　　料		2,883,000	
	2　減 価 償 却 費		720,000	
	3　貸 倒 損 失		150,000	
	4　貸 倒 引 当 金 繰 入		42,000	
	5　支 払 地 代		5,400,000	
	6　の れ ん 償 却		15,000	9,210,000
	営　業　利　益			4,227,000
Ⅳ	営　業　外　収　益			
	1　受 取 利 息		15,000	
	2　有 価 証 券 評 価 益		51,000	66,000
Ⅴ	営　業　外　費　用			
	1　貸 倒 引 当 金 繰 入		75,000	
	2　為 替 差 損		10,500	
	3　棚 卸 減 耗 損		9,000	94,500
	経　常　利　益			4,198,500
Ⅵ	特　　別　　利　　益			
	1　固 定 資 産 売 却 益		1,250,000	1,250,000
	税 引 前 当 期 純 利 益			5,448,500
	法 人 税、 住 民 税 及 び 事 業 税		1,725,000	
	法 人 税 等 調 整 額	△	90,000	1,635,000
	当　期　純　利　益			3,813,500

貸 借 対 照 表

×3年3月31日　　　　　　　　　　　　　（単位：円）

資　産　の　部			負　債　の　部		
Ⅰ 流 動 資 産			Ⅰ 流 動 負 債		
1 現 金 預 金		4,871,000	1 支 払 手 形		1,860,000
2 受 取 手 形	1,440,000		2 買 掛 金		2,755,500
3 売 掛 金	2,160,000		3 未 払 法 人 税 等		717,000
貸 倒 引 当 金	△ 72,000	3,528,000	流 動 負 債 合 計		5,332,500
4 有 価 証 券		1,326,000	Ⅱ 固 定 負 債		
5 商 品		798,000	1 長 期 未 払 金		600,000
6 未 収 入 金		6,250,000	固 定 負 債 合 計		600,000
7 未 収 収 益		6,000	負 債 合 計		5,932,500
流 動 資 産 合 計		16,779,000	純　資　産　の　部		
Ⅱ 固 定 資 産			Ⅰ 資 本 金		18,300,000
1 有 形 固 定 資 産			Ⅱ 資 本 剰 余 金		
(1)建 物	9,000,000		1 資 本 準 備 金		1,500,000
減 価 償 却 累 計 額	△ 4,050,000	4,950,000	Ⅲ 利 益 剰 余 金		
(2)備 品	2,400,000		1 利 益 準 備 金	600,000	
減 価 償 却 累 計 額	△ 1,050,000	1,350,000	2 繰 越 利 益 剰 余 金	5,630,500	6,230,500
(3)土 地		7,000,000	純 資 産 合 計		26,030,500
2 無 形 固 定 資 産					
(1)の れ ん		45,000			
3 投資その他の資産					
(1)長 期 貸 付 金	1,500,000				
貸 倒 引 当 金	△ 75,000	1,425,000			
(2)繰 延 税 金 資 産		414,000			
固 定 資 産 合 計		15,184,000			
資 産 合 計		31,963,000	負 債 及 び 純 資 産 合 計		31,963,000

※　繰越利益剰余金：1,817,000円〈前T/B〉＋3,813,500円〈当期純利益〉＝5,630,500円

Link			
出題内容	合格テキスト 合格トレーニング	スッキリわかる	簿記の教科書 簿記の問題集
決算整理後残高試算表	（3級）テーマ24	（3級）第18章	（3級）CHAPTER11

第4問 解答
(28点)

(1)

		借 方		貸 方	
		記 号	金 額	記 号	金 額
A	1	（ ウ ）	23,000	（ ア ）	23,000
A	2	（ カ ）	1,419,000	（ エ ）	1,419,000
A	3	（ イ ）	280,000	（ ア ）	280,000

(2)

製 造 原 価 報 告 書

（単位：円）

Ⅰ 材 料 費		
1 月 初 材 料 棚 卸 高	（ 24,000 ）	
2 当 月 材 料 仕 入 高	（ 1,786,000 ）	
合 計	（ 1,810,000 ）	
3 月 末 材 料 棚 卸 高	（ 30,000 ）	（ 1,780,000 ）
Ⅱ 労 務 費		
1 賃 金	（ 872,000 ）	
2 給 料	（ 60,000 ）	（ A 932,000 ）
Ⅲ 経 費		（ 1,058,000 ）
合 計		（ 3,770,000 ）
製 造 間 接 費 配 賦 差 異		（ 10,000 ）
当 月 総 製 造 費 用		（ A 3,760,000 ）
月 初 仕 掛 品 棚 卸 高		（ 40,000 ）
合 計		（ 3,800,000 ）
月 末 仕 掛 品 棚 卸 高		（ 60,000 ）
当 月 製 品 製 造 原 価		（ B 3,740,000 ）

当月の売上原価 　B　 3,725,000 　円

(1) 仕訳一組につき4点、(2) ☐ 一つにつき4点を与える。合計28点。

❖ 解答への道

(1) 仕訳問題

◼️1 材料副費配賦差異の計上

材料副費勘定で把握された材料副費の予定配賦額と実際発生額の差額は、材料副費勘定から材料副費配賦差異勘定へ振り替えます。

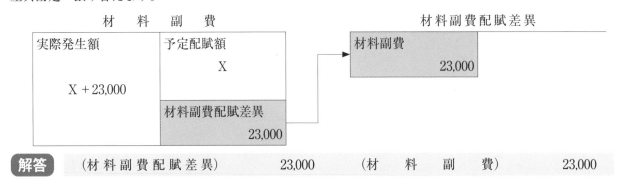

| 解答 | （材 料 副 費 配 賦 差 異） | 23,000 | （材　料　副　費） | 23,000 |

◼️2 買入部品の消費（実際消費額の計算）

製品の製造過程で使用された買入部品の消費額は直接材料費として計上されるため、材料勘定から仕掛品勘定へ振り替えます。

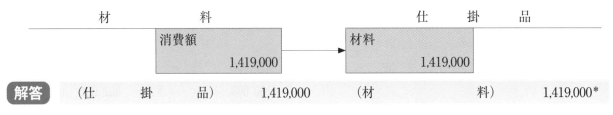

| 解答 | （仕　掛　品） | 1,419,000 | （材　料） | 1,419,000* |

$$*\quad 消費単価：\frac{480,000円＋1,584,000円}{200個＋600個}＝@2,580円$$

$$消費額：@2,580円×550個＝1,419,000円$$

◼️3 特許権使用料の支払い（本社工場会計）

特許権使用料は直接経費になるため仕掛品勘定へ振り替えます。支払いは本社が行っているため、支払額を本社の当座預金勘定に記録します。したがって、仕訳の貸方は本社勘定になります。

| 本社 | （工　　　場） | 280,000 | （当　座　預　金） | 280,000 |
| 工場 | （仕　掛　品） | 280,000 | （本　　　社） | 280,000 |

ここ重要！

◼️本社工場会計

工場会計が独立している場合には、本社工場間取引のために、次のような勘定を用います。

本社側	工場勘定 （工場元帳）	本来の勘定科目が工場の帳簿に設けられていることを表す勘定科目のこと
工場側	本社勘定 （本社元帳）	本来の勘定科目が本社の帳簿に設けられていることを表す勘定科目のこと

本試験で用いる勘定科目は、指定された勘定科目の中から判断します。

出題内容	合格テキスト 合格トレーニング	スッキリわかる	簿記の教科書 簿記の問題集
費 目 別 計 算	テーマ03、04、07	第2、4章	CHAPTER02、04、14
本 社 工 場 会 計	テーマ22	第11章	CHAPTER11

⑵ 製造原価報告書

Ⅰ．製造原価の計算

1 材料費の計算

　仕入高に月初有高と月末有高を調整して材料の実際消費額を求めます。なお、本問では実際消費額と間接材料費の差額が直接材料費になります。直接材料費は仕掛品勘定へ、間接材料費は製造間接費勘定へ材料勘定から振り替えます。

　⑴　間接材料費：313,500円

　⑵　直接材料費：月初24,000円＋当月1,786,000円－月末30,000円－間接313,500円

　　　　　　　　　　　　　　　　　　　　　　　　＝1,466,500円

　　　　　　　} 材料費1,780,000円

2 労務費の計算

　支払高に月初（前月未払）と月末（当月未払）を調整して賃金・給料の実際消費額を求めます。なお、「直接工の作業時間は、すべて直接作業時間であった」と指示があるため、直接工賃金はすべて直接労務費になります。また、間接工賃金と事務職員の給料は間接労務費になります。直接労務費は仕掛品勘定へ、間接労務費は製造間接費勘定へ賃金・給料勘定から振り替えます。

　⑴　直接労務費：当月支払762,500円－前月未払38,000円＋当月未払40,000円

　　　　　　　　　　　＝764,500円

　⑵　間接労務費

　　①　間接工賃金：当月支払109,500円－前月未払20,000円＋当月未払18,000円

　　　　　　　　　　　＝107,500円

　　　　　　　　　　　　　　　　　　　　　　　} 賃金872,000円　} 労務費932,000円

　　②　給　　　料：当月支払58,000円－前月未払8,000円＋当月未払10,000円＝60,000円

　　∴　間接労務費：①間接工賃金107,500円＋②給料60,000円＝167,500円

3 経費の計算

　費目別の勘定で算定された金額をいったん経費勘定に集約します。また、当月消費した経費はすべて間接経費であるため、経費勘定から製造間接費勘定へ振り替えます。

　⑴　間接経費

　　①　水道光熱費：320,000円

　　②　保　険　料：220,000円

　　③　減価償却費：460,000円

　　④　そ　の　他：　58,000円

　　　　　　　} 経費1,058,000円

4 製造間接費の計算

　製造間接費を直接労務費の総額を基準に予定配賦し、製造間接費勘定から仕掛品勘定へ振り替えます。また、製造間接費勘定の借方金額と貸方金額の差額が製造間接費配賦差異になり、製造間接費勘定から製造間接費配賦差異勘定へ振り替えます。

　⑴　予定配賦額：直接労務費764,500円×200％＝1,529,000円
　⑵　実際発生額
　　①　間接材料費：　 313,500円 ⎫
　　②　間接労務費：　 167,500円 ⎬ 1,539,000円
　　③　間 接 経 費：1,058,000円 ⎭
　⑶　製造間接費配賦差異：予定1,529,000円－実際1,539,000円＝△10,000円（借方差異）

5 当月製品製造原価の計算

　当月製品製造原価（完成品原価）は、仕掛品勘定から製品勘定へ振り替えます。

　⑴　月初仕掛品棚卸高：40,000円
　⑵　当月総製造費用：材料費1,780,000円＋労務費932,000円＋経費1,058,000円－差異10,000円
　　　　　　　　　　　＝3,760,000円
　　　　　　　　　　　または、
　　　　　　　　　　　直接材料費1,466,500円＋直接労務費764,500円＋製造間接費1,529,000円
　　　　　　　　　　　＝3,760,000円
　⑶　当月製品製造原価：月初40,000円＋当月3,760,000円－月末60,000円＝3,740,000円

6 当月の売上原価の計算

　当月販売分の売上原価を製品勘定から売上原価勘定へ振り替えます。また、製造間接費配賦差異を製造間接費配賦差異勘定から売上原価勘定へ振り替えます。

　⑴　当月販売分：月初32,000円＋当月製造3,740,000円－月末57,000円＝3,715,000円
　⑵　製造間接費配賦差異：△10,000円（借方差異）
　⑶　当月の売上原価：3,715,000円＋10,000円＝3,725,000円

Ⅱ．勘定連絡図

勘定連絡図を作成し、それをもとに製造原価報告書を作成します（単位：円）。

材　料
月初		消費	
	24,000		1,780,000
仕入		月末	
	1,786,000		30,000

直接工賃金
支払		前月未払	
	762,500		38,000
		消費	
当月未払			764,500
	40,000		

間接工賃金
支払		前月未払	
	109,500		20,000
		消費	
当月未払			107,500
	18,000		

給　料
支払		前月未払	
	58,000		8,000
		消費	
当月未払			60,000
	10,000		

経　費
水道光熱費		消費	
	320,000		
保険料			
	220,000		
減価償却費			1,058,000
	460,000		
その他			
	58,000		

仕　掛　品
月初		完成	
	40,000		
直接材料費			
	1,466,500		
			3,740,000
直接労務費			
	764,500		
製造間接費			
	1,529,000	月末	
			60,000

製　品
月初		販売	
	32,000		
完成			3,715,000
	3,740,000		
		月末	
			57,000

製造間接費
間接材料費		予定配賦額	
	313,500		
間接労務費			1,529,000
	167,500		
間接経費			
	1,058,000	配賦差異	
			10,000

売　上　原　価
販売		月次損益	
	3,715,000		
			3,725,000
配賦差異			
	10,000		

製造間接費配賦差異
製造間接費		売上原価	
	10,000		10,000

Link

出題内容	合格テキスト 合格トレーニング	スッキリわかる	簿記の教科書 簿記の問題集
製 造 原 価 報 告 書	テーマ17	第10章	CHAPTER10

第5問 (12点) 解答

問1

損 益 計 算 書 （単位：円）

売 上 高	（	11,250,000	）
変 動 売 上 原 価	（ Ⓐ	5,220,000	）
変 動 製 造 マ ー ジ ン	（	6,030,000	）
変 動 販 売 費	（ Ⓐ	180,000	）
貢 献 利 益	（	5,850,000	）
固 定 製 造 原 価	（ Ⓐ	2,700,000	）
固定販売費および一般管理費	（	1,044,000	）
営 業 利 益	（	2,106,000	）

問2

(1) Ⓐ 48 % (2) Ⓐ 52 %

問3

(1) Ⓐ 7,200,000 円 (2) Ⓐ 1,920 個

問4

(1) Ⓑ 540,000 円 (2) Ⓑ 0 円

問1は ▢ 一つにつき2点、問2～4は各1点を与える。合計12点。

❖ 解答への道

問1 直接原価計算方式の損益計算書の作成

全部原価計算の原価は、変動費と固定費がともに含まれています。したがって、全部原価計算の原価から変動費を引けば固定費が求められます。

損 益 計 算 書 （単位：円）

売 上 高	11,250,000	
変 動 売 上 原 価	5,220,000*1	
変 動 製 造 マ ー ジ ン	6,030,000	
変 動 販 売 費	180,000*2	
貢 献 利 益	5,850,000	
固 定 製 造 原 価	2,700,000	＝売上原価7,920,000円－変動製造原価5,220,000円
固定販売費および一般管理費	1,044,000	＝販管費1,224,000円－変動販売費180,000円
営 業 利 益	2,106,000	

＊1 製品1個あたり変動製造原価@1,740円×3,000個＝5,220,000円
＊2 製品1個あたり変動販売費@60円×3,000個＝180,000円

問2　変動費率と貢献利益率の計算

(1) 変動費率の計算

売上高に占める変動費の割合を変動費率といいます。

$$\text{変 動 費 率：} \frac{\text{変動売上原価5,220,000円} + \text{変動販売費180,000円}}{\text{売上高11,250,000円}} \times 100 = \textbf{48\%}$$

(2) 貢献利益率の計算

売上高に占める貢献利益の割合を貢献利益率といいます。

$$\text{貢献利益率：} \frac{\text{貢献利益5,850,000円}}{\text{売上高11,250,000円}} \times 100 = \textbf{52\%}$$

問3　損益分岐点の売上高と販売数量の計算

(1) 損益分岐点の売上高

営業利益がゼロになる損益分岐点では、貢献利益が固定費と同額になるため、固定費を貢献利益率で除して損益分岐点の売上高を求めます。

貢献利益＝売上高×貢献利益率

売　上　高＝貢献利益(固定費)÷貢献利益率

$$\text{損益分岐点の売上高：} \frac{\text{固定費3,744,000円}^*}{\text{貢献利益率52\%}} = \textbf{7,200,000円}$$

＊　固定製造原価2,700,000円＋固定販管費1,044,000円＝3,744,000円

(2) 損益分岐点の販売数量

$$\text{販売単価：} \frac{\text{売上高11,250,000円}}{\text{製品販売量3,000個}} = 3,750\text{円／個}$$

$$\text{損益分岐点の販売数量：} \frac{\text{売上高7,200,000円}}{\text{販売単価3,750円}} = \textbf{1,920個}$$

問4　全部原価計算と直接原価計算の営業利益の相違

(1) 全部原価計算

期首・期末の製品在庫が存在する場合は、販売数量が同じでも営業利益は異なります。販売量は当期と同じ3,000個になりますが、期末製品750個分として計算される固定製造原価540,000円について差が生じます。

製　品

生産量　　　3,750個	販売数量		
変動費		$\times$@1,740円＝5,220,000円	売上原価
@1,740円×3,750個	3,000個	$\times \dfrac{2,700,000円}{3,750個} = 2,160,000円$	7,380,000円
＝6,525,000円	期末製品在庫量		
固定費		$\times$@1,740円＝1,305,000円	期末製品
2,700,000円	750個	$\times \dfrac{2,700,000円}{3,750個} = 540,000円$	1,845,000円

損 益 計 算 書 （単位：円）

売　　上　　高	11,250,000	＝販売単価3,750円×3,000個
売　上　原　価	7,380,000	＝変動費5,220,000円＋固定費2,160,000円
売　上　総　利　益	3,870,000	
販売費および一般管理費	1,224,000	＝@60円×3,000個＋固定販管費1,044,000円
営　業　利　益	2,646,000	−当期の営業利益2,106,000円＝**540,000円**（増加）

(2)　直接原価計算：販売数量が同じなら営業利益も同じになります。

損 益 計 算 書 （単位：円）

売　　上　　高	11,250,000	＝販売単価3,750円×3,000個
変　動　売　上　原　価	5,220,000	＝@1,740円×3,000個
変　動　製　造　マージン	6,030,000	
変　動　販　売　費	180,000	＝@60円×3,000個
貢　献　利　益	5,850,000	
固　定　製　造　原　価	2,700,000	＝当期の売上原価7,920,000円−変動製造原価5,220,000円
固定販売費および一般管理費	1,044,000	＝当期の販管費1,224,000円−変動販売費180,000円
営　業　利　益	2,106,000	−当期の営業利益2,106,000円＝**0円**

ここ重要！

■損益分岐点売上高

損益分岐点売上高とは、営業利益がゼロになる売上高です。

$$損益分岐点売上高＝\frac{固定費}{貢献利益率}$$

Link

出題内容	合格テキスト 合格トレーニング	スッキリわかる	簿記の教科書 簿記の問題集
直接原価計算・CVP分析	テーマ20、21	第13章	CHAPTER13

MEMO

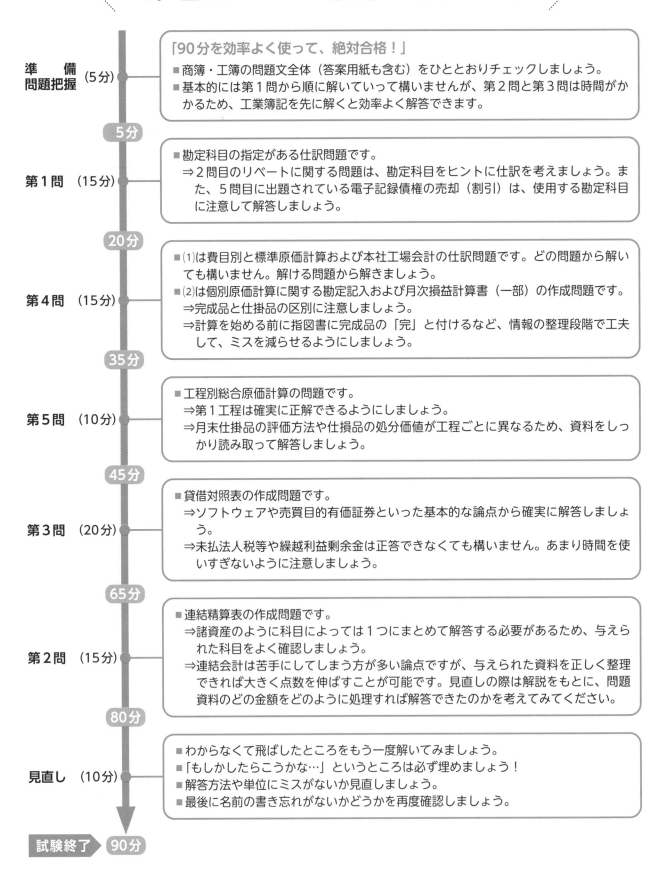

第2回 解答解説

合格るタイムライン
第2回はこの順序で解こう！

準　備
問題把握 (5分)

「90分を効率よく使って、絶対合格！」
- 商簿・工簿の問題文全体（答案用紙も含む）をひととおりチェックしましょう。
- 基本的には第1問から順に解いていって構いませんが、第2問と第3問は時間がかかるため、工業簿記を先に解くと効率よく解答できます。

5分

第1問 (15分)
- 勘定科目の指定がある仕訳問題です。
  ⇒2問目のリベートに関する問題は、勘定科目をヒントに仕訳を考えましょう。また、5問目に出題されている電子記録債権の売却（割引）は、使用する勘定科目に注意して解答しましょう。

20分

第4問 (15分)
- (1)は費目別と標準原価計算および本社工場会計の仕訳問題です。どの問題から解いても構いません。解ける問題から解きましょう。
- (2)は個別原価計算に関する勘定記入および月次損益計算書（一部）の作成問題です。
  ⇒完成品と仕掛品の区別に注意しましょう。
  ⇒計算を始める前に指図書に完成品の「完」と付けるなど、情報の整理段階で工夫して、ミスを減らせるようにしましょう。

35分

第5問 (10分)
- 工程別総合原価計算の問題です。
  ⇒第1工程は確実に正解できるようにしましょう。
  ⇒月末仕掛品の評価方法や仕損品の処分価値が工程ごとに異なるため、資料をしっかり読み取って解答しましょう。

45分

第3問 (20分)
- 貸借対照表の作成問題です。
  ⇒ソフトウェアや売買目的有価証券といった基本的な論点から確実に解答しましょう。
  ⇒未払法人税等や繰越利益剰余金は正答できなくても構いません。あまり時間を使いすぎないように注意しましょう。

65分

第2問 (15分)
- 連結精算表の作成問題です。
  ⇒諸資産のように科目によっては1つにまとめて解答する必要があるため、与えられた科目をよく確認しましょう。
  ⇒連結会計は苦手にしてしまう方が多い論点ですが、与えられた資料を正しく整理できれば大きく点数を伸ばすことが可能です。見直しの際は解説をもとに、問題資料のどの金額をどのように処理すれば解答できたのかを考えてみてください。

80分

見直し (10分)
- わからなくて飛ばしたところをもう一度解いてみましょう。
- 「もしかしたらこうかな…」というところは必ず埋めましょう！
- 解答方法や単位にミスがないか見直しましょう。
- 最後に名前の書き忘れがないかどうかを再度確認しましょう。

試験終了 ▶ **90分**

第1問 (20点) 解答

		借　　　方		貸　　　方	
		記　号	金　　額	記　号	金　　額
A	1	（ キ ）	30,300,000	（ オ ）	1,500,000
				（ イ ）	27,000,000
				（ カ ）	1,800,000
A	2	（ イ ）	600,000	（ ク ）	120,000
				（ オ ）	480,000
A	3	（ ア ）	16,000,000	（ イ ）	14,000,000
		（ カ ）	23,000,000	（ エ ）	24,000,000
		（ ク ）	29,000,000	（ キ ）	13,500,000
		（ ウ ）	6,000,000	（ オ ）	22,500,000
B	4	（ オ ）	525,000	（ カ ）	525,000
B	5	（ ウ ）	412,500	（ キ ）	450,000
		（ オ ）	37,500		

仕訳一組につき4点を与える。合計20点。

❖ 解答への道

1 剰余金の配当と処分

解答

（繰越利益剰余金）	30,300,000	（利　益　準　備　金）	1,500,000
		（未　払　配　当　金）	27,000,000
		（別　途　積　立　金）	1,800,000

　株主総会において、繰越利益剰余金の配当や積み立てなどの処分が承認されたときは、配当および処分した金額の合計を**繰越利益剰余金勘定**（純資産）から減額し、該当する勘定へ振り替えます。なお、会社法の規定により利益準備金は、資本準備金と利益準備金の合計額が資本金の4分の1に達するまで（積立限度額）、配当額の10分の1（要積立額）を積み立てなければなりません。したがって、次の(1)および(2)のうち、いずれか少ない方の金額を積み立てます。

(1) 積立限度額

資本金75,000,000円 $\times \dfrac{1}{4}$ －（資本準備金15,000,000円＋利益準備金2,250,000円）＝1,500,000円

(2) 要積立額

配当金@1,800円×15,000株＝27,000,000円

27,000,000円 $\times \dfrac{1}{10}$ ＝2,700,000円

(3) 利益準備金積立額

(1)＜(2)　　∴　1,500,000円

2 リベート（売上割戻し）

解答

（売　掛　金）	600,000*1	（返　金　負　債）	120,000*2
		（売　　　　　上）	480,000*3

* 1　300個×@2,000円＝600,000円
* 2　600,000円×20％＝120,000円
* 3　貸借差額

　一定期間に大量に商品を仕入れてくれた取引先に対して代金の一部を還元（リベート）することを売上割戻しといいます。売上時に、リベートを支払う可能性が高いと考えられるときは、予想されるリベートの金額を**返金負債**（負債）として処理します。

3 吸収合併

解答

（現　　　　　金）	16,000,000	（借　　入　　金）	14,000,000
（売　　掛　　金）	23,000,000	（資　　本　　金）	24,000,000*1
（備　　　　　品）	29,000,000	（資　本　準　備　金）	13,500,000*2
（の　　れ　　ん）	6,000,000*4	（その他資本剰余金）	22,500,000*3

* 1　資本金：@800円×30,000株＝24,000,000円
* 2　資本準備金：@450円×30,000株＝13,500,000円
* 3　その他資本剰余金：（@2,000円－@800円－@450円）×30,000株＝22,500,000円
* 4　合併の対価：@2,000円×30,000株＝60,000,000円
　　時価純資産：現金16,000,000円＋売掛金23,000,000円＋備品29,000,000円－借入金14,000,000円＝54,000,000円
　　のれん：54,000,000円－60,000,000円＝△6,000,000円

　吸収合併による場合、合併会社は被合併会社の資産および負債を引き継ぐため、これらを引き受ける仕訳を行います。このとき引き受ける資産および負債の価額は、時価などを基準とした公正な価値となります。合併により受け入れた資産と負債の差額（時価純資産）と新たに交付される株式の価額（時価）とを比較して、時価純資産の額が少ないときは、その差額を**のれん**（資産）として計上します。

4 圧縮記帳

　圧縮記帳（直接減額方式）とは、国庫補助金などにより取得した有形固定資産について、国庫補助金相当額について「固定資産圧縮損（費用）」を計上し、当該固定資産の取得原価を減額（圧縮）するための手続きをいいます。その目的は、資本助成の目的で交付された国庫補助金受贈益について、法人税等の課税を繰り延べることにあります。

(1)　補助金の受け取り

　「国庫補助金受贈益（収益）」が課税対象となります。←この仕訳はすでに行われています。

（現　金　な　ど）	525,000	（国　庫　補　助　金　受　贈　益）	525,000

(2)　機械装置の取得

（機　械　装　置）	4,600,000	（現　金　な　ど）	4,600,000

(3)　圧縮記帳

　「**固定資産圧縮損**（費用）」を計上することにより「**国庫補助金受贈益**（収益）」を相殺し、法人税等の課税を繰り延べます。

解答

（固　定　資　産　圧　縮　損）	525,000	（機　械　装　置）	525,000

5 電子記録債権の売却（割引）

解答
（当　座　預　金）	412,500	（電 子 記 録 債 権）	450,000
（電子記録債権売却損）	37,500*		

   * 電子記録債権売却損：売却価額412,500円 − 債権金額450,000円 ＝ △37,500円

　電子記録債権（資産）は、支払期日が到来するまでの間に取引銀行等に譲渡記録を行うことにより売却（割引）することができます。通常の場合、譲渡金額（売却価額）は帳簿価額（債権金額）より低く設定され、その差額は割引料として**電子記録債権売却損**（費用）で処理します。

Link

出題内容	合格テキスト 合格トレーニング	スッキリわかる	簿記の教科書 簿記の問題集
剰 余 金 の 配 当 と 処 分	テーマ15	第 1 章	CHAPTER02
売　上　割　戻　し	テーマ17	第14章	CHAPTER14
吸　　収　　合　　併	テーマ19	第 2 章	CHAPTER01
圧　　縮　　記　　帳	テーマ07	第 7 章	CHAPTER08
電 子 記 録 債 権・債 務	テーマ04	第 5 章	CHAPTER06

第2部

第2回

解答

連　結　精　算　表　　　　　　　　　（単位：千円）

表　示　科　目	個別財務諸表		連結財務諸表
	P　社	S　社	
【貸借対照表】			【連結貸借対照表】
諸　　資　　産	4,000,000	3,675,000	7,355,000
売　　掛　　金	2,750,000	3,850,000	5,800,000 Ⓐ
商　　　　　品	3,050,000	4,250,000	7,170,000 Ⓐ
土　　　　　地	1,600,000	1,225,000	2,805,000 Ⓐ
の　　れ　　ん	—	—	650,000 Ⓐ
子　会　社　株　式	4,600,000	—	—
借　方　合　計	16,000,000	13,000,000	23,780,000
諸　　負　　債	2,000,000	2,050,000	3,730,000
買　　掛　　金	1,750,000	3,250,000	4,200,000 Ⓐ
資　　本　　金	5,000,000	2,500,000	5,000,000
資　本　剰　余　金	3,000,000	1,750,000	3,000,000
利　益　剰　余　金	4,250,000	3,450,000	5,540,000
非　支　配　株　主　持　分	—	—	2,310,000 Ⓐ
貸　方　合　計	16,000,000	13,000,000	23,780,000
【損益計算書】			【連結損益計算書】
売　　上　　高	26,000,000	19,000,000	39,800,000 Ⓐ
売　　上　　原　　価	△ 16,700,000	△ 13,250,000	△ 24,795,000 Ⓑ
販売費及び一般管理費	△ 6,300,000	△ 3,800,000	△ 10,100,000
の　れ　ん　償　却	—	—	△ 50,000 Ⓐ
そ　の　他　の　諸　費　用	△ 760,000	△ 650,000	△ 1,410,000
特　　別　　利　　益	20,000	—	—
当　期　純　利　益	2,260,000	1,300,000	3,445,000
非支配株主に帰属する当期純利益	—	—	△ 390,000 Ⓐ
親会社株主に帰属する当期純利益	—	—	3,055,000

一つにつき2点を与える。合計20点。

❖ 解答への道

　連結会計において、親会社および子会社の個別財務諸表の合算金額に対し、以下に示す連結修正仕訳を集計し、連結精算表（連結損益計算書および連結貸借対照表）を作成します。以下に必要な連結修正仕訳を示します。なお、本問では連結株主資本等変動計算書の作成は問われていないため、株主資本等変動計算書の項目はすべて貸借対照表の純資産の項目で示します。（以下、金額の単位はすべて「千円」）

Ⅰ　資本連結

1 開始仕訳

(1)　S社の資本勘定の整理

　　下記のようなタイム・テーブルを用いてS社の資本勘定の増減を整理します。なお、「注」で示した金額の（A）～（D）の記号は、連結修正仕訳との対応関係を示しています。

	×3年3/31		×4年3/31		×5年3/31
	70%		70%		70%
子 会 社 株 式	4,600,000		4,600,000		4,600,000
資　　本　　金	2,500,000		2,500,000		2,500,000
資 本 剰 余 金	1,750,000		1,750,000		1,750,000
利 益 剰 余 金	1,250,000	+900,000 →	2,150,000*4	+1,300,000 →	3,450,000
合　　　　計	5,500,000		6,400,000		7,700,000
非支配株主持分	1,650,000*1	+270,000*5 →	1,920,000	+390,000*6 →	2,310,000
の　れ　ん	750,000*2	△50,000*3 →	700,000	△50,000 →	650,000

* 1　×3年3/31の非支配株主持分：S社資本5,500,000×30％＝1,650,000（**A**）
* 2　のれん：S社資本5,500,000×70％－子会社株式4,600,000＝△750,000（**A**）
* 3　過年度ののれんの償却：750,000÷15年＝50,000（**B**）
* 4　過年度における利益剰余金の増加額（子会社増加剰余金）
　　　×4年3/31におけるS社の利益剰余金は、×5年3/31（当期末）の利益剰余金をもとに、当期純利益を減算して、逆算で求めます。
　　　×4年3/31（前期末）の利益剰余金：3,450,000－1,300,000＝2,150,000
　　　本問のように前期の当期純利益が明記されている場合は、そこから求めることもできます。
　　　×3年4/1～×4年3/31（前期）における当期純利益900,000
　　　×4年3/31（前期末）の利益剰余金：1,250,000＋900,000＝2,150,000
* 5　子会社増加剰余金の非支配株主持分への振替額（**C**）
　　　子会社増加剰余金900,000×30％＝270,000
* 6　当期純利益の非支配株主持分への振替額：1,300,000×30％＝390,000（**D**）

(2)　投資と資本の相殺消去（A）

　　支配獲得日（×3年3月31日）におけるS社の資本（資本金：2,500,000、資本剰余金：1,750,000および利益剰余金1,250,000）と子会社株式4,600,000を相殺消去します。

（資　　本　　金）	2,500,000	（子 会 社 株 式）	4,600,000
（資 本 剰 余 金）	1,750,000	（非 支 配 株 主 持 分）	1,650,000*1
（利 益 剰 余 金）	1,250,000		
（の　　れ　　ん）	750,000*2		

* 1　(2,500,000＋1,750,000＋1,250,000)×30％＝1,650,000
* 2　S社資本5,500,000×70％－S社株式4,600,000＝△750,000

(3) **過年度におけるのれんの償却（B）**

のれんを15年間で均等償却します。過去1年分（×3年4月1日～×4年3月31日）の「のれん償却」（費用）は、利益剰余金の期首残高に影響を与えるため、「利益剰余金」に置き換えて仕訳を行います。

（利 益 剰 余 金） のれん償却	50,000*	（の れ ん）	50,000

  * 750,000÷15年＝50,000

(4) **子会社増加剰余金の振り替え（C）**

前期（×3年4月1日～×4年3月31日）における利益剰余金の増加分（子会社増加剰余金）900,000のうち非支配株主の持分について、非支配株主持分に振り替えます。過去1年分（×3年4月1日～×4年3月31日）の「非支配株主に帰属する当期純利益」（連結上の費用）は、利益剰余金の期首残高に影響を与えるため、「利益剰余金」に置き換えて仕訳を行います。

（利 益 剰 余 金） 非支配株主に帰属する当期純利益	270,000*	（非 支 配 株 主 持 分）	270,000

  * 非支配株主持分への振替額：子会社増加剰余金900,000×非支配株主の持分30%＝270,000

(5) **開始仕訳のまとめ**

（資 本 金）	2,500,000	（子 会 社 株 式）	4,600,000
（資 本 剰 余 金）	1,750,000	（非 支 配 株 主 持 分）	1,920,000*2
（利 益 剰 余 金）	1,570,000*1		
（の れ ん）	700,000*3		

  *1 支配獲得時1,250,000＋(3)50,000＋(4)270,000＝1,570,000
  *2 支配獲得時1,650,000＋(4)270,000＝1,920,000
  *3 支配獲得時750,000－(3)50,000＝700,000

2 期中仕訳

本問では、子会社が配当を行っていないため子会社配当金の調整は不要です。

(1) **のれん償却**

（の れ ん 償 却）	50,000*	（の れ ん）	50,000

  * 750,000÷15年＝50,000

(2) **子会社当期純利益の非支配株主持分への振り替え（D）**

S社が計上した当期純利益1,300,000のうち、非支配株主に帰属する分を非支配株主持分に振り替えます。

（非支配株主に帰属する当期純利益）	390,000*	（非 支 配 株 主 持 分）	390,000

  * 非支配株主持分への振替額：子会社当期純利益1,300,000×非支配株主の持分30%＝390,000

Ⅱ　成果連結

1 内部取引および債権債務の相殺消去

(1) **売上高と売上原価**

内部取引であるP社のS社に対する売上高と、S社のP社からの仕入高（売上原価）を相殺します。

（売 上 高）	5,200,000	（売 上 原 価）	5,200,000

(2) **売掛金と買掛金**

連結会社相互間で保有している債権と債務は、期末残高を相殺消去します。

（買 掛 金）	800,000	（売 掛 金）	800,000

2 期末商品に含まれる未実現利益の消去の仕訳

(1) 期末商品に含まれる未実現利益の消去（ダウン・ストリーム）

S社の期末商品のうちP社からの仕入分について、未実現利益を計算し消去します。なお、未実現利益は、連結上の「売上原価」（費用）を計上することにより消去します。

（売　上　原　価）	130,000*	（商　　　　　品）	130,000

* 期末商品780,000 × $\dfrac{0.2}{1 + 0.2}$ = 130,000

(2) 期首商品に含まれる未実現利益の消去（ダウン・ストリーム）

S社の期首商品のうちP社からの仕入分について、未実現利益を計算し消去します。なお、期首商品に含まれる未実現利益の消去は、①開始仕訳と②実現仕訳により処理します。

① 開始仕訳

当期の期首商品は前期の期末商品です。したがって前期末の未実現利益の消去を開始仕訳として行います。なお、「売上原価（費用）」は「利益剰余金」に置き換えます。

（利　益　剰　余　金） 売上原価	85,000*	（商　　　　　品）	85,000

* 期首商品510,000 × $\dfrac{0.2}{1 + 0.2}$ = 85,000

② 実現仕訳

期首商品は、当期にすべて販売されたとみなします。そこで実現仕訳（未実現利益の消去を取り消す仕訳）を行います。このとき開始仕訳で置き換えた「利益剰余金」を本来の科目に戻します。

（商　　　　　品）	85,000	（売　上　原　価）	85,000

③ まとめ

（利　益　剰　余　金）	85,000	（売　上　原　価）	85,000

3 非償却有形固定資産（土地）の売買に関する未実現利益の消去等の仕訳（ダウン・ストリーム）

(1) 土地に含まれる未実現利益の消去（ダウン・ストリーム）

S社が期末に所有する土地のうち、P社からの購入したものに含まれるP社が計上した固定資産売却益（特別利益）について、未実現利益を計算し消去します。

（特　別　利　益） 固定資産売却益	20,000*	（土　　　　　地）	20,000

* 売却価額320,000 − 帳簿価額300,000 = 20,000

(2) 諸資産（未収入金）と諸負債（未払金）の相殺消去

土地の売却にかかる代金が未決済であり、本問では未収入金が「諸資産」、未払金が「諸負債」に含まれているため、連結会社相互間で保有している債権と債務は、期末残高を相殺消去します。

（諸　負　債）	320,000	（諸　資　産）	320,000

■支配獲得日後の連結

1. 開始仕訳

2. のれんの償却

   問題文に与えられている償却年数に従って償却します。

3. 子会社の当期純損益の振り替え

   子会社の当期純損益のうち、非支配株主に帰属する部分を非支配株主持分（純資産）に振り替えます。

4. 子会社の配当金の修正

   親会社受取分：受取配当金を取り消します。

   非支配株主受取分：非支配株主持分（純資産）の減少として処理します。

5. 内部取引の消去

   親子会社間の取引を相殺消去します。

   ⇒債権・債務の相殺消去を行ったときは、貸倒引当金の調整も行います。

6. 未実現利益の消去

   ダウン・ストリーム（親⇒子）：親会社の負担で未実現利益を全額消去

   アップ・ストリーム（子⇒親）：子会社の負担で未実現利益を全額消去

   ⇒非支配株主持分割合分：非支配株主持分へ按分

参考

修正・消去欄を作成した場合は、以下のとおりです。

連 結 精 算 表　　　　　　　　　（単位：千円）

表　示　科　目	個別財務諸表		修正・消去		連結財務諸表
	P　社	S　社	借　方	貸　方	
【貸借対照表】					【連結貸借対照表】
諸　　資　　産	4,000,000	3,675,000		320,000	7,355,000
売　　掛　　金	2,750,000	3,850,000		800,000	5,800,000
商　　　　品	3,050,000	4,250,000		130,000	7,170,000
土　　　　地	1,600,000	1,225,000		20,000	2,805,000
の　れ　ん	—	—	700,000	50,000	650,000
子　会　社　株　式	4,600,000	—		4,600,000	—
借　方　合　計	16,000,000	13,000,000	700,000	5,920,000	23,780,000
諸　　負　　債	2,000,000	2,050,000	320,000		3,730,000
買　　掛　　金	1,750,000	3,250,000	800,000		4,200,000
資　　本　　金	5,000,000	2,500,000	2,500,000		5,000,000
資　本　剰　余　金	3,000,000	1,750,000	1,750,000		3,000,000
利　益　剰　余　金	4,250,000	3,450,000	1,570,000 85,000 5,790,000	5,285,000	5,540,000
非　支　配　株　主　持　分	—	—		1,920,000 390,000	2,310,000
貸　方　合　計	16,000,000	13,000,000	12,815,000	7,595,000	23,780,000
【損益計算書】					【連結損益計算書】
売　　上　　高	26,000,000	19,000,000	5,200,000		39,800,000
売　上　原　価	△ 16,700,000	△ 13,250,000	130,000	5,200,000 85,000	△ 24,795,000
販売費及び一般管理費	△ 6,300,000	△ 3,800,000			△ 10,100,000
の　れ　ん　償　却	—	—	50,000		△ 50,000
そ　の　他　の　諸　費　用	△ 760,000	△ 650,000			△ 1,410,000
特　　別　　利　　益	20,000	—	20,000		—
当　期　純　利　益	2,260,000	1,300,000	5,400,000	5,285,000	3,445,000
非支配株主に帰属する当期純利益	—	—	390,000		△ 390,000
親会社株主に帰属する当期純利益	—	—	5,790,000	5,285,000	3,055,000

Link

出題内容	合格テキスト 合格トレーニング	スッキリわかる	簿記の教科書 簿記の問題集
連　　結　　会　　計	テーマ20 ～ 23	第18、19章	CHAPTER20 ～ 22、24

貸 借 対 照 表
×4年3月31日　　　　　　　　　　　　　　　　（単位：円）

資　産　の　部			負　債　の　部		
Ⅰ　流　動　資　産			Ⅰ　流　動　負　債		
1　現 金 預 金	Ａ（ 14,907,000 ）		1　支 払 手 形		2,546,200
2　受 取 手 形	（ 2,880,000 ）		2　買 掛 金	Ａ（ 4,056,000 ）	
3　不 渡 手 形	1,500,000		3　未払法人税等	Ｂ（ 125,600 ）	
4　売 掛 金	（ 4,920,000 ）		4　リ ー ス 債 務	（ 2,400,000 ）	
貸 倒 引 当 金	Ｂ（△ 906,000 ）	（ 8,394,000 ）	5　短 期 借 入 金	（ 500,000 ）	
5　有 価 証 券		（ 4,200,000 ）	流 動 負 債 合 計		（ 9,627,800 ）
6　商 　　品	Ａ（ 1,596,000 ）		Ⅱ　固　定　負　債		
7　前 払 費 用		（ 14,000 ）	1　退職給付引当金		（ 4,095,000 ）
流 動 資 産 合 計		（ 29,111,000 ）	2　長期リース債務	Ｂ（ 7,200,000 ）	
Ⅱ　固　定　資　産			3　長 期 借 入 金		（ 1,000,000 ）
1　有形固定資産			固 定 負 債 合 計		（ 12,295,000 ）
（1）建 　　物	18,000,000		負　債　合　計		（ 21,922,800 ）
減価償却累計額	（△6,000,000 ）	Ａ（ 12,000,000 ）			
（2）リ ー ス 資 産	12,000,000		純　資　産　の　部		
減価償却累計額	（△4,800,000 ）	Ａ（ 7,200,000 ）	Ⅰ　株　主　資　本		
2　無形固定資産			1　資 　本 　金		20,000,000
（1）ソフトウェア	Ａ（ 90,000 ）		2　利 益 剰 余 金		
固 定 資 産 合 計		（ 19,290,000 ）	（1）利 益 準 備 金	2,400,000	
			（2）繰越利益剰余金	Ｂ（ 4,078,200 ）	（ 6,478,200 ）
			株 主 資 本 合 計		（ 26,478,200 ）
			純 資 産 合 計		（ 26,478,200 ）
資　産　合　計		（ 48,401,000 ）	負債及び純資産合計		（ 48,401,000 ）

　　　　一つにつき2点を与える。合計20点。

❖ 解答への道

貸借対照表の作成

決算整理前残高試算表の各勘定残高に、決算整理事項等の仕訳の金額を加減算して決算整理後の残高を求め、貸借対照表を作成します。以下に仕訳を示しておきます。

1 現金過不足

決算日に発生した原因不明の現金の不足額は雑損（費用）として処理します。

（雑　　　　　損）	15,000	（現　　　　　金）	15,000

※　現金：6,933,000円〈前 T / B 〉− 15,000円 = 6,918,000円

2 当座預金の修正

(1) 引落未記帳

（広 告 宣 伝 費）	120,000	（当 座 預 金）	120,000

※　当座預金：8,109,000円〈前 T / B 〉− 120,000円 = 7,989,000円

(2) 未取付小切手

未取付小切手とは、すでに振り出した小切手がいまだ銀行に支払呈示されていないことを意味します。これは銀行側の調整事項なので仕訳は不要です。

※　現金預金：6,918,000円〈現金〉+ 7,989,000円〈当座預金〉= 14,907,000円

3 検収基準

売上計上基準に検収基準を採用している場合は、取引先からの検収完了の通知にもとづいて売上を計上します。

（売　　掛　　金）	300,000	（売　　　　　上）	300,000

※　売掛金：4,620,000円〈前 T / B 〉+ 300,000円 = 4,920,000円

4 売上原価の計算と期末商品の評価

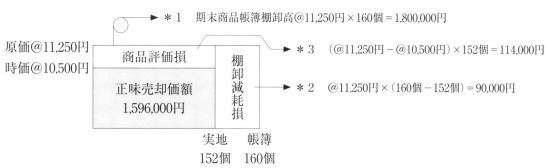

(1) 売上原価の計算（仕入勘定で売上原価を計算する場合）

（仕　　　　　入）	1,440,000	（繰 越 商 品）	1,440,000
（繰 越 商 品）	1,800,000*1	（仕　　　　　入）	1,800,000

(2) 棚卸減耗損および商品評価損の計上

（棚 卸 減 耗 損）	90,000*2	（繰 越 商 品）	90,000
（商 品 評 価 損）	114,000*3	（繰 越 商 品）	114,000

(3) 商品評価損の売上原価への算入

（仕　　　　　入）	114,000	（商 品 評 価 損）	114,000

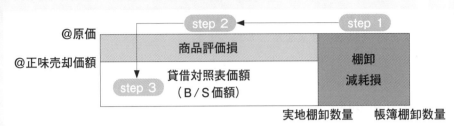

ここ重要！

■棚卸減耗損と商品評価損（商品の単価と数量の資料が与えられている場合）

step 1 ： 棚卸減耗損を計算
棚卸減耗損 ＝ @原価 × （帳簿棚卸数量 － 実地棚卸数量）

step 2 ： 商品評価損を計算
商品評価損 ＝ （@原価 － @正味売却価額） × 実地棚卸数量

step 3 ： 貸借対照表価額（B/S価額）を計算
貸借対照表価額 ＝ 実地棚卸数量 × @正味売却価額

なお、商品評価損は正味売却価額が原価を下回っているときだけ計上し、棚卸減耗損は実地棚卸数量が帳簿棚卸数量を下回っているときだけ計上する点に注意しましょう。

また、特に品質が低下している商品については、他の商品よりも商品評価損が大きくなります。

---

5 貸倒引当金の設定

（貸 倒 引 当 金 繰 入）	846,000	（貸 倒 引 当 金）	846,000

⑴ 見積額
（2,880,000円〈前T/B受取手形〉＋4,620,000円〈前T/B売掛金〉＋300,000円〈未処理〉）× 2 ％
＋1,500,000円〈前T/B不渡手形〉×50％ ＝906,000円〈B/S貸倒引当金〉

⑵ 繰入額
906,000円〈見積額〉－60,000円〈前T/B貸倒引当金〉＝846,000円

---

6 有形固定資産の減価償却

⑴ 建物分
18,000,000円÷30年＝600,000円

⑵ リース資産分
200％定率法償却率： 1 ÷耐用年数 5 年×200％＝0.4
12,000,000円×0.4＝4,800,000円

（減 価 償 却 費）	5,400,000	（建物減価償却累計額）	600,000
		（リース資産減価償却累計額）	4,800,000

※ 建物減価償却累計額：5,400,000円〈前T/B〉＋600,000円＝6,000,000円

---

7 リース債務の表示（一年基準）

リース債務は一年基準により、決算日の翌日から起算して 1 年以内に支払日を迎えるものは流動負債の区分にリース債務として、 1 年を超えて支払日を迎えるものは固定負債の区分に長期リース債務として表示します。

※ リース債務：9,600,000円〈前T/B〉÷残り 4 年＝2,400,000円〈翌期支払分〉
※ 長期リース債務：9,600,000円〈前T/B〉－2,400,000円＝7,200,000円〈翌々期以降支払分〉

8 売買目的有価証券の評価替え

売買目的有価証券は、期末に時価評価を行い、貸借対照表上「有価証券」として表示します。

| （売買目的有価証券） | 150,000 | （有価証券評価損益） | 150,000* |

* 有価証券評価損益：4,200,000円〈期末時価〉－4,050,000円〈前T/B〉＝150,000円（評価益）

※ 有価証券：4,200,000円〈期末時価〉

9 ソフトウェアの償却

ソフトウェアは前期の期首に取得しているので、償却期間5年のうちすでに1年分の償却が行われており、かつ直接法で記帳されています。したがって、ソフトウェアの決算整理前の勘定残高は残り4年分の金額をあらわします。

| （ソフトウェア償却） | 30,000* | （ソフトウェア） | 30,000 |

* 償却額：$120,000円 \times \dfrac{12か月}{48か月（残り4年）} = 30,000円$

※ ソフトウェア：120,000円〈前T/B〉－30,000円＝90,000円

10 外貨建取引

買掛金12,000ドルを決算日の為替相場で換算替えします。

| （為替差損益） | 36,000* | （買掛金） | 36,000 |

* 決算日の円換算額：1ドル110円×12,000ドル＝1,320,000円
  為替差損益：1,320,000円〈決算日〉－1,284,000円〈仕入時〉＝36,000円（買掛金の増加→為替差損）

※ 買掛金：4,020,000円〈前T/B〉＋36,000円＝4,056,000円

11 借入金の振り替えと前払費用の振り替え

(1) 借入金の振り替え（一年基準）

借入金のうち、決算日の翌日から1年以内に返済期日を迎えるものは短期借入金、1年を超えて返済期日を迎えるものは長期借入金に振り替えます。

| （借入金） | 1,500,000 | （短期借入金） | 500,000 |
| | | （長期借入金） | 1,000,000 |

(2) 前払費用の振り替え

前払費用として計上していた利息のうち、当期分を支払利息に振り替えます。

| （支払利息） | 7,000* | （前払費用） | 7,000 |

* 借入金（返済期日×5年1月末日）：$500,000円 \times 1.2\% \times \dfrac{2か月}{12か月} = 1,000円$

  借入金（返済期日×6年1月末日）：$1,000,000円 \times 3.6\% \times \dfrac{2か月}{12か月} = 6,000円$

  支払利息：1,000円＋6,000円＝7,000円

※ 前払費用：21,000円〈前T/B〉－7,000円＝14,000円

12 退職給付引当金

| （退職給付費用） | 195,000 | （退職給付引当金） | 195,000 |

※ 退職給付引当金：3,900,000円〈前T/B〉＋195,000円＝4,095,000円

13 法人税、住民税及び事業税の計上

　課税所得にもとづいて法人税、住民税及び事業税を計上します。仮払法人税等を充当し残額を未払法人税等として計上します。なお、税引前当期純利益は下記 **参考** に示した損益計算書を作成して計算するか、貸借対照表の貸借差額で求めます。

（法人税、住民税及び事業税）	1,231,800*	（仮 払 法 人 税 等）	1,106,200
		（未 払 法 人 税 等）	125,600

＊　法人税、住民税及び事業税：4,106,000円〈課税所得〉×30%〈法定実効税率〉＝1,231,800円

※　未払法人税等：1,231,800円－1,106,200円〈仮払法人税等〉＝125,600円

参考

　損益計算書を示すと次のとおりです。繰越利益剰余金は決算整理前の残高に当期純利益を加算して計算します。なお、「商品評価損」は売上原価の区分に、「棚卸減耗損」は販売費及び一般管理費の区分に表示しています。

損　益　計　算　書

自×3年4月1日　至×4年3月31日　　　　（単位：円）

I	売　上　高			60,300,000
II	売　上　原　価			
	1　期首商品棚卸高		1,440,000	
	2　当期商品仕入高		33,300,000	
	合　計		34,740,000	
	3　期末商品棚卸高		1,800,000	
	差　引		32,940,000	
	4　商品評価損		114,000	33,054,000
	売上総利益			27,246,000
III	販売費及び一般管理費			
	1　給　料		8,796,000	
	2　広告宣伝費		4,800,000	
	3　通信費		3,120,000	
	4　減価償却費		5,400,000	
	5　貸倒引当金繰入		846,000	
	6　棚卸減耗損		90,000	
	7　ソフトウェア償却		30,000	
	8　退職給付費用		195,000	23,277,000
	営業利益			3,969,000
IV	営業外収益			
	1　受取配当金		45,000	
	2　有価証券評価益		150,000	195,000
V	営業外費用			
	1　支払利息		7,000	
	2　為替差損		36,000	
	3　雑損		15,000	58,000
	税引前当期純利益			4,106,000
	法人税、住民税及び事業税			1,231,800
	当期純利益			2,874,200

※　繰越利益剰余金：1,204,000円〈前T/B〉＋2,874,200円〈当期純利益〉＝4,078,200円

出題内容	合格テキスト 合格トレーニング	スッキリわかる	簿記の教科書 簿記の問題集
貸借対照表の作成	テーマ01、16	第15章	CHAPTER16

第4問 (28点) 解答

(1)

		借 方		貸 方	
		記　号	金　額	記　号	金　額
Ⓐ	1	（　カ　）	5,000	（　イ　）	5,000
Ⓐ	2	（　ア　）	710,000	（　ウ　） （　エ　） （　オ　）	200,000 170,000 340,000
Ⓐ	3	（　ア　）	500,000	（　エ　）	500,000

(2)

問1

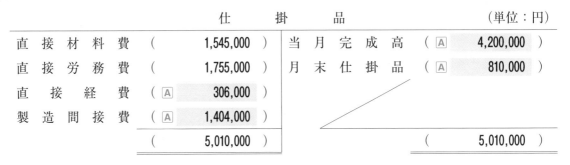

仕　　掛　　品		（単位：円）
直 接 材 料 費 　（　　1,545,000　）	当 月 完 成 高 　（ Ⓐ　4,200,000 ）	
直 接 労 務 費 　（　　1,755,000　）	月 末 仕 掛 品 　（ Ⓐ　810,000 ）	
直 接 経 費 　（ Ⓐ　306,000 ）		
製 造 間 接 費 　（ Ⓐ　1,404,000 ）		
（　　5,010,000　）	（　　5,010,000　）	

問2

月次損益計算書（一部）　　（単位：円）

売 上 高		3,600,000
売 上 原 価	（　2,700,000　）	
原 価 差 異	（ Ⓑ　18,000 ）	（　2,718,000　）
売 上 総 利 益		（ Ⓑ　882,000 ）

(1) 仕訳一組につき 4 点、

(2) 問 1 は 〔　　〕 一つにつき 3 点、問 2 は 〔　　〕 一つにつき 2 点を与える。合計28点。

❖ 解答への道

(1) 仕訳問題

1 棚卸減耗費

解答

（製 造 間 接 費）	5,000*	（材 料）	5,000

＊ （月末帳簿棚卸高20kg－月末実地棚卸高18kg）×材料実際単価2,500円/kg＝5,000円

　材料の帳簿棚卸高と比較して、実地棚卸高が減少しているときは、その差額を棚卸減耗費として処理します。棚卸減耗費は、材料として消費したわけではなく、特定の製品ごとにどれくらい消費されたかが個別に計算できないため、間接経費となります。したがって、製造間接費として処理します。

2 標準原価計算（シングル・プラン）

解答

（仕 掛 品）	710,000*	（材 料）	200,000
		（賃 金 ・ 給 料）	170,000
		（製 造 間 接 費）	340,000

＊ 直接材料費200,000円＋直接労務費170,000円＋製造間接費340,000円＝710,000円

　シングル・プランで記帳している標準原価計算です。シングル・プランでは仕掛品勘定をすべて標準原価で記帳します。

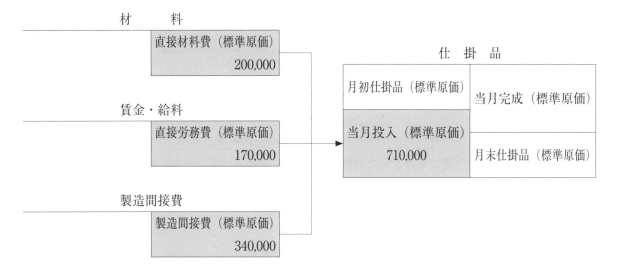

3 本社工場会計（製品の販売）

解答

（本 社）	500,000	（製 品）	500,000

　製品販売に関する会計処理は本社が行っているため、売上は本社側で仕訳されています。工場側では、製品を本社に移送した仕訳をしますが、製品の金額は売価ではなく工場での製造原価となります。

Link

出題内容	合格テキスト 合格トレーニング	スッキリわかる	簿記の教科書 簿記の問題集
費 目 別 計 算	テーマ03～07	第2～4章	CHAPTER02～04
標 準 原 価 計 算	テーマ18、19	第12章	CHAPTER12
本 社 工 場 会 計	テーマ22	第11章	CHAPTER11

問1 仕掛品勘定の記入

1 製造間接費の予定配賦計算

(1) 予定配賦率
年間製造間接費予算額17,280,000円÷年間予定直接作業時間9,600時間＝1,800円/時間
(2) 予定配賦額：製造間接費を、直接作業時間を配賦基準に各オーダーに予定配賦します。

No.001： 　1,800円/時間×400時間＝720,000円
No.001-2：1,800円/時間×100時間＝180,000円
No.002： 　1,800円/時間×200時間＝360,000円
No.003： 　1,800円/時間× 80時間＝144,000円
予定配賦額合計：720,000円＋180,000円＋360,000円＋144,000円＝1,404,000円

2 オーダー番号別の原価集計（原価計算表）・仕損の処理等

（単位：円）

	No.001	No.001-2	No.002	No.003	計
直 接 材 料 費	510,000	45,000	540,000	450,000	1,545,000
直 接 労 務 費	900,000	225,000	450,000	180,000	1,755,000
直 接 経 費	120,000	—	150,000	36,000	306,000
製 造 間 接 費	720,000	180,000	360,000	144,000	1,404,000
計	2,250,000	450,000	1,500,000	810,000	5,010,000
仕 損 費	450,000	△450,000	—	—	—
合 計	2,700,000	0	1,500,000	810,000	5,010,000
備 考	完成・引渡済	No.001へ賦課	完成・未引渡	未完成	

(注) オーダーNo.001の補修作業に集計された原価（オーダーNo.001-2に集計された450,000円）は、仕損費であり、補修元のNo.001に賦課（加算）します。

3 仕掛品勘定の記入

上記2の原価計算表から仕掛品勘定に記入する数値を求めます。

借方：直接材料費　→　直接材料費計 1,545,000円
　　　直接労務費　→　直接労務費計 1,755,000円
　　　直 接 経 費　→　直接経費計 306,000円
　　　製造間接費　→　製造間接費計 1,404,000円

貸方：当月完成高　→　No.001合計2,700,000円＋No.002合計1,500,000円＝4,200,000円
　　　月末仕掛品　→　No.003合計810,000円

問2　月次損益計算書（一部）の記入

1 売上原価

上記問1の 2 の原価計算表から月次損益計算書（一部）に記入する数値を求めます。

（1）当月完成高

No.001合計2,700,000円 + No.002合計1,500,000円 = 4,200,000円

（2）売上原価

当月完成高4,200,000円 - 月末製品1,500,000円 = 2,700,000円
またはNo.001合計2,700,000円

ここ重要！

■製造指図書と各勘定の関係

進 捗 状 況		記入する勘定
未 完 成		仕 掛 品 勘 定
完 成	未引渡	製 品 勘 定
	引渡済	売 上 原 価 勘 定

---

2 直接工賃金の計算・賃率差異の計上

（1）直接工賃金の予定消費計算

① 予定消費賃率

当月の直接労務費計1,755,000円（ = 900,000円 + 225,000円 + 450,000円 + 180,000円）は予定消費賃率に直接作業時間計780時間を乗じた予定直接消費額であることから、これをもとに予定消費賃率を算定します。

予定消費賃率：1,755,000円 ÷ 780時間 = 2,250円/時間

② 予定消費額の計算

直接工の賃金消費額は、予定消費賃率に直接作業時間を乗じた直接労務費と、間接作業時間等を乗じた間接労務費に分類されます。

直接労務費：直接労務費計1,755,000円（または2,250円/時間×780時間）
間接労務費：2,250円/時間×間接作業時間20時間 = 45,000円
直接工賃金予定消費額：1,755,000円 + 45,000円 = 1,800,000円

（2）賃率差異の計算

① 直接工賃金実際消費額の計算

当月支払高1,785,000円 - 前月未払高39,000円 + 当月未払高60,000円 = 1,806,000円

直接工賃金

	前月未払高 39,000円
当月支払高 1,785,000円	
	当月実際消費額 1,806,000円
当月未払高 60,000円	

② 賃率差異

予定消費額1,800,000円 − 実際消費額1,806,000円 = △6,000円（借方差異）

直接工賃金

当月実際消費額 1,806,000円	当月予定消費額 1,800,000円
	賃率差異6,000円

❸ 製造間接費配賦差異の計上

予定配賦額1,404,000円 − 実際発生額1,416,000円 = △12,000円（借方差異）

製造間接費

実際発生額 1,416,000円	予定配賦額 1,404,000円
	製造間接費配賦差異12,000円

❹ 原価差異の計算

賃率差異6,000円（借方差異）+ 製造間接費配賦差異12,000円（借方差異）= 18,000円（借方差異）

❺ 売上総利益の計算

売上高3,600,000円 − (売上原価2,700,000円 + 原価差異18,000円) = 882,000円

Link

出題内容	合格テキスト 合格トレーニング	スッキリわかる	簿記の教科書 簿記の問題集
個 別 原 価 計 算	テーマ08、09	第5章	CHAPTER05、14

第5問 (12点) 解答

(1) 第1工程月末仕掛品原価に含まれる原料費 ： Ａ 5,328,000 円

(2) 第1工程完成品総合原価に含まれる第1工程加工費 ： Ａ 40,046,400 円

(3) 第1工程完成品総合原価 ： Ａ 68,817,600 円

(4) 第2工程完成品総合原価に含まれる第2工程加工費 ： Ａ 28,828,800 円

(5) 第2工程月末仕掛品原価 ： Ｂ 16,896,000 円

(6) 第2工程完成品単位原価 ： Ｂ 30,000 円/個

◽️ 一つにつき2点を与える。合計12点。

❖ 解答への道

1 第1工程の計算（平均法）

正常仕損が工程の**終点**で発生している場合は、正常仕損費を**完成品のみ**に負担させます。

(1) 原料費の計算

原料費は工程の始点で投入されていることから、加工進捗度を考慮する必要がないため、「**数量**」の割合で原価を按分計算します。

第1工程仕掛品 – 原料費

〈月末仕掛品原価〉

$$\frac{5,068,800円 + 29,030,400円}{3,750個 + 300個 + 750個} \times 750個 = 5,328,000円\cdots(1)$$

〈完成品原価〉

$$5,068,800円 + 29,030,400円 - 5,328,000円 = 28,771,200円$$

(2) 加工費の計算

加工費は、完成品と月末仕掛品の「**完成品換算数量**」の割合で按分計算します。

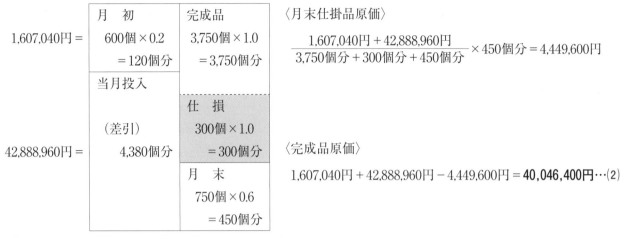

第1工程仕掛品－加工費

〈月末仕掛品原価〉

$$\frac{1,607,040円 + 42,888,960円}{3,750個分 + 300個分 + 450個分} \times 450個分 = 4,449,600円$$

〈完成品原価〉

$$1,607,040円 + 42,888,960円 - 4,449,600円 = \mathbf{40,046,400円} \cdots (2)$$

(3) 合 計

第1工程月末仕掛品原価：5,328,000円 + 4,449,600円 = 9,777,600円

第1工程完成品総合原価：28,771,200円 + 40,046,400円 = **68,817,600円**…(3)

② 第2工程の計算（先入先出法）

正常仕損が**工程の途中**で発生している場合（**発生点が不明である場合**）は、正常仕損費を**月末仕掛品と完成品の両者**で負担します。また、仕損品の処分価額については、問題の指示により前工程費から仕損品評価額を控除した額をもとに月末仕掛品原価および完成品総合原価の計算を行います。

(1) 前工程費の計算

前工程費は、始点投入の原料費と同様に完成品と月末仕掛品の「**数量**」の割合で按分計算します。

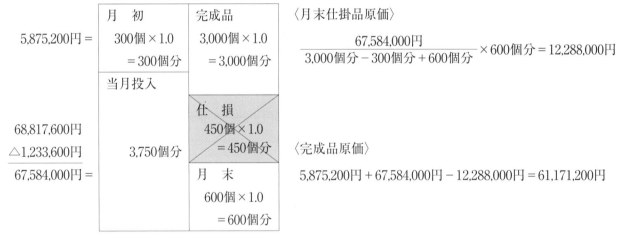

第2工程仕掛品－前工程費

〈月末仕掛品原価〉

$$\frac{67,584,000円}{3,000個分 - 300個分 + 600個分} \times 600個分 = 12,288,000円$$

〈完成品原価〉

$$5,875,200円 + 67,584,000円 - 12,288,000円 = 61,171,200円$$

(2) 加工費の計算

加工費は、完成品と月末仕掛品の「**完成品換算数量**」の割合で按分計算します。

第2工程仕掛品－加工費

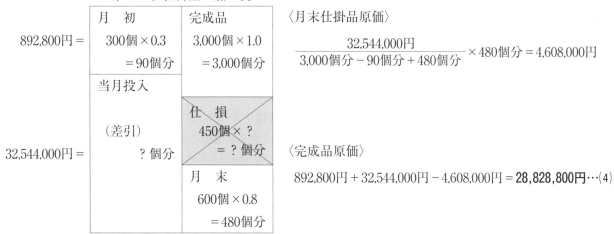

〈月末仕掛品原価〉

$$\frac{32,544,000円}{3,000個分 － 90個分 ＋ 480個分} × 480個分 ＝ 4,608,000円$$

〈完成品原価〉

892,800円 ＋ 32,544,000円 － 4,608,000円 ＝ **28,828,800円**…⑷

(3) 合 計

第2工程月末仕掛品原価：12,288,000円 ＋ 4,608,000円 ＝ **16,896,000円**…⑸

第2工程完成品総合原価：61,171,200円 ＋ 28,828,800円 ＝ 90,000,000円

第2工程完成品単位原価：90,000,000円 ÷ 3,000個 ＝ **30,000円/個**…⑹

Link

出題内容	合格テキスト 合格トレーニング	スッキリわかる	簿記の教科書 簿記の問題集
工程別総合原価計算	テーマ15	第8章	CHAPTER08
正常仕損の処理	テーマ14	第9章	CHAPTER09

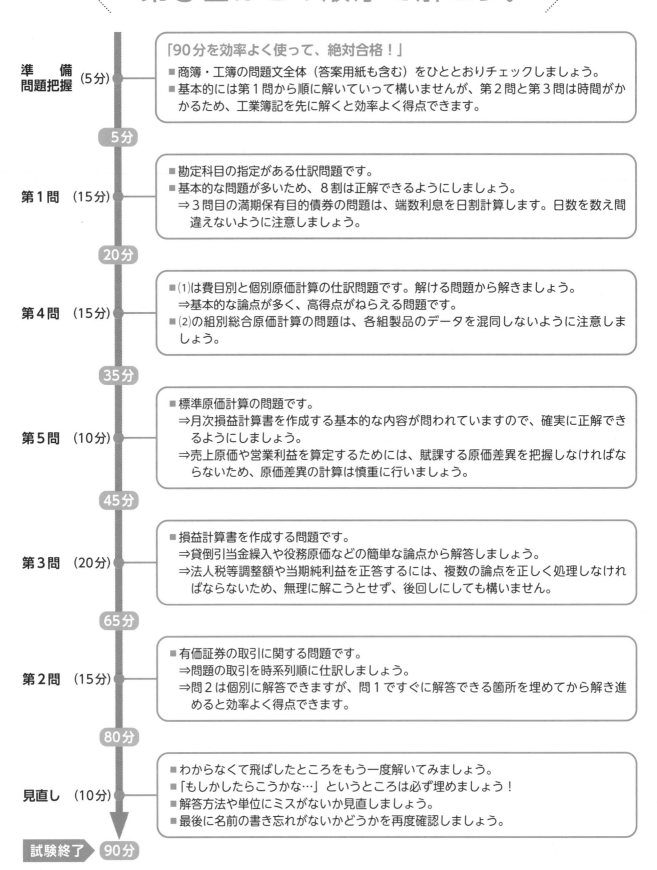

第3回 解答解説

合格るタイムライン
第3回はこの順序で解こう！

準備 問題把握 (5分)

「90分を効率よく使って、絶対合格！」
- 商簿・工簿の問題文全体（答案用紙も含む）をひととおりチェックしましょう。
- 基本的には第1問から順に解いていって構いませんが、第2問と第3問は時間がかかるため、工業簿記を先に解くと効率よく得点できます。

5分

第1問 (15分)
- 勘定科目の指定がある仕訳問題です。
- 基本的な問題が多いため、8割は正解できるようにしましょう。
  - ⇒3問目の満期保有目的債券の問題は、端数利息を日割計算します。日数を数え間違えないように注意しましょう。

20分

第4問 (15分)
- (1)は費目別と個別原価計算の仕訳問題です。解ける問題から解きましょう。
  - ⇒基本的な論点が多く、高得点がねらえる問題です。
- (2)の組別総合原価計算の問題は、各組製品のデータを混同しないように注意しましょう。

35分

第5問 (10分)
- 標準原価計算の問題です。
  - ⇒月次損益計算書を作成する基本的な内容が問われていますので、確実に正解できるようにしましょう。
  - ⇒売上原価や営業利益を算定するためには、賦課する原価差異を把握しなければならないため、原価差異の計算は慎重に行いましょう。

45分

第3問 (20分)
- 損益計算書を作成する問題です。
  - ⇒貸倒引当金繰入や役務原価などの簡単な論点から解答しましょう。
  - ⇒法人税等調整額や当期純利益を正答するには、複数の論点を正しく処理しなければならないため、無理に解こうとせず、後回しにしても構いません。

65分

第2問 (15分)
- 有価証券の取引に関する問題です。
  - ⇒問題の取引を時系列順に仕訳しましょう。
  - ⇒問2は個別に解答できますが、問1ですぐに解答できる箇所を埋めてから解き進めると効率よく得点できます。

80分

見直し (10分)
- わからなくて飛ばしたところをもう一度解いてみましょう。
- 「もしかしたらこうかな…」というところは必ず埋めましょう！
- 解答方法や単位にミスがないか見直しましょう。
- 最後に名前の書き忘れがないかどうかを再度確認しましょう。

試験終了 **90分**

第1問 (20点) 解答

		借 方			貸 方	
		記 号	金 額	記 号		金 額
A	1	（ イ ）	2,200,000	（ オ ）		2,175,000
				（ キ ）		25,000
B	2	（ カ ）	590,000	（ ク ）		590,000
		（ イ ）	560,000	（ オ ）		560,000
B	3	（ イ ）	71,576,000	（ ウ ）		71,600,000
		（ オ ）	24,000			
A	4	（ キ ）	823,000	（ オ ）		800,000
				（ カ ）		23,000
A	5	（ エ ）	9,200,000	（ イ ）		9,200,000

仕訳一組につき4点を与える。合計20点。

❖ 解答への道

1 固定資産の外貨建購入

解答

（備 品）	2,200,000*²	（未 払 金）	2,175,000*¹
		（現 金）	25,000

* 1　15,000ドル×145円/ドル＝2,175,000円
* 2　2,175,000円＋25,000円＝2,200,000円

外貨建取引で代金を後払いするときは、**未払金**（負債）を取引時の直物為替相場で円換算し計上します。なお、有形固定資産は、付随費用を含めて取得原価とします。

2 債務の保証（対照勘定）

債務の保証とは、借金をした債務者がその借金を返済できないときに、その債務者に代わって支払うことを債権者と契約することをいいます。つまり、保証人になることをいい、保証人は債務者が返済できないときに債務者に代わって返済するという債務（偶発債務）を負担することになります。

本問では、偶発債務について対照勘定を用いて処理をしていました。対照勘定とは借方と貸方で対照的で一対となる勘定科目を用いて、帳簿に備忘記録をする方法です。債務の保証に対する偶発債務は、「保証債務見返」勘定の借方と「保証債務」勘定の貸方にそれぞれ記入します。

(1) 債務を保証したとき

（保 証 債 務 見 返）	560,000	（保 証 債 務）	560,000

(2) 債務者に代わって返済したとき → 本問の解答です。

債務者に代わって借金を返済したときは、支払った金額を借金をした本来の債務者に請求（求償）することができるため未収入金（資産）を計上します。また、本来の債務の消滅にともない、偶発債務も消滅するので対照勘定を消去（逆仕訳）します。なお、未収入金は、立替金や貸付金で処理することもあります。

解答

（未 収 入 金）	590,000	（普 通 預 金）	590,000*
（保 証 債 務）	560,000	（保 証 債 務 見 返）	560,000

* 560,000円＋30,000円＝590,000円

3 満期保有目的債券の取得

解答	（満期保有目的債券）	71,576,000*1	（普　通　預　金）	71,600,000
	（有 価 証 券 利 息）	24,000*2		

*1　額面総額73,000,000円 × $\dfrac{98円}{100円}$ ＋ 手数料36,000円 ＝ 71,576,000円

*2　額面総額73,000,000円 × 年利率0.4％ × $\dfrac{30日（4月1日～4月30日）}{365日}$ ＝ 24,000円

　満期保有目的で他社発行の社債を購入したときは、満期保有目的債券（資産）として計上します。このとき、前回の利払日の翌日から取得日までの期間で生じた利息は、有価証券利息（収益）の借方に記入します。また、証券会社に支払った手数料は、付随費用として取得原価に含めて処理します。

4 手形の不渡りと償還請求（手形の遡求）

解答	（不　渡　手　形）	823,000	（受　取　手　形）	800,000
			（現　　　　金）	23,000

　手形の不渡りとは、手形の所持人が支払期日に取り立てをしたにもかかわらず、支払いを拒絶されることをいいます。手形が不渡りになった場合、ただちに回収不能とはなりませんが、正常な手形債権と区別するために、その債権額を**受取手形**（資産）から**不渡手形**（資産）へ振り替えます。なお、裏書されたことにより手許にある手形が不渡りになった場合、手形の所持人は、裏書人に対して拒絶証書作成の費用を含め償還請求することができます。

5 ファイナンス・リース取引（リース契約時、利子抜き法）

解答	（リ ー ス 資 産）	9,200,000*	（リ ー ス 債 務）	9,200,000

*　リース資産・リース債務の計上額：見積現金購入価額2,300,000円 × 4台 ＝ 9,200,000円

　ファイナンス・リース取引は、リース会社からリース物件を購入し、購入代金を分割払いする取引とみなして会計処理を行います。リース取引を開始したときは、リース物件とこれに係る債務を、「リース資産」および「リース債務」として計上します。

　なお、「利子抜き法」の場合、「見積現金購入価額」をリース資産およびリース債務として計上します。

〈参　考〉「利子込み法」の場合（リース契約時）

「利子込み法」の場合、「リース料総額」をリース資産およびリース債務として計上します。

（リ ー ス 資 産）	10,176,000*	（リ ー ス 債 務）	10,176,000

*　リース料総額：月額リース料53,000円/台 × 12か月 × リース期間4年 × 4台 ＝ 10,176,000円

Link

出題内容	合格テキスト 合格トレーニング	スッキリわかる	簿記の教科書 簿記の問題集
外 貨 建 取 引	テーマ11	第12章	CHAPTER15
保 証 債 務	テーマ04	ー	ー
満 期 保 有 目 的 債 券	テーマ05	第10章	CHAPTER11
不 渡 手 形	テーマ04	第5章	CHAPTER06
ファイナンス・リース	テーマ08	第8章	CHAPTER09

第2問 (20点) 解答

問1

売買目的有価証券　　　　　　7

日付 年	月	日	摘要	仕丁	借方	貸方	借または貸	残高
×2	5	7	未　払　金	3	525,000		借	525,000
	10	19	現　　　　金	12	123,000		〃	648,000
	11	30	普　通　預　金	13		A 72,000	〃	576,000
×3	3	31	有価証券評価益	21	A 32,000		〃	608,000
		〃	次　期　繰　越	✓		608,000		
					680,000	680,000		
B ×3	4	1	前　期　繰　越	✓	608,000		借	608,000

有　価　証　券　利　息　　　　　　38

日付 年	月	日	摘要	仕丁	借方	貸方	借または貸	残高
×2	7	1	当　座　預　金	7	A 15,600		借	15,600
	12	31	普　通　預　金	15		31,200	貸	15,600
B ×3	3	31	諸　　　　口	21		34,800	〃	50,400
	B	〃	損　　　　益	〃	50,400			
					66,000	66,000		
×3	4	1	未収有価証券利息	1	A 7,800		借	7,800

問2

子　会　社　株　式	¥	A	8,500,000	
満　期　保　有　目　的　債　券	¥	B	1,901,000	
その他有価証券評価差額金	¥	A	72,000	（　貸　）

▢　1つにつき2点を与える。合計20点。

本問では、有価証券に関する一連の処理を行い、総勘定元帳の記入を行います。また、有価証券売却損益や決算における評価が問われています。

1 期中取引〔資料Ⅰ〕

(1) 売買目的有価証券の取得（×2年5月7日）

（売 買 目 的 有 価 証 券）	525,000*	（未　　　払　　　金）	525,000

* @350円×1,500株＝525,000円

(2) 子会社株式の取得（×2年6月2日）

（子　会　社　株　式）	8,500,000*	（普　通　預　金）	8,500,000

* @500円×17,000株＝8,500,000円

(3) 満期保有目的債券の取得（×2年7月1日）

公社債の利息は、利払日にその時点の所有者に対して支払われます。そこで、利払日以外の日に公社債を売買した場合、買主は売主に、前回の利払日の翌日から売買日までの利息を支払います。

（満 期 保 有 目 的 債 券）	1,874,000*	（当　座　預　金）	1,889,600
（有 価 証 券 利 息）	15,600		

* $2,000,000円 \times \dfrac{@93.70円}{@100円} = 1,874,000円$

(4) その他有価証券の取得（×2年7月12日）

（そ の 他 有 価 証 券）	480,000*	（現　　　　　金）	480,000

* @400円×1,200株＝480,000円

(5) 売買目的有価証券の追加取得（×2年10月19日）

（売 買 目 的 有 価 証 券）	123,000	（現　　　　　金）	123,000

(6) 売買目的有価証券の売却（×2年11月30日）

平均単価により算定した帳簿価額と売却価額の差額から有価証券売却損益を求めます。

（普　通　預　金）	76,000	（売 買 目 的 有 価 証 券）	72,000*1
		（有 価 証 券 売 却 益）	4,000*2

* 1　1株あたり帳簿価額：$\dfrac{525,000円 + 123,000円}{1,500株 + 300株} = @360円$

　　売却した株式：@360円×200株＝72,000円
* 2　売却損益：76,000円－72,000円＝4,000円（売却益）

(7) 利払日（×2年12月31日）

（普　通　預　金）	31,200	（有 価 証 券 利 息）	31,200*

* 2,000,000円×1.56％＝31,200円

2 決算整理仕訳（×3年3月31日）

(1) 未収有価証券利息の計上

（未 収 有 価 証 券 利 息）	7,800*	（有 価 証 券 利 息）	7,800

* $2,000,000円 \times 1.56\% \times \dfrac{3か月（×3年1月1日～×3年3月31日）}{12か月} = 7,800円$

(2) 有価証券の評価

有価証券の区分により評価替えの要否およびその方法が異なります。

① A社株式

売買目的有価証券のため、期末に時価評価します。

（売買目的有価証券）	32,000	（有価証券評価益）	32,000*

＊ 期末株式数：1,500株＋300株－200株＝1,600株
時価：＠380円×1,600株＝608,000円
帳簿価額：＠360円×1,600株＝576,000円
評価差額：608,000円－576,000円＝32,000円（評価益）

② B社株式

子会社株式のため、期末における評価替えはありません。

仕　訳　な　し

※ 子会社株式：**8,500,000円**…問2の解答

③ C社株式

満期保有目的債券であり、額面金額と取得価額との差額が金利の調整と認められるため、償却原価法（定額法）を適用します。

（満期保有目的債券）	27,000	（有価証券利息）	27,000*

＊ $(2,000,000円 - 1,874,000円) \times \dfrac{9か月（×2年7月1日～×3年3月31日）}{42か月（×2年7月1日～×5年12月31日）} = 27,000円$

※ 満期保有目的債券：1,874,000円＋27,000円＝**1,901,000円**…問2の解答

④ D社株式

その他有価証券のため、期末に時価評価します。

（その他有価証券）	72,000	（その他有価証券評価差額金）	72,000*

＊ 時価：＠460円×1,200株＝552,000円
帳簿価額：＠400円×1,200株＝480,000円
評価差額：552,000円－480,000円＝72,000円

※ その他有価証券評価差額金：**72,000円（貸方）**…問2の解答

| Link

出題内容	合格テキスト 合格トレーニング	スッキリわかる	簿記の教科書 簿記の問題集
有　価　証　券	テーマ05	第10章	CHAPTER11

解答

損　益　計　算　書

自×4年4月1日　至×5年3月31日　　　（単位：円）

Ⅰ 売 上 高			
1 商 品 売 上 高	（ 100,500,000 ）		
2 役 務 収 益	（ 67,200,000 ）	（ 167,700,000 ）	
Ⅱ 売 上 原 価			
1 売 上 原 価	（ 84,000,000 ）		
2 役 務 原 価	（Ⓐ 54,600,000 ）	（ 138,600,000 ）	
売 上 総 利 益		（ Ⓐ 29,100,000 ）	
Ⅲ 販 売 費 及 び 一 般 管 理 費			
1 給 料	（ 10,080,000 ）		
2 通 信 費	（ 5,354,000 ）		
3 貸 倒 引 当 金 繰 入	（Ⓑ 120,000 ）		
4 減 価 償 却 費	（Ⓐ 1,840,000 ）		
5 商 品 保 証 引 当 金 繰 入	（Ⓐ 1,206,000 ）		
6 保 険 料	（Ⓐ 2,700,000 ）	（ 21,300,000 ）	
営 業 利 益		（ 7,800,000 ）	
Ⅳ 営 業 外 収 益			
1 受 取 利 息	（ 126,000 ）		
2 受 取 配 当 金	（ 378,000 ）		
3 有 価 証 券 利 息	（Ⓐ 336,000 ）	（ 840,000 ）	
Ⅴ 営 業 外 費 用			
1 貸 倒 引 当 金 繰 入		（Ⓐ 1,260,000 ）	
経 常 利 益		（ 7,380,000 ）	
税 引 前 当 期 純 利 益		（ 7,380,000 ）	
法 人 税、住 民 税 及 び 事 業 税	（ 2,652,000 ）		
法 人 税 等 調 整 額	（Ⓑ△ 438,000 ）	（ 2,214,000 ）	
当 期 純 利 益		（Ⓑ 5,166,000 ）	

一つにつき2点を与える。合計20点。

❖ 解答への道

◼ 訂正仕訳（手形の裏書き）

手形を裏書譲渡したときは、手形代金を受け取る権利（債権）が消滅するため、受取手形（資産）を減少させます。誤記により500,000円多く減らしているため、受取手形と買掛金（負債）を500,000円増加させます。

（受 取 手 形）	500,000	（買 掛 金）	500,000

◼ 公社債（債券）の利息

期限の到来した公社債の利札は通貨代用証券（＝現金）として取り扱われるため、その期日の到来をもって利息の受け取りと認識し、**有価証券利息**（収益）を計上します。

（現 金）	90,000	（有 価 証 券 利 息）	90,000

◼ 有価証券の評価替え

(1) 満期保有目的債券（償却原価法）

公社債を債券金額より低い価額（または高い価額）で取得した場合に、金利調整差額に相当する金額を償還期に至るまで毎期一定の方法で償却し、その償却額を帳簿価額に加算（または減算）します。なお、問題文の指示により償却額は定額法により計算し、**有価証券利息**（収益）で処理します。

（満 期 保 有 目 的 債 券）	162,000	（有 価 証 券 利 息）	162,000*

* 有価証券利息：（額面金額9,000,000円 − 帳簿価額8,190,000円）× $\dfrac{12か月}{60か月}$ ＝ 162,000円

(2) その他有価証券

① 再振替仕訳（未処理）

（そ の 他 有 価 証 券）	420,000*2	（繰 延 税 金 資 産）	126,000*1
		（その他有価証券評価差額金）	294,000*1

* 1 前T/Bより
* 2 126,000円 + 294,000円 = 420,000円

② 時価評価

（そ の 他 有 価 証 券）	360,000*1	（繰 延 税 金 負 債）	108,000*2
		（その他有価証券評価差額金）	252,000*3

* 1 3,990,000円〈前T/B〉+ 420,000円〈再振替仕訳〉= 4,410,000円（取得原価）
  4,770,000円〈期末時価〉− 4,410,000円〈取得原価〉= 360,000円（評価差額）
* 2 360,000円 × 30%〈法定実効税率〉= 108,000円
* 3 360,000円 − 108,000円 = 252,000円

■有価証券の期末評価

有価証券の区分	期末における評価
売買目的有価証券 …価格が低いときに購入し、価格が上がったときに売却することによって、その差額分の儲けを得ることを目的として保有している有価証券	時価評価
満期保有目的債券 …元本と利息を受け取ることを目的として、満期まで所有する意図をもって保有している公社債	時価による評価替えなし ただし、額面金額と取得価額の差額が金利の調整と認められるときには償却原価法による評価
子会社株式・関連会社株式 …子会社や関連会社が発行した株式	時価による評価替えなし
その他有価証券 …売買目的有価証券、満期保有目的債券、子会社株式、関連会社株式以外の有価証券	時価評価

4 売上債権に対する貸倒引当金の設定

　受取手形や売掛金などの売上債権に対する貸倒引当金の繰入額は、販売費及び一般管理費の区分に表示します。なお、長期貸付金はすべて当期に貸し付けたものであるため、前期末に貸倒引当金の設定は行われていません。したがって、貸倒引当金の期末残高594,000円は、すべて売上債権に対するものであると判断できます。

（貸 倒 引 当 金 繰 入）	120,000*	（貸 倒 引 当 金）	120,000

　＊　貸倒見積額：(18,400,000円〈前T/B受取手形〉＋500,000円〈訂正仕訳〉＋16,800,000円〈前T/B売掛金〉)×2％
　　　＝714,000円
　　　貸倒引当金繰入：714,000円〈見積額〉－594,000円〈前T/B貸倒引当金〉＝120,000円

5 営業外債権に対する貸倒引当金の設定（個別評価）

　貸付金などの営業外債権に対する貸倒引当金の繰入額は、営業外費用の区分に表示します。なお、営業外債権に対する貸倒引当金の前期末残高はありませんので、貸倒引当金の見積額がそのまま繰入額となります。
　また、問題文より繰入額の全額が損金不算入となるため、税効果会計を適用します。

（貸 倒 引 当 金 繰 入）	1,260,000	（貸 倒 引 当 金）	1,260,000*1
（繰 延 税 金 資 産）	378,000	（法 人 税 等 調 整 額）	378,000*2

　＊1　6,300,000円〈前T/B長期貸付金〉×20％＝1,260,000円
　＊2　1,260,000円×30％〈法定実効税率〉＝378,000円

ここ重要!

■貸倒引当金繰入の表示区分

債権の種類	損益計算書上での表示区分	例　示
営業債権（売上債権）	販売費及び一般管理費	受取手形、売掛金、クレジット売掛金
営業外債権	営業外費用	貸付金

6 売上原価の計算・期末商品の評価

　売上原価対立法は、商品を仕入れたときは仕入原価を商品勘定の借方に、販売したときは売価を売上勘定の貸方に記帳すると同時に、販売した商品の原価を商品勘定の借方から売上原価勘定の借方へ振り替えます。したがって、決算整理前の売上原価勘定の残高は一会計期間の売上原価を、商品勘定の残高は期末商品棚卸高を示しているため、決算整理は必要ありません。また、本間において、期末帳簿棚卸高7,200,000円〈前T/B商品〉＝期末実地棚卸高7,200,000円であることから棚卸減耗は発生していません。また、時価（正味売却価額）の資料がないことから、商品評価損の計上も考える必要はありません。

仕　訳　な　し

7 役務原価の計上

　役務収益と対応する役務原価は「役務原価（費用）」として損益計算書に計上します。なお、役務収益と役務原価の計上時点にタイムラグがある場合、役務原価は、いったん「仕掛品（資産）」として計上し、その後、役務収益との直接的（または期間的）な対応関係をもって役務原価（費用）に振り替えます。

（役　務　原　価）	54,600,000	（仕　　掛　　品）	54,600,000

8 減価償却費の計上

(1)　建物

（減　価　償　却　費）	840,000*	（建物減価償却累計額）	840,000

　　＊　25,200,000円÷30年＝840,000円

(2)　備品

　　備品については、会計上の耐用年数と税務上の耐用年数が異なるため、一時差異が生じています。

（減　価　償　却　費）	1,000,000*1	（備品減価償却累計額）	1,000,000
（繰　延　税　金　資　産）	60,000*2	（法　人　税　等　調　整　額）	60,000

　　＊1　8,000,000円÷8年＝1,000,000円
　　＊2　8,000,000円÷10年〈税務上の法定耐用年数〉＝800,000円（損金算入限度額）
　　　　　1,000,000円〈会計上の減価償却費〉−800,000円〈損金算入限度額〉＝200,000円（損金算入限度超過額）
　　　　　200,000円×30%〈法定実効税率〉＝60,000円

9 商品保証引当金の繰入れ

（商品保証引当金繰入）	1,206,000*	（商　品　保　証　引　当　金）	1,206,000

　　＊　商品保証引当金繰入：商品売上高100,500,000円×1.2%＝1,206,000円

10 前払費用の計上

　毎年、4か月分（4月1日〜7月31日）の保険料を前払計上しているため、残高試算表の保険料3,600,000円は、期首再振替分4か月分と当期支払分12か月分の合計となります。

（前　払　費　用）	900,000*	（保　　険　　料）	900,000

　　＊　前払保険料：$3,600,000円 \times \dfrac{4か月}{4か月 + 12か月} = 900,000円$

⑪ 法人税等（法人税、住民税及び事業税）の計上

法人税等は、本問では金額が与えられています。法人税、住民税及び事業税と仮払法人税等の差額は**未払法人税等勘定**（負債）で処理します。

（法人税、住民税及び事業税）	2,652,000	（仮 払 法 人 税 等）	2,520,000
		（未 払 法 人 税 等）	132,000*

* 未払法人税等：法人税等2,652,000円 − 仮払法人税等2,520,000円 ＝ 132,000円

（補足）繰延税金資産と繰延税金負債の相殺

繰延税金資産と繰延税金負債の双方が生じている場合、両者を相殺したうえで、貸借対照表上、固定項目（「投資その他の資産」または「固定負債」）として表示します。

（繰 延 税 金 負 債）	108,000	（繰 延 税 金 資 産）	108,000

参考

貸 借 対 照 表
×5年3月31日 （単位：円）

資 産 の 部			負 債 の 部		
流 動 資 産			流 動 負 債		
現 金 預 金		7,627,000	支 払 手 形		15,130,000
受 取 手 形	18,900,000		買 掛 金		11,105,000
貸 倒 引 当 金	△ 378,000	18,522,000	未 払 法 人 税 等		132,000
売 掛 金	16,800,000		商 品 保 証 引 当 金		1,206,000
貸 倒 引 当 金	△ 336,000	16,464,000	流 動 負 債 合 計		27,573,000
商 品		7,200,000	負 債 合 計		27,573,000
前 払 費 用		900,000			
流 動 資 産 合 計		50,713,000			
固 定 資 産					
有 形 固 定 資 産			純 資 産 の 部		
建 物	25,200,000		株 主 資 本		
減価償却累計額	△24,240,000	960,000	資 本 金		32,000,000
備 品	8,000,000		利 益 剰 余 金		
減価償却累計額	△ 1,000,000	7,000,000	利 益 準 備 金	6,420,000	
投資その他の資産			繰 越 利 益 剰 余 金	10,920,000	17,340,000
投 資 有 価 証 券		13,122,000	株 主 資 本 合 計		49,340,000
長 期 貸 付 金	6,300,000		評価・換算差額等		
貸 倒 引 当 金	△ 1,260,000	5,040,000	その他有価証券評価差額金		252,000
繰 延 税 金 資 産		330,000	評価・換算差額等合計		252,000
固 定 資 産 合 計		26,452,000	純 資 産 合 計		49,592,000
資 産 合 計		77,165,000	負債及び純資産合計		77,165,000

Link

出題内容	合格テキスト 合格トレーニング	スッキリわかる	簿記の教科書 簿記の問題集
損 益 計 算 書 の 作 成	テーマ01、16	第15章	CHAPTER16

第4問 (28点) 解答

(1)

		借 方		貸 方	
		記 号	金 額	記 号	金 額
Ⓐ	1	（ オ ）	9,768,000	（ エ ）	7,959,000
				（ イ ）	1,809,000
Ⓐ	2	（ オ ）	5,950,000	（ イ ）	11,311,000
		（ エ ）	5,361,000		
Ⓐ	3	（ オ ）	7,360,000	（ エ ）	7,360,000

(2)

組別総合原価計算表 　　　　　　　　　　　　　　　　（単位：円）

	X 組 製 品		Y 組 製 品	
	直 接 材 料 費	加 工 費	直 接 材 料 費	加 工 費
月初仕掛品原価	236,250	441,000	337,500	75,000
当 月 製 造 費 用	1,510,500	2,583,000	4,179,600	2,315,625
合 　 計	1,746,750	3,024,000	4,517,100	2,390,625
月 末 仕 掛 品 原 価	270,000	Ⓐ 302,400	261,225	Ⓑ 71,250
完 成 品 総 合 原 価	Ⓐ 1,476,750	2,721,600	Ⓐ 4,255,875	2,319,375

(1) 仕訳一組につき4点、(2) ▨▨▨ 一つにつき4点を与える。合計28点。

❖ 解答への道

(1) 仕訳問題

1 材料の購入

解答

（材　　　　料）	9,768,000	（買　　掛　　金）	7,959,000
		（材　料　副　費）	1,809,000

　材料を購入したときは、購入原価で材料勘定の借方に記入します。購入原価は、購入代価に材料副費を加算した金額です。なお、材料副費の予定配賦額は材料副費勘定の貸方に記入します。

素　　材：@1,450円×3,600kg＝5,220,000円

買入部品：@600円×1,350個＝810,000円

燃　　料：@250円×6,000ℓ＝1,500,000円

購入代価：素材5,220,000円＋買入部品810,000円＋燃料1,500,000円＋工場消耗品429,000円＝7,959,000円

材料副費：（素材5,220,000円＋買入部品810,000円）×30％＝1,809,000円

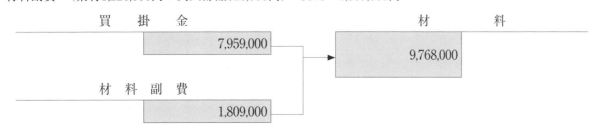

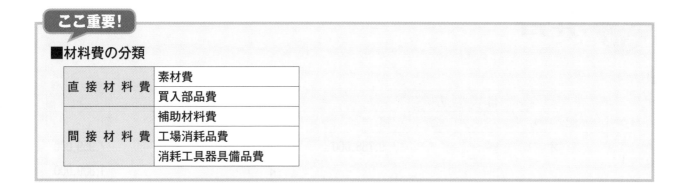

ここ重要!

■材料費の分類

直 接 材 料 費	素材費
	買入部品費
間 接 材 料 費	補助材料費
	工場消耗品費
	消耗工具器具備品費

2 賃金の消費

　直接工の直接作業に対する賃金は直接労務費であるため消費額を仕掛品勘定へ、直接工の間接作業時間と手待時間に対する賃金および間接工の賃金は間接労務費であるため消費額を製造間接費勘定へ振り替えます。

　直接労務費：予定賃率3,400円×直接作業時間1,750時間＝5,950,000円 ┐予定消費額
　間接労務費：予定賃率3,400円×（間接作業時間70時間＋手待時間15時間）＝289,000円 ┘6,239,000円

　　　　　　　当月賃金支払高5,050,000円－月初賃金未払高280,000円＋月末賃金未払高302,000円
　　　　　　　＝5,072,000円
　　　　　　　直接工289,000円＋間接工5,072,000円＝5,361,000円

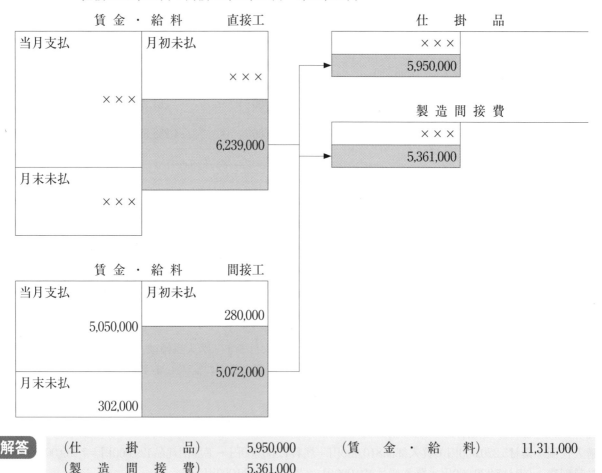

解答	（仕　　掛　　品）	5,950,000	（賃　金　・　給　料）	11,311,000
	（製　造　間　接　費）	5,361,000		

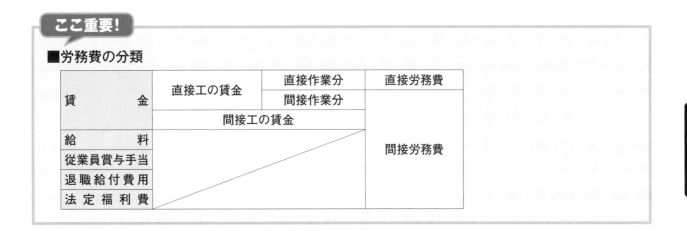

ここ重要!

■労務費の分類

賃　　　金	直接工の賃金	直接作業分	直接労務費
		間接作業分	間接労務費
	間接工の賃金		
給　　　料			
従業員賞与手当			
退 職 給 付 費 用			
法 定 福 利 費			

3 製造間接費の予定配賦

製造間接費を、直接作業時間を配賦基準として予定配賦します。

予定配賦率：年間製造間接費予算46,400,000円÷年間予定総直接作業時間14,500時間＝@3,200円

予定配賦額：@3,200円×2,300時間＝7,360,000円

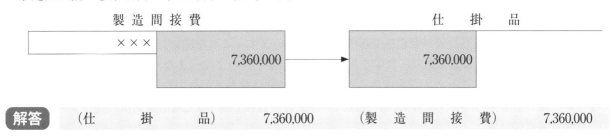

解答　（仕　　　掛　　　品）　　7,360,000　　（製　造　間　接　費）　　7,360,000

Link

出題内容	合格テキスト 合格トレーニング	スッキリわかる	簿記の教科書 簿記の問題集
費 目 別 計 算	テーマ03〜06	第2、3章	CHAPTER02、03、14
個 別 原 価 計 算	テーマ08、09	第5章	CHAPTER05

(2) **組別総合原価計算**

　組別総合原価計算とは、同一工場内で種類の異なる2種類以上の製品を生産する場合に用いられる計算方法であり、製品種類を「組」と呼んで区別します。組別総合原価計算では、当月製造費用を組別に集計し、組ごとに完成品原価と月末仕掛品原価を計算します。当月製造費用の集計にあたって、各組ごとに把握できる金額は組直接費として直課し、共通で消費している等、各組ごとに把握できない金額は組間接費として、一定の基準により各組に配賦します。なお、組間接費は完成品原価と月末仕掛品原価の配分計算において、加工費として扱います。

■ 組間接費の配賦計算

　指示に従って、組間接費の実際集計額843,750円を、機械作業時間を基準に各組に配賦します。

$$X組：\frac{843,750円}{80時間＋120時間}×80時間＝337,500円$$

$$Y組：\frac{843,750円}{80時間＋120時間}×120時間＝506,250円$$

■ X組製品の計算（平均法）

　X組の直接材料費には終点投入の金額18,750円が含まれています。これを除いた1,491,750円（＝1,510,500円－18,750円）が始点投入の金額であり、数量を用いて配分計算を行います。また、答案用紙の組別総合原価計算表は「加工費」としてまとめて記入することから、直接労務費およびその他加工費等はまとめて、換算数量を用いて配分計算を行います。なお、終点投入の直接材料費18,750円は完成品原価に加算します。

(1) 直接材料費の計算

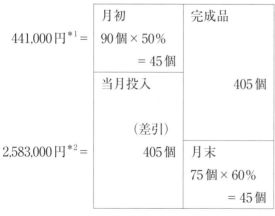

　〈月末仕掛品原価〉
$$\frac{236,250円＋1,491,750円}{405個＋75個}×75個＝270,000円$$

　〈完成品原価〉
　236,250円＋1,491,750円－270,000円＝1,458,000円
　1,458,000円＋18,750円＝1,476,750円

(2) 加工費の計算

	月初	完成品
441,000円*1＝	90個×50% ＝45個	
	当月投入	405個
	（差引）	
2,583,000円*2＝	405個	月末 75個×60% ＝45個

　〈月末仕掛品原価〉
$$\frac{441,000円＋2,583,000円}{405個＋45個}×45個＝302,400円$$

　〈完成品原価〉
　441,000円＋2,583,000円－302,400円＝2,721,600円

＊1　月初仕掛品加工費：直接労務費252,000円＋その他加工費189,000円＝441,000円
＊2　当月加工費：直接労務費828,000円＋その他加工費1,417,500円＋上記■の337,500円＝2,583,000円

(3) 完成品総合原価（参考）

$1,476,750円 + 2,721,600円 = 4,198,350円$

3 Y組製品の計算（先入先出法）

　Y組の直接材料費はすべて始点投入の金額であり、数量を用いて配分計算を行います。また直接労務費およびその他加工費等はX組と同様にまとめて、換算数量を用いて配分計算を行います。なお、正常な減損の発生時点が明らかになっていない場合は、月末仕掛品と完成品の両者に負担させます。度外視法によることから、生じている40個分の減損を計算上無視して、完成品と月末仕掛品のみに原価配分を行います。

(1) 直接材料費の計算

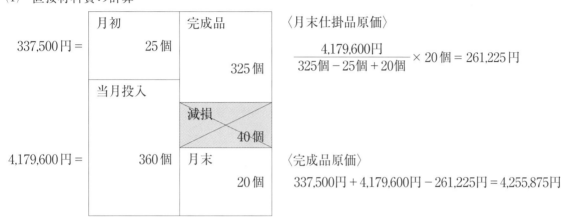

〈月末仕掛品原価〉

$$\frac{4,179,600円}{325個 - 25個 + 20個} \times 20個 = 261,225円$$

〈完成品原価〉

$337,500円 + 4,179,600円 - 261,225円 = 4,255,875円$

(2) 加工費の計算

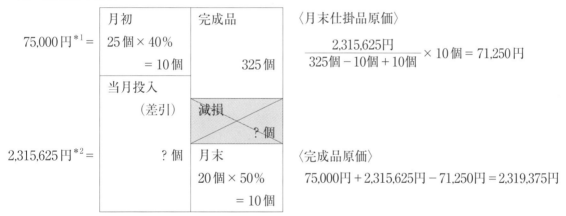

〈月末仕掛品原価〉

$$\frac{2,315,625円}{325個 - 10個 + 10個} \times 10個 = 71,250円$$

〈完成品原価〉

$75,000円 + 2,315,625円 - 71,250円 = 2,319,375円$

＊1　月初仕掛品加工費：直接労務費25,875円 + その他加工費49,125円 = 75,000円
＊2　当月加工費：直接労務費781,125円 + その他加工費1,028,250円 + 上記 1 の506,250円 = 2,315,625円

(3) 完成品総合原価（参考）

$4,255,875円 + 2,319,375円 = 6,575,250円$

Link

出題内容	合格テキスト 合格トレーニング	スッキリわかる	簿記の教科書 簿記の問題集
組 別 総 合 原 価 計 算	テーマ16	第8章	CHAPTER08
正 常 仕 損 の 処 理	テーマ14	第9章	CHAPTER09

第5問 (12点) 解答

月次損益計算書(一部)　　　　　　　（単位：円）

Ⅰ	売　上　高		（　22,320,000　）
Ⅱ	売　上　原　価		
	月初製品棚卸高	（　Ⓐ 720,000　）	
	当月製品製造原価	（　Ⓐ 7,200,000　）	
	合　計	（　7,920,000　）	
	月末製品棚卸高	（　480,000　）	
	差　引	（　7,440,000　）	
	標準原価差異	（　183,000　）	（　Ⓐ 7,623,000　）
	売上総利益		（　14,697,000　）
Ⅲ	販売費及び一般管理費		（　11,277,000　）
	営業利益		（　Ⓐ 3,420,000　）

▨ 一つにつき３点を与える。合計12点。

❖ 解答への道

1 標準原価の計算

(1) 直接材料費

標準原価計算において直接材料費を算定する場合は、標準原価の資料に記載された製品１個あたりの標準直接材料費に数量を乗じ求めます。

直接材料費：生産データ（数量）

月初	当月完成
1,500個	6,000個
1,350,000円	5,400,000円
当月製造	
5,900個	
5,310,000円	月末
	1,400個
	1,260,000円

月初仕掛品原価：@900円×1,500個＝1,350,000円

当 月 製 造：@900円×5,900個＝5,310,000円

完 成 品 原 価：@900円×6,000個＝5,400,000円

月末仕掛品原価：@900円×1,400個＝1,260,000円

(2) 加工費

標準原価計算において加工費を算定する場合は、標準原価の資料に記載された製品1個あたりの標準加工費に**完成品換算量**を乗じて求めるため、完成品換算量の算定が必要になります。完成品換算量は製品の数量に加工進捗度を乗じて算定します。

加工費：生産データ（完成品換算量）

月初	当月完成
900個[*1]	6,000個
270,000円	1,800,000円
当月製造	
5,800個[*3]	月末
1,740,000円	700個[*2]
	210,000円

月初仕掛品原価：@300円× 900個 ＝ 270,000円
当 月 製 造：@300円×5,800個 ＝ 1,740,000円
完 成 品 原 価：@300円×6,000個 ＝ 1,800,000円
月末仕掛品原価：@300円× 700個 ＝ 210,000円

＊1 1,500個×60％＝900個
＊2 1,400個×50％＝700個
＊3 6,000個＋700個－900個＝5,800個

(3) 販売実績

標準原価計算において販売実績を算定する場合は、標準原価の資料に記載された製品1個あたりの標準（完成品）原価に数量を乗じて算定します。

販売データ

月初	当月販売
600個	6,200個
720,000円	7,440,000円
当月完成	
6,000個	月末
7,200,000円	400個
	480,000円

月初製品：@1,200円× 600個 ＝ 720,000円
当月完成：@1,200円×6,000個 ＝ 7,200,000円
　　　　　または、直接材料費完成品原価5,400,000円
　　　　　　　　　＋加工費完成品原価1,800,000円＝7,200,000円
当月販売：@1,200円×6,200個 ＝ 7,440,000円
月末製品：@1,200円× 400個 ＝ 480,000円

② 当月原価差異

標準原価計算では、実際生産量に対する標準原価と実際原価を比較することにより、原価差異を把握します。

直接材料費：当期製造標準直接材料費5,310,000円－実際直接材料費5,451,000円＝△141,000円（不利）
加工費：当期製造標準加工費1,740,000円－実際加工費1,782,000円＝△42,000円（不利）
当月原価差異：△141,000円＋△42,000円＝△183,000円

③ 販売費及び一般管理費

販売員給料7,620,000円＋地代家賃1,578,000円＋水道光熱費1,164,000円＋その他915,000円＝11,277,000円

【勘定連絡図（本問の体系）】

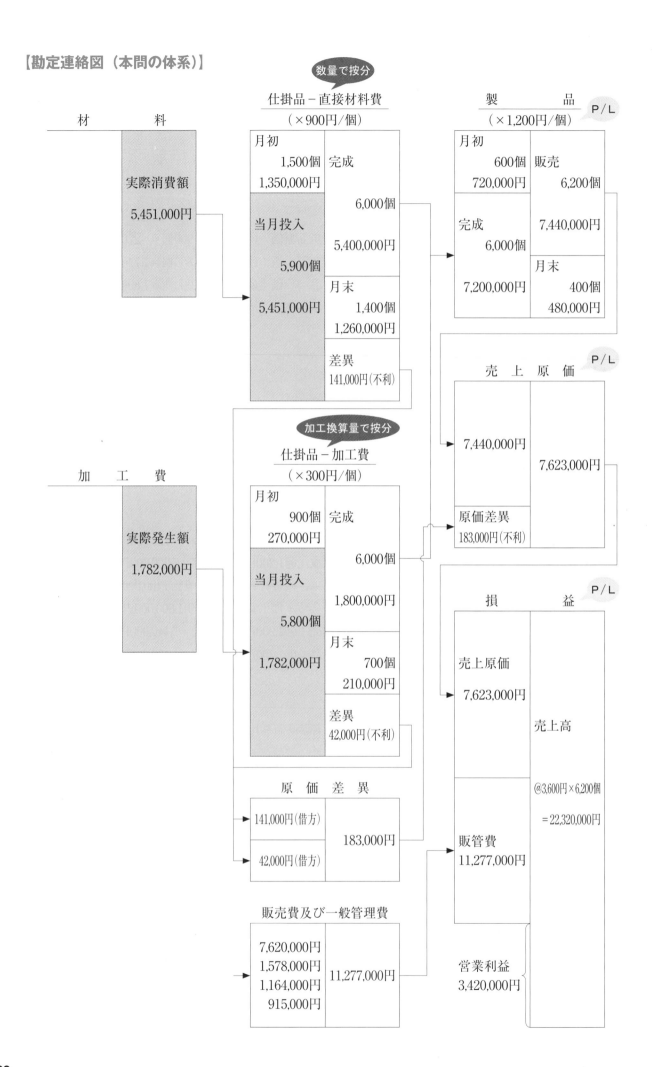

Link

出題内容	合格テキスト 合格トレーニング	スッキリわかる	簿記の教科書 簿記の問題集
標 準 原 価 計 算	テーマ18、19	第12章	CHAPTER12

第2部

第3回

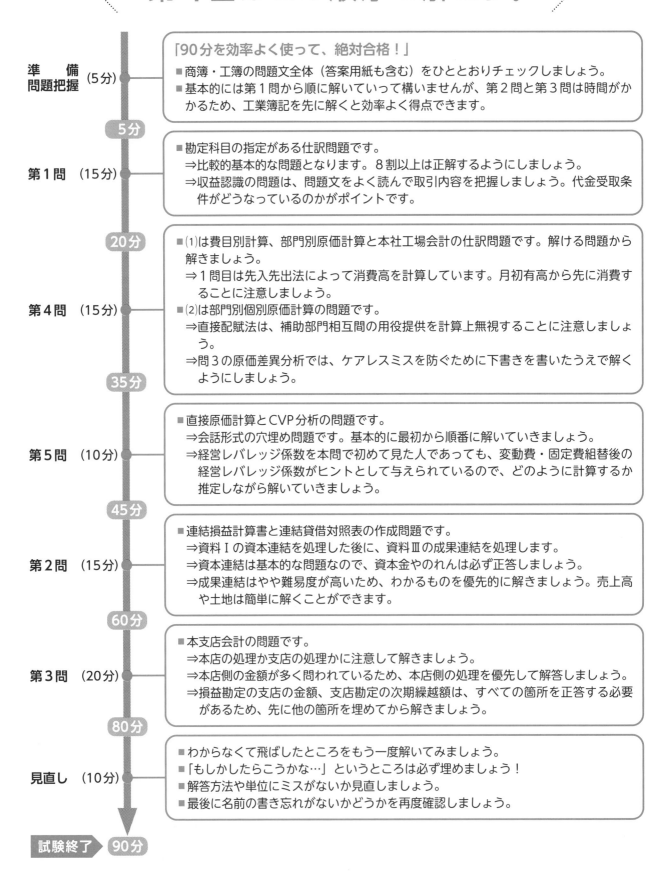

第4回 解答解説

⏱ 合格るタイムライン
第4回はこの順序で解こう！

準備 問題把握 (5分)

「90分を効率よく使って、絶対合格！」
- 商簿・工簿の問題文全体（答案用紙も含む）をひととおりチェックしましょう。
- 基本的には第1問から順に解いていって構いませんが、第2問と第3問は時間がかかるため、工業簿記を先に解くと効率よく得点できます。

5分

第1問 (15分)
- 勘定科目の指定がある仕訳問題です。
  ⇒比較的基本的な問題となります。8割以上は正解するようにしましょう。
  ⇒収益認識の問題は、問題文をよく読んで取引内容を把握しましょう。代金受取条件がどうなっているのかがポイントです。

20分

第4問 (15分)
- (1)は費目別計算、部門別原価計算と本社工場会計の仕訳問題です。解ける問題から解きましょう。
  ⇒1問目は先入先出法によって消費高を計算しています。月初有高から先に消費することに注意しましょう。
- (2)は部門別個別原価計算の問題です。
  ⇒直接配賦法は、補助部門相互間の用役提供を計算上無視することに注意しましょう。
  ⇒問3の原価差異分析では、ケアレスミスを防ぐために下書きを書いたうえで解くようにしましょう。

35分

第5問 (10分)
- 直接原価計算とCVP分析の問題です。
  ⇒会話形式の穴埋め問題です。基本的に最初から順番に解いていきましょう。
  ⇒経営レバレッジ係数を本問で初めて見た人であっても、変動費・固定費組替後の経営レバレッジ係数がヒントとして与えられているので、どのように計算するか推定しながら解いていきましょう。

45分

第2問 (15分)
- 連結損益計算書と連結貸借対照表の作成問題です。
  ⇒資料Ⅰの資本連結を処理した後に、資料Ⅲの成果連結を処理します。
  ⇒資本連結は基本的な問題なので、資本金やのれんは必ず正答しましょう。
  ⇒成果連結はやや難易度が高いため、わかるものを優先的に解きましょう。売上高や土地は簡単に解くことができます。

60分

第3問 (20分)
- 本支店会計の問題です。
  ⇒本店の処理か支店の処理かに注意して解きましょう。
  ⇒本店側の金額が多く問われているため、本店側の処理を優先して解答しましょう。
  ⇒損益勘定の支店の金額、支店勘定の次期繰越額は、すべての箇所を正答する必要があるため、先に他の箇所を埋めてから解きましょう。

80分

見直し (10分)
- わからなくて飛ばしたところをもう一度解いてみましょう。
- 「もしかしたらこうかな…」というところは必ず埋めましょう！
- 解答方法や単位にミスがないか見直しましょう。
- 最後に名前の書き忘れがないかどうかを再度確認しましょう。

試験終了 90分

第1問 (20点) 解答

		借 方		貸 方		
		記　号	金　額	記　号	金　額	
A	1	（ ク ）	4,392,000	（ ク ）	2,880,000	
		（ イ ）	1,404,000	（ オ ）	3,552,000	
		（ エ ）	636,000			
A	2	（ イ ）	2,600,000	（ エ ）	260,000	
		（ オ ）	1,350,000	（ キ ）	4,470,000	
		（ ウ ）	780,000			
B	3	（ エ ）	252,000	（ イ ）	252,000	
A	4	（ ア ）	800,000	（ キ ）	800,000	
A	5	（ ウ ）	6,980,000	（ イ ）	6,980,000	
		（ ク ）	2,094,000	（ エ ）	2,094,000	

仕訳一組につき4点を与える。合計20点。

❖ 解答への道

1 固定資産の買換え

固定資産の買換えは、旧固定資産を下取価額で売却した仕訳と、新固定資産の購入の仕訳を分けて考え、2つの仕訳をまとめたものが解答となります。なお、購入の際に下取価額は新固定資産の購入代金として充当するため、ここでは仮に「未収入金」としています。

① 旧車両の売却

（車両運搬具減価償却累計額）	1,404,000	（車 両 運 搬 具）	2,880,000
（未 収 入 金）	840,000		
（固 定 資 産 売 却 損）	636,000*		

＊ 貸借差額

② 新車両の購入

取得時の諸経費は新車両の取得原価に含めます。取得原価と下取価額との差額は約束手形を振り出して支払っているため、**営業外支払手形**（負債）を計上します。

（車 両 運 搬 具）	4,392,000*	（未 収 入 金）	840,000
		（営 業 外 支 払 手 形）	3,552,000

＊ 新車両の取得原価：販売価格4,320,000円＋諸経費72,000円＝4,392,000円

③ ①＋②

解答

（車 両 運 搬 具）	4,392,000	（車 両 運 搬 具）	2,880,000
（車両運搬具減価償却累計額）	1,404,000	（営 業 外 支 払 手 形）	3,552,000
（固 定 資 産 売 却 損）	636,000		

第2部

第4回

② 本支店会計（支店の開設）

解答

（現	金）	2,600,000	（備品減価償却累計額）		260,000
（商	品）	1,350,000	（本	店）	4,470,000
（備	品）	780,000			

　支店では、開設にあたり、本店から移管された各資産を計上する仕訳を行います。なお、問題文に商品売買を「販売のつど売上原価勘定に振り替える方法（売上原価対立法）」で記帳している旨の指示があることから、移管された商品は、商品勘定に原価で計上することになります。また、有形固定資産の減価償却を間接法で記帳している旨の指示があることから、備品勘定を取得原価で計上するとともに、備品減価償却累計額を引き継ぐことになります。

　本支店会計（支店独立会計制度）を採用している場合、支店の本店に対する債権債務は、本店勘定を設けて記録することから、仕訳の貸借差額を**本店勘定**で処理します。

③ 収益認識基準（1つの契約に対する2つの履行義務）

解答

（契 約 資 産）	252,000	（売 上）	252,000*

*　商品Mの販売価格

　それぞれ独立した履行義務として識別された複数の商品を販売する契約を締結したときは、履行義務を充足した商品の販売価格を売上として認識します。本問では、商品Mは顧客に引き渡し、履行義務を充足しているため**売上**（収益）を計上しますが、商品Nは引き渡していないため履行義務を充足していません。

　また、代金の請求は商品Mと商品Nの両方を移転した後に行う契約であるため、現時点で商品Mの対価を受け取ることはできません。したがって、売掛金勘定ではなく、**契約資産**（資産）を計上します。

④ 株主資本の計数変動

解答

（利 益 準 備 金）	800,000	（繰 越 利 益 剰 余 金）	800,000

　株主資本における「資本金」「準備金」「剰余金」の内訳を変更することを株主資本の計数変動といいます。本問の場合、配当不能な「準備金」を配当可能な「剰余金」に振り替えることになるため、会社法の定める手続き（株主総会の承認の他、会社法に定める債権者保護手続き）を行う必要があります。

⑤ 税効果会計（賞与引当金）

　賞与引当金繰入の損金算入が認められず税効果会計を適用するときは、認められなかった賞与引当金に法定実効税率をかけた金額を「**繰延税金資産**（資産）」として借方に記入し、貸方に法人税等調整額勘定を記入します。賞与の支払いにともない、賞与引当金が取り崩され、賞与引当金の損金算入が認められたときは、「**繰延税金資産**（資産）」を取り崩すため貸方に記入し、借方に法人税等調整額勘定を記入します。

①　前期末の仕訳（税効果会計適用時）

（賞 与 引 当 金 繰 入）	6,980,000	（賞 与 引 当 金）	6,980,000
（繰 延 税 金 資 産）	2,094,000*	（法 人 税 等 調 整 額）	2,094,000

*　6,980,000円×30％＝2,094,000円

②　当期の仕訳（税効果会計解消時）

解答

（賞 与 引 当 金）	6,980,000	（普 通 預 金）	6,980,000
（法 人 税 等 調 整 額）	2,094,000	（繰 延 税 金 資 産）	2,094,000

Link

出題内容	合格テキスト 合格トレーニング	スッキリわかる	簿記の教科書 簿記の問題集
固 定 資 産	テーマ06、07	第 7 章	CHAPTER08
本 支 店 会 計	テーマ18	第17章	CHAPTER19
収 益 の 認 識 基 準	テーマ17	第14章	CHAPTER14
株 主 資 本 の 計 数 変 動	テーマ15	第 1 章	CHAPTER03
税 効 果 会 計	テーマ13	第13章	CHAPTER17

連 結 損 益 計 算 書

自×3年4月1日　　至×4年3月31日　　（単位：千円）

Ⅰ	売　　　　上　　　　高	（ Ⓐ	13,255,600 ）
Ⅱ	売　　上　　原　　価	（	9,381,000 ）
	売　上　総　利　益	（ Ⓑ	3,874,600 ）
Ⅲ	販 売 費 及 び 一 般 管 理 費	（	2,477,800 ）
	営　業　利　益	（	1,396,800 ）
Ⅳ	営　業　外　収　益	（	708,400 ）
Ⅴ	営　業　外　費　用	（	861,200 ）
	経　常　利　益	（	1,244,000 ）
Ⅵ	特　別　利　益	（	207,200 ）
Ⅶ	特　別　損　失	（	206,400 ）
	税金等調整前当期純利益	（	1,244,800 ）
	法人税、住民税及び事業税	（	390,000 ）
	当　期　純　利　益	（	854,800 ）
	非支配株主に帰属する当期純利益	（ Ⓑ	33,600 ）
	親会社株主に帰属する当期純利益	（	821,200 ）

連 結 貸 借 対 照 表

×4年3月31日　　（単位：千円）

現　金　預　金	（ 2,310,800 ）	買　　掛　　金	（	1,912,000 ）
売　　掛　　金	（ 2,670,000 ）	未 払 法 人 税 等	（	300,000 ）
貸 倒 引 当 金	（Ⓑ △ 53,400 ）	未　払　費　用	（	87,200 ）
商　　　　品	（Ⓐ 2,178,000 ）	借　　入　　金	（	1,280,000 ）
未　収　収　益	（ 79,400 ）	資　　本　　金	（Ⓐ	3,200,000 ）
貸　　付　　金	（ 420,000 ）	資　本　剰　余　金	（	300,000 ）
土　　　　地	（Ⓐ 1,304,800 ）	利　益　剰　余　金	（Ⓑ	1,727,840 ）
の　　れ　　ん	（Ⓐ 34,000 ）	非 支 配 株 主 持 分	（Ⓑ	136,560 ）
	（ 8,943,600 ）		（	8,943,600 ）

▨ 一つにつき2点を与える。合計20点。

❖ 解答への道

　本問では連結第3年度について問われていますが、連結株主資本等変動計算書については問われていないため、連結貸借対照表上の純資産項目で処理します。（以下、仕訳の金額の単位は千円）

Ⅰ．タイムテーブル（単位：千円）

	×1年3月末	×3年3月末	×4年3月末
P 社 持 分 割 合	90%	90%	90%
資　　本　　金	520,000	520,000	520,000
資 本 剰 余 金	130,000	130,000	130,000
利 益 剰 余 金	210,000 → 225,000[*4] / 25,000[*4] →	460,000[*3] → 306,000[*5] △72,000[*6] / 34,000[*5] △8,000[*6] →	720,000[*2]
非 支 配 株 主 持 分	86,000	111,000	137,000
の　　れ　　ん	40,000 △2,000[*1]×2	36,000 △2,000[*1]	34,000

* 1　40,000千円÷20年＝2,000千円
* 2　S社B/S欄より
* 3　×3年度末S社利益剰余金720,000千円－S社当期純利益340,000千円＋×3年度S社配当金80,000千円
　　　＝460,000千円
* 4　P　　　社　　　分：(×2年度末S社利益剰余金460,000千円－支配獲得時S社利益剰余金210,000千円)×90％＝225,000千円
　　　非支配株主持分：　　　　　　　　　　　　　　〃　　　　　　　　　　　　　　×10％＝ 25,000千円
* 5　P　　　社　　　分：S社当期純利益340,000千円×90％＝306,000千円
　　　非支配株主持分：　　　　　　〃　　　　　　　×10％＝ 34,000千円
* 6　P　　　社　　　分：×3年度S社配当金80,000千円×90％＝72,000千円
　　　非支配株主持分：　　　　　　〃　　　　　　　　×10％＝ 8,000千円

Ⅱ．連結修正仕訳

1 開始仕訳

　連結第3年度の連結決算日において連結財務諸表を作成する場合の開始仕訳は、前期までに行った連結修正仕訳を累積したものになります。

⑴　支配獲得時の仕訳（×1年3月31日）

　　P社の投資（S社株式）とS社の資本（純資産）を相殺消去します。投資と資本に差額が生じる場合（投資＞資本）はのれんとして処理します。なお、相殺消去するS社資本のうち10％は非支配株主持分とします。

(資　　本　　金)	520,000	(S　社　株　式)	814,000
(資 本 剰 余 金)	130,000	(非 支 配 株 主 持 分)	86,000[*1]
(利 益 剰 余 金)	210,000		
(の　　れ　　ん)	40,000[*2]		

* 1　非支配株主持分：(資本金520,000千円＋資本剰余金130,000千円＋利益剰余金210,000千円)×10％
　　　　　　　　　　＝86,000千円
* 2　のれん：S社株式814,000千円－(資本金520,000千円＋資本剰余金130,000千円＋利益剰余金210,000千円)×90％
　　　　　　＝40,000千円

(2) 過年度の仕訳（×2年3月31日および×3年3月31日）

① のれんの償却

のれんは、問題の指示により20年間で均等償却します。

| （利　益　剰　余　金） | 4,000* | （の　　れ　　ん） | 4,000 |

* 40,000千円÷20年＝2,000千円
2,000千円×2年＝4,000千円

② 子会社の当期純利益の振り替え

子会社の当期純利益のうち非支配株主に帰属する部分は、連結上の利益（利益剰余金）から控除し、非支配株主持分を増額させます。

| （利　益　剰　余　金） | 25,000* | （非　支　配　株　主　持　分） | 25,000 |

* （×2年度末S社利益剰余金460,000千円－支配獲得時S社利益剰余金210,000千円）×10％＝25,000千円

(3) ×3年度の開始仕訳（×4年3月31日） ← 上記(1)＋(2)

（資　　本　　金）	520,000	（S　社　株　式）	814,000
（資　本　剰　余　金）	130,000	（非　支　配　株　主　持　分）	111,000*3
（利　益　剰　余　金）	239,000*1		
（の　　れ　　ん）	36,000*2		

*1 利益剰余金：支配獲得時210,000千円＋のれん償却4,000千円
＋非支配株主に帰属する当期純利益25,000千円＝239,000千円
*2 のれん：40,000千円－4,000千円＝36,000千円
*3 非支配株主持分：86,000千円＋25,000千円＝111,000千円
※ 資本金：P社個別3,200,000千円＋S社個別520,000千円－520,000千円＝**3,200,000千円**
※ 資本剰余金：P社個別300,000千円＋S社個別130,000千円－130,000千円＝**300,000千円**

2 期中仕訳

(1) のれんの償却

| （の　れ　ん　償　却） | 2,000* | （の　　れ　　ん） | 2,000 |

* 40,000千円÷20年＝2,000千円
※ のれん：36,000千円－2,000千円＝**34,000千円**

(2) 子会社の当期純利益の振り替え

| （非支配株主に帰属する当期純利益） | 34,000* | （非　支　配　株　主　持　分） | 34,000 |

* S社当期純利益340,000千円×10％＝34,000千円

(3) 子会社の配当金の修正

S社の配当金のうち親会社に帰属する部分は受取配当金と相殺消去し、非支配株主に帰属する部分は非支配株主持分から減額します。

| （受　取　配　当　金） | 72,000*1 | （利　益　剰　余　金） | 80,000 |
| （非　支　配　株　主　持　分） | 8,000*2 | | |

*1 受取配当金：80,000千円×90％＝72,000千円
*2 非支配株主持分：80,000千円×10％＝8,000千円

(4) 売上高・売上原価の相殺消去

内部取引であるS社のP社に対する売上高とP社の仕入高（売上原価）を相殺消去します。

| （売　　上　　高） | 280,000 | （売　上　原　価） | 280,000 |

※ 売上高：P社個別8,440,800千円＋S社個別5,094,800千円－280,000千円＝**13,255,600千円**

(5) 期首商品と期末商品に含まれる未実現利益の消去（アップ・ストリーム）

① 期首商品の未実現利益の消去

連結会社相互間の取引によって取得した商品を買い手側が当期首に保有している場合には、期首商品に含まれている未実現利益を、当期において利益剰余金の減額という形で修正します。また、期首商品はすべて当期に販売されたものとして、売上原価を修正します。

| （利 益 剰 余 金） | 3,000* | （売 上 原 価） | 3,000 |

＊　P社期首商品のうちS社からの仕入分12,000千円×売上総利益率25％＝3,000千円

② 期首商品の非支配株主持分の調整

期首商品は当期に販売されたものとして修正した結果、売り手側であるS社の未実現利益が実現利益になることにより、S社の当期純利益が増加し、資本も増加します。したがって、未実現利益に非支配株主持分割合を乗じた分だけ、非支配株主に帰属する当期純利益を増額します。なお、相手勘定は利益剰余金にします。

| （非支配株主に帰属する当期純利益） | 300* | （利 益 剰 余 金） | 300 |

＊　3,000千円×10％＝300千円

③ 期末商品の未実現利益の消去

連結会社相互間の取引によって取得した商品を買い手側が当期末に保有している場合には、期末商品に含まれている未実現利益を消去するために、未実現利益の分だけ商品の価額を減らし、売上原価を修正します。

| （売 上 原 価） | 8,000* | （商 品） | 8,000 |

＊　P社期末商品のうちS社からの仕入分32,000千円×売上総利益率25％＝8,000千円

※　売上原価：P社個別5,984,000千円＋S社個別3,672,000千円－280,000千円－3,000千円
　　　　　　＋8,000千円＝**9,381,000千円**

※　商品：P社個別1,544,000千円＋S社個別642,000千円－8,000千円＝**2,178,000千円**

④ 期末商品の非支配株主持分の調整

売り手側であるS社の未実現利益を消去することにより、S社の当期純利益が減少し、資本も減少します。したがって、未実現利益に非支配株主持分割合を乗じた分だけ、非支配株主に帰属する当期純利益を減額し、非支配株主持分を修正します。

| （非 支 配 株 主 持 分） | 800 | （非支配株主に帰属する当期純利益） | 800* |

＊　8,000千円×10％＝800千円

(6) 売掛金・買掛金の相殺消去

| （買 掛 金） | 180,000 | （売 掛 金） | 180,000 |

※　売掛金：P社個別1,760,000千円＋S社個別1,090,000千円－180,000千円＝**2,670,000千円**

※　買掛金：P社個別1,290,000千円＋S社個別802,000千円－180,000千円＝**1,912,000千円**

(7) 貸倒引当金の調整（アップ・ストリーム）

内部取引から生じた連結会社相互間の債権・債務残高を相殺消去した場合には、相殺消去した債権に対して設定されている貸倒引当金を調整します。

① 前期の貸倒引当金の調整

前期の売上債権期末残高に対して設定した貸倒引当金を調整します。なお、相手勘定は利益剰余金にします。また、貸倒引当金の調整額に非支配株主持分割合を乗じた分だけ、利益剰余金を減額し、非支配株主持分を修正します。

| （貸 倒 引 当 金） | 2,600*1 | （利 益 剰 余 金） | 2,600 |
| （利 益 剰 余 金） | 260*2 | （非 支 配 株 主 持 分） | 260 |

＊1　貸倒引当金：S社のP社への売上債権前期末残高130,000千円×2％＝2,600千円
＊2　貸倒引当金の調整額2,600千円×10％＝260千円

② 当期の貸倒引当金の調整（差額補充法）

| （貸 倒 引 当 金） | 1,000 | （貸倒引当金繰入） | 1,000* |

* 貸倒引当金繰入額：（S社のP社への売上債権当期末残高180,000千円×2％）－2,600千円＝1,000千円
※ 販売費及び一般管理費：P社個別1,632,000千円＋S社個別844,800千円
　　　　　　　　　　　　＋のれん償却2,000千円－貸倒引当金繰入1,000千円＝**2,477,800千円**
※ 貸倒引当金：P社個別35,200千円＋S社個別21,800千円－2,600千円－1,000千円＝**53,400千円**

③ 非支配株主持分の調整

　S社の貸倒引当金を調整した場合、消去した貸倒引当金に係る貸倒引当金繰入額が取り消されるため、S社の当期純利益が増加し、資本も増加します。したがって、貸倒引当金の調整額に非支配株主持分割合を乗じた分だけ、非支配株主に帰属する当期純利益を増額し、非支配株主持分を修正します。

| （非支配株主に帰属する当期純利益） | 100* | （非 支 配 株 主 持 分） | 100 |

* 貸倒引当金の調整額1,000千円×10％＝100千円

(8) 貸付金・借入金の相殺消去

| （借 入 金） | 160,000 | （貸 付 金） | 160,000 |

※ 貸付金：P社個別380,000千円＋S社個別200,000千円－160,000千円＝**420,000千円**
※ 借入金：P社個別660,000千円＋S社個別780,000千円－160,000千円＝**1,280,000千円**

(9) 未収収益・未払費用の相殺消去

　連結会社相互間の貸付金・借入金に係る利息についての未収収益・未払費用は、相殺消去します。

| （未 払 費 用） | 800 | （未 収 収 益） | 800* |

* 未収収益：P社のS社への貸付金160,000千円×2％×$\frac{3か月}{12か月}$＝800千円

※ 未収収益：P社個別50,400千円＋S社個別29,800千円－800千円＝**79,400千円**
※ 未払費用：P社個別32,000千円＋S社個別56,000千円－800千円＝**87,200千円**

(10) 受取利息・支払利息の相殺消去

　連結会社相互間の貸付金・借入金に係る受取利息・支払利息は、相殺消去します。

| （受 取 利 息） | 800 | （支 払 利 息） | 800 |

※ 営業外収益：P社個別514,000千円＋S社個別267,200千円－受取配当金72,000千円
　　　　　　　－受取利息800千円＝**708,400千円**
※ 営業外費用：P社個別488,000千円＋S社個別374,000千円－支払利息800千円＝**861,200千円**

(11) 土地売却損の消去（ダウン・ストリーム）

　P社が計上したS社に対する土地売却損は未実現のため消去します。

| （土 地） | 4,800 | （土 地 売 却 損） | 4,800* |

* 未実現損失：P社の帳簿価額102,000千円－売却価額97,200千円＝4,800千円
※ 土地：P社個別800,000千円＋S社個別500,000千円＋4,800千円＝**1,304,800千円**
※ 特別損失：P社個別124,000千円＋S社個別87,200千円－土地売却損4,800千円＝**206,400千円**
※ 非支配株主に帰属する当期純利益：34,000千円＋300千円－800千円＋100千円＝**33,600千円**
※ 利益剰余金：P社個別1,274,000千円＋S社個別720,000千円－239,000千円－2,000千円
　　　　　　　－34,000千円－72,000千円＋80,000千円＋280,000千円－280,000千円
　　　　　　　＋3,000千円－3,000千円＋300千円－300千円－8,000千円＋800千円
　　　　　　　＋2,600千円－260千円＋1,000千円－100千円＋800千円－800千円
　　　　　　　＋4,800千円＝**1,727,840千円**
※ 非支配株主持分：111,000千円＋34,000千円－8,000千円－800千円＋260千円＋100千円
　　　　　　　　　＝**136,560千円**
　　　　　　　　　または、
　　　　　　　　　×4年3月末タイムテーブル137,000千円－800千円＋260千円＋100千円
　　　　　　　　　＝**136,560千円**

ここ重要!

■支配獲得日後の連結

1. 開始仕訳

2. のれんの償却

   問題文に与えられている償却年数にしたがって償却します。

3. 子会社の当期純損益の振り替え

   子会社の当期純損益のうち、非支配株主に帰属する部分を非支配株主持分（純資産）に振り替えます。

4. 子会社の配当金の修正

   親会社受取分：受取配当金を取り消します。

   非支配株主受取分：非支配株主持分（純資産）の減少として処理します。

5. 内部取引の消去

   親子会社間の取引を相殺消去します。

   ⇒債権・債務の相殺消去を行ったときは、貸倒引当金の調整も行います。

6. 未実現利益の消去

   ダウン・ストリーム（親⇒子）：親会社の負担で未実現利益を全額消去

   アップ・ストリーム（子⇒親）：子会社の負担で未実現利益を全額消去

   ⇒非支配株主持分割合分：非支配株主持分へ按分

Link

出題内容	合格テキスト 合格トレーニング	スッキリわかる	簿記の教科書 簿記の問題集
連　結　会　計	テーマ20 ～ 22	第18、19章	CHAPTER20 ～ 22

(1) 本店の「損益」勘定

損　　　　　　　益

日付		摘　要		金　額	日付		摘　要	金　額	
3	31	仕　　　入	B	20,853,600	3	31	売　　　上	42,720,000	
3	31	棚卸減耗損	A	72,000	3	31	受取配当金	312,000	
3	31	商品評価損	A	93,600	3	31	（支　　店）	983,400	B
3	31	支払家賃		7,656,000					
3	31	給　　　料		4,728,000					
3	31	広告宣伝費	A	4,896,000					
3	31	貸倒引当金繰入	A	33,000					
3	31	退職給付費用	A	30,000					
3	31	減価償却費	A	691,200					
3	31	支払利息		120,000					
3	31	（繰越利益剰余金）	B	4,842,000					
				44,015,400				44,015,400	

(2)「支店」勘定の次期繰越額：　　　B　6,575,400 円

　　　　　　一つにつき 2 点を与える。合計20点。

❖ 解答への道

　支店会計を独立させた場合、その決算手続きは、本店および支店のそれぞれの帳簿において、①未処理事項等、②決算整理事項、③決算振替を処理し、最後に本店において本支店合併財務諸表の作成という流れになります。

　なお、本問は「本店」の損益勘定の内容が問われているため、本店における未処理事項等および決算整理事項を中心に解答を進めると効率よく得点することができます。

　以下、本店および支店それぞれの決算整理仕訳等を示しますが、本店の仕訳は　　　　　　、支店の仕訳は　　　　　　の網掛けをしています。

I　未処理事項等

1 商品の振り替え：本店および支店

・本店

（支　　　　店）	792,000	（仕　　　　入）	792,000

・支店

（仕　　　　入）	792,000	（本　　　　店）	792,000

2 広告宣伝費の立替払いの誤処理：支店

・支店

① 誤った仕訳の逆仕訳

（本　　　　　店）	210,000	（広　告　宣　伝　費）	210,000

② 正しい仕訳

（広　告　宣　伝　費）	120,000	（本　　　　　店）	120,000

③ 訂正仕訳

上記①の誤った仕訳の逆仕訳と上記②の正しい仕訳を相殺します。

（本　　　　　店）	90,000	（広　告　宣　伝　費）	90,000

Ⅱ　決算整理事項

1 売上原価の算定および期末商品の評価：本店および支店

・本店

（仕　　　　　入）	1,968,000	（繰　越　商　品）	1,968,000
（繰　越　商　品）	2,318,400*1	（仕　　　　　入）	2,318,400
（棚　卸　減　耗　損）	72,000*2	（繰　越　商　品）	165,600
（商　品　評　価　損）	93,600*3		

＊1　期末商品帳簿棚卸高
　　　原価@120円×19,320個＝2,318,400円
＊2　棚卸減耗損
　　　原価@120円×（19,320個－18,720個）＝72,000円
＊3　商品評価損
　　　（原価@120円－評価額@30円）×1,040個＝93,600円

・支店

（仕　　　　　入）	1,008,000	（繰　越　商　品）	1,008,000
（繰　越　商　品）	1,518,000*1	（仕　　　　　入）	1,518,000
（棚　卸　減　耗　損）	141,600*2	（繰　越　商　品）	141,600

＊1　期末商品帳簿棚卸高
　　　原価@120円×12,650個＝1,518,000円
＊2　棚卸減耗損
　　　原価@120円×（12,650個－11,470個）＝141,600円

2 貸倒引当金の設定：本店および支店

売上債権（売掛金）の期末残高について、将来の貸倒れを見積もり、差額補充法により貸倒引当金を設定します。

・本店

（貸　倒　引　当　金　繰　入）	33,000*	（貸　倒　引　当　金）	33,000

＊　貸倒見積額：4,620,000円×3％＝138,600円
　　繰　入　額：138,600円－105,600円＝33,000円

・支店

（貸　倒　引　当　金　繰　入）	13,400*	（貸　倒　引　当　金）	13,400

＊　貸倒見積額：1,980,000円×3％＝59,400円
　　繰　入　額：59,400円－46,000円＝13,400円

3 退職給付引当金の設定：本店および支店

将来支払わなければならない退職給付のうち当期に負担させるべき金額を費用として計上します。

・本店

（退 職 給 付 費 用）	30,000	（退 職 給 付 引 当 金）	30,000

・支店

（退 職 給 付 費 用）	16,000	（退 職 給 付 引 当 金）	16,000

4 その他有価証券の時価評価：本店

その他有価証券は期末において、時価評価を行い、その評価差額を「**その他有価証券評価差額金**」として貸借対照表の純資産の部に計上します（全部純資産直入法）。なお、評価差額については税効果会計の対象となりますが、本問では考慮する必要はありません。

・本店

（その 他 有 価 証 券）	168,000	（その他有価証券評価差額金）	168,000*

＊ 評価差額：3,600,000円－3,432,000円＝168,000円（評価益）

5 備品の減価償却：本店および支店

備品について定率法（償却率40%）により減価償却を行います。

・本店

（減 価 償 却 費）	691,200*	（備品減価償却累計額）	691,200

＊ 減価償却費：（前Ｔ／Ｂ備品4,800,000円－前Ｔ／Ｂ備品減価償却累計額3,072,000円）×0.4＝691,200円

・支店

（減 価 償 却 費）	207,360*	（備品減価償却累計額）	207,360

＊ 減価償却費：（前Ｔ／Ｂ備品864,000円－前Ｔ／Ｂ備品減価償却累計額345,600円）×0.4＝207,360円

6 経過勘定項目：本店および支店

・本店

（給　　　　　料）	72,000	（未 払 費 用）	72,000
（前 払 費 用）	48,000	（広 告 宣 伝 費）	48,000

・支店

（給　　　　　料）	12,240	（未 払 費 用）	12,240
（前 払 費 用）	30,000	（支 払 家 賃）	30,000

決算整理後残高試算表を作成すると、以下のとおりです。

残 高 試 算 表

（単位：円）

借　　　方	本　店	支　店	貸　　　方	本　店	支　店
現 金 預 金	10,938,000	3,990,000	買 掛 金	3,948,400	898,000
売 掛 金	4,620,000	1,980,000	借 入 金	3,600,000	—
繰 越 商 品	2,152,800	1,376,400	未 払 費 用	72,000	12,240
前 払 費 用	48,000	30,000	貸 倒 引 当 金	138,600	59,400
備 品	4,800,000	864,000	退 職 給 付 引 当 金	302,000	142,400
その他有価証券	3,600,000	—	備品減価償却累計額	3,763,200	552,960
支 店	5,592,000	—	本 店	—	5,592,000
仕 入	20,853,600	9,678,000	資 本 金	12,000,000	—
棚 卸 減 耗 損	72,000	141,600	繰 越 利 益 剰 余 金	3,900,000	—
商 品 評 価 損	93,600	—	その他有価証券評価差額金	168,000	—
支 払 家 賃	7,656,000	966,000	売 上	42,720,000	13,920,000
給 料	4,728,000	1,560,240	受 取 配 当 金	312,000	—
広 告 宣 伝 費	4,896,000	354,000			
貸 倒 引 当 金 繰 入	33,000	13,400			
退 職 給 付 費 用	30,000	16,000			
減 価 償 却 費	691,200	207,360			
支 払 利 息	120,000	—			
	70,924,200	21,177,000		70,924,200	21,177,000

Ⅲ　当期純利益の算定：決算振替仕訳

1 支店

(1)　**収益の振り替え**

（売 上）	13,920,000	（損 益）	13,920,000

(2)　**費用の振り替え**

（損 益）	12,936,600	（仕 入）	9,678,000
		（棚 卸 減 耗 損）	141,600
		（支 払 家 賃）	966,000
		（給 料）	1,560,240
		（広 告 宣 伝 費）	354,000
		（貸 倒 引 当 金 繰 入）	13,400
		（退 職 給 付 費 用）	16,000
		（減 価 償 却 費）	207,360

(3)　**支店当期純利益の本店勘定への振り替え**

　　支店の損益勘定で算出された支店当期純利益は、本店勘定・支店勘定を経由して**本店の損益勘定**に振り替えます。

（損 益）	983,400	（本 店）	983,400

2 本店

(1) 収益の振り替え

(売 上)	42,720,000	(損 益)	43,032,000
(受 取 配 当 金)	312,000		

(2) 費用の振り替え

(損 益)	39,173,400	(仕 入)	20,853,600
		(棚 卸 減 耗 損)	72,000
		(商 品 評 価 損)	93,600
		(支 払 家 賃)	7,656,000
		(給 料)	4,728,000
		(広 告 宣 伝 費)	4,896,000
		(貸 倒 引 当 金 繰 入)	33,000
		(退 職 給 付 費 用)	30,000
		(減 価 償 却 費)	691,200
		(支 払 利 息)	120,000

(3) 支店当期純利益の計上

支店の損益勘定で算出された支店当期純利益を、本店勘定・支店勘定を経由して**本店の損益勘定**に計上します。

(支 店)	983,400	(損 益)	983,400

(4) 当期純利益の繰越利益剰余金勘定への振り替え

(損 益)	4,842,000	(繰 越 利 益 剰 余 金)	4,842,000

Ⅳ 支店勘定の次期繰越額

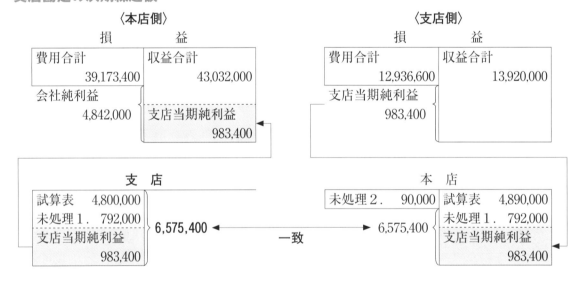

Link			
出題内容	合格テキスト 合格トレーニング	スッキリわかる	簿記の教科書 簿記の問題集
本 支 店 会 計	テーマ18	第17章	CHAPTER19

第4問 解答
(28点)

(1)

		借　方		貸　方	
		記　号	金　額	記　号	金　額
A	1	（ エ ）	20,700	（ カ ）	20,700
A	2	（ エ ）	1,013,000	（ カ ）	575,000
				（ ウ ）	438,000
A	3	（ ア ）	467,000	（ カ ）	467,000

(2)
問1

直接配賦法　　　　　　　　部　門　別　配　賦　表　　　　　　　（単位：円）

部　門　費	配賦基準	金　額	製造部門		補助部門	
			第1製造部門	第2製造部門	修繕部門	動力部門
部門費合計		19,440,000	8,064,000	6,840,000	3,240,000	1,296,000
修繕部門費	修繕回数		1,296,000	1,944,000		
動力部門費	動力消費量		576,000	720,000		
製造部門費		19,440,000	A 9,936,000	9,504,000		
予定配賦率		—	4,140	A 4,950		

問2

第1製造部門費

実際発生額	780,000	予定配賦額	（ A 745,200 ）
		原価差異	（ 34,800 ）

第2製造部門費

実際発生額	（ A 747,000 ）	予定配賦額	（ 752,400 ）
原価差異	5,400		

問3　予算差異　48,000　円（ 貸方 ）　B

　　　操業度差異　82,800　円（ 借方 ）

(1) 仕訳一組につき4点、(2) 　　　一つにつき4点、　　　一つにつき2点を与える。合計28点。

❖ 解答への道

(1) 仕訳問題

1 材料の消費価格差異の計上

材料の予定消費高と、実際消費高の差額を原価差異として計上します。原価差異は実際消費価格と予定消費価格の差から生じたものなので、全額が消費価格差異として計上されます。

解答	（材　料）	20,700	（原　価　差　異）	20,700*

* @120円×2,550kg－｛@125円×320kg＋@110円×(2,550kg－320kg)｝＝20,700円（貸方差異）

2 製造部門費の予定配賦（部門別計算）

製造間接費を部門別に予定配賦する場合、製造部門ごとに製造部門費予算および基準操業度を設定し、予定配賦率を算定します。これに当月の実際操業度を乗じて予定配賦額を算出し、製造部門費として各製品に配賦します。製造部門費を予定配賦したときは、予定配賦額を各製造部門の勘定から仕掛品勘定に振り替えます。

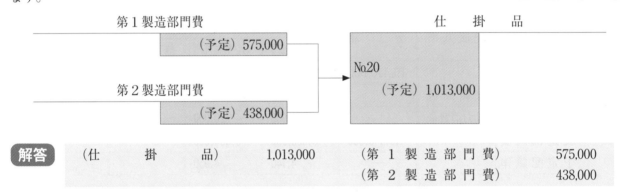

解答	（仕　掛　品）	1,013,000	（第　1　製　造　部　門　費）	575,000
			（第　2　製　造　部　門　費）	438,000

3 本社工場会計（本社側の仕訳）

本社工場会計では、本社側に設定されている勘定科目と工場側に設定されている勘定科目を把握してから仕訳します。

仮に工場会計を独立させていない場合は次のような仕訳となります。

（製　造　間　接　費）	467,000	（現　金）	467,000

X社では本社会計から工場会計が独立し、支払いはすべて本社が行い、製造間接費勘定は工場側に設定されているため、工場側の仕訳と本社側の仕訳は次のようになります。

① 工場側の仕訳

（製　造　間　接　費）	467,000	（本　社）	467,000

② 本社側の仕訳

解答	（工　場）	467,000	（現　金）	467,000

Link

出題内容	合格テキスト 合格トレーニング	スッキリわかる	簿記の教科書 簿記の問題集
費　目　別　計　算	テーマ03、04、07	第2、4章	CHAPTER02、04
部　門　別　原　価　計　算	テーマ10、11	第6章	CHAPTER06
本　社　工　場　会　計	テーマ22	第11章	CHAPTER11

⑵ 部門別個別原価計算

問1　予算部門別配賦表の作成

1 製造部門費年間予算額の計算

資料1に各部門費の集計額が示されているため、補助部門費の配賦を直接配賦法により行い、各製造部門の年間予算額を求めます。直接配賦法は、補助部門相互間の用役提供を無視して、製造部門に対してのみ配賦を行います。資料3の用役提供割合を用いて配賦計算を行います。

① 補助部門費の配賦計算（直接配賦法）

修繕部門費

第1製造部門：$3,240,000円 \times \dfrac{4回}{4回 + 6回} = $ **1,296,000円**

第2製造部門：$3,240,000円 \times \dfrac{6回}{4回 + 6回} = $ **1,944,000円**

動力部門費

第1製造部門：$1,296,000円 \times \dfrac{1,200kwh}{1,200kwh + 1,500kwh} = $ **576,000円**

第2製造部門：$1,296,000円 \times \dfrac{1,500kwh}{1,200kwh + 1,500kwh} = $ **720,000円**

② 製造部門費年間予算額

第1製造部門：8,064,000円 + 1,296,000円（修繕）+ 576,000円（動力）= **9,936,000円**

第2製造部門：6,840,000円 + 1,944,000円（修繕）+ 720,000円（動力）= **9,504,000円**

ここ重要!

■補助部門費の配賦方法

名　称	内　容
直 接 配 賦 法	補助部門間のサービスのやりとりを計算上無視し、補助部門費を製造部門のみに配賦する方法
相 互 配 賦 法	補助部門間のサービスのやりとりを計算上でも考慮し、補助部門費を製造部門と補助部門に配賦する方法

2 予定配賦率の計算

年間予算額を配賦基準数値（年間予定直接作業時間）で除して予定配賦率を計算します。

第1製造部門：9,936,000円 ÷ 2,400時間 = **4,140円/時間**

第2製造部門：9,504,000円 ÷ 1,920時間 = **4,950円/時間**

直接配賦法　　　　　　　　　　部　門　別　配　賦　表　　　　　　　（単位：円）

部　門　費	配賦基準	金　　額	製造部門		補助部門	
			第1製造部門	第2製造部門	修繕部門	動力部門
部 門 費 合 計		19,440,000	8,064,000	6,840,000	3,240,000	1,296,000
修 繕 部 門 費	修繕回数		1,296,000	1,944,000		
動 力 部 門 費	動力消費量		576,000	720,000		
製 造 部 門 費		19,440,000	9,936,000	9,504,000		
予 定 配 賦 率		—	4,140	4,950		

ここ重要!

■製造間接費の予定配賦

①予定配賦率の決定

$$予定配賦率＝\frac{1年間の予定製造間接費（製造間接費予算）}{1年間の予定配賦基準数値（基準操業度）}$$

②予定配賦額の計算

$$予定配賦額＝予定配賦率×実際配賦基準数値$$

問2　勘定記入

　各製造部門費勘定の借方に当月の実際発生額を、貸方に予定配賦額を記入し、貸借差額を原価差異とします。なお、本問では予定配賦額を予定配賦率に当月実際直接作業時間を乗じて計算し（貸方に記入）、他は貸借差額により求めます。

1 第1製造部門

　予定配賦額：4,140円/時間×(150時間＋30時間)＝**745,200円**

　原価差異：745,200円－実際発生額780,000円＝**△34,800円（借方差異）**

2 第2製造部門

　予定配賦額：4,950円/時間×(130時間＋22時間)＝**752,400円**

　実際発生額：752,400円－原価差異(貸方差異)5,400円＝**747,000円**

問3　第1製造部門の原価差異分析

本問では、予算に関する資料が変動費と固定費に分けられていないため、「固定予算」により予算差異と操業度差異に分析します。

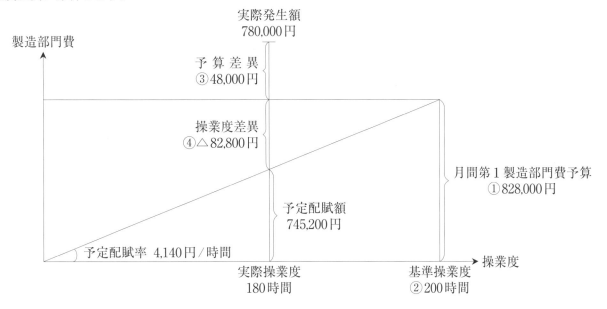

① 月間第1製造部門費予算：第1製造部門の年間予算額9,936,000円÷12か月＝828,000円
② 月間基準操業度：第1製造部門の予定直接作業時間（年間）2,400時間÷12か月＝200時間
③ 予算差異：月間第1製造部門費予算828,000円－実際発生額780,000円＝**＋48,000円（貸方差異）**
④ 操業度差異：予定配賦率4,140円/時間×（実際操業度180時間－基準操業度200時間）
　　　　　　＝**△82,800円（借方差異）**

Link

出題内容	合格テキスト 合格トレーニング	スッキリわかる	簿記の教科書 簿記の問題集
部門別個別原価計算	テーマ10、11	第6章	CHAPTER06

 解答

① 　Ⓐ　　　60

② 　Ⓐ　2,700,000

③ 　Ⓐ　3,000,000

④ 　Ⓐ　　540,000

⑤ 　Ⓐ　　　90

⑥ 　Ⓑ　　　4

████ 一つにつき2点を与える。合計12点。

❖ 解答への道

1 直接原価計算方式の損益計算書の作成

直接原価計算による月次損益計算書

（単位：円）

売　　上　　高		3,600,000
変　　動　　費		
食　材　費	1,120,000	
製　造　間　接　費	320,000	（　1,440,000）
貢　献　利　益		（　2,160,000）
固　　定　　費		
労　　務　　費	1,290,000	
支　払　家　賃	217,800	
一　般　管　理　費	112,200	（　1,620,000）
営　業　利　益		（　　540,000）

2 貢献利益率の計算

（1）変動費率の計算

　　損益分岐点の計算で用いるため、変動費率を求めます。

　　変動費合計（食材費1,120,000円＋製造間接費320,000円）÷売上高3,600,000円×100＝40％

（2）貢献利益率の計算

　　貢献利益（売上高3,600,000円－変動費合計1,440,000円）÷売上高3,600,000円×100＝**60％** … ①

230

3 損益分岐点の売上高の計算

損益分岐点売上高とは**営業利益がゼロとなる場合の売上高**をいいます。したがって、損益計算書の営業利益を０円とおけば損益分岐点売上高を求めることができます。売上高を「Ｓ」とおいて直接原価計算方式による損益計算書を作成し計算します。

直接原価計算による月次損益計算書 （単位：円）

売	上	高			S
変	動	費			0.4 S
	貢 献	利	益		0.6 S
固	定	費			1,620,000
	営 業	利	益		0.6 S − 1,620,000

$$0.6\,S - 1,620,000 円 = 0 円$$
$$0.6\,S = 1,620,000 円$$
$$\therefore S = 2,700,000 円 \cdots ②$$

ここ重要！

■損益分岐点売上高

損益分岐点売上高とは、営業利益がゼロになる売上高です。

$$損益分岐点売上高 = \frac{固定費}{貢献利益率}$$

---

4 目標営業利益を達成するための売上高の計算

損益計算書の**営業利益を180,000円**とおけば、目標営業利益を達成するための売上高を求めることができます。売上高を「Ｓ」とおいて、直接原価計算方式による損益計算書を作成し計算します。

直接原価計算による月次損益計算書 （単位：円）

売	上	高			S
変	動	費			0.4 S
	貢 献	利	益		0.6 S
固	定	費			1,620,000
	営 業	利	益		0.6 S − 1,620,000

$$0.6\,S - 1,620,000 円 = 180,000 円$$
$$0.6\,S = 180,000 円 + 1,620,000 円$$
$$\therefore S = 3,000,000 円 \cdots ③$$

5 変動費・固定費組み替え後の固定費合計額

1,620,000円（変動費・固定費組替前固定費合計）−1,080,000円（アルバイトに対する労務費）
＝**540,000円**（変動費・固定費組替後固定費合計）… ④

6 変動費・固定費の組み替え後の営業利益の計算

売上高の減少を仮定すると、S社の売上高、変動費は次のようになります。

5％減少後の売上高：3月の売上高3,600,000円×（1－減少割合5％）＝3,420,000円

S社の変動費率：変動費合計(1,440,000円＋1,080,000円)÷売上高3,600,000円×100＝70％

売上高減少後の変動費：5％減少後の売上高3,420,000円×変動費率70％＝2,394,000円

計算した売上高、変動費をもとに、直接原価計算方式による月次損益計算書を作成し、月間営業利益を計算します。

直接原価計算による月次損益計算書　（単位：円）

売　　　上　　　高	3,420,000
変　　　動　　　費	2,394,000
貢　献　利　益	1,026,000*1
固　　　定　　　費	540,000
営　業　利　益	486,000*2

* 1　3,420,000円－2,394,000円＝1,026,000円
* 2　1,026,000円－540,000円＝486,000円

S社の売上高減少後の営業利益の割合：（486,000円÷540,000円）×100＝**90％** … ⑤

経営レバレッジ係数は、固定費の利用を測定する指標であり、貢献利益を営業利益で除した数値となります。

従来の経営レバレッジ係数＝2,160,000円÷540,000円＝**4** … ⑥

Link

出題内容	合格テキスト 合格トレーニング	スッキリわかる	簿記の教科書 簿記の問題集
直接原価計算・CVP分析	テーマ20、21	第13章	CHAPTER13

MEMO

2024年度試験をあてるＴＡＣ予想模試＋解き方テキスト
日商簿記２級　９～12月試験対応

2024年8月26日　初　版　第1刷発行

編　著　者	Ｔ Ａ Ｃ 株 式 会 社	
	（簿記検定講座）	
発　行　者	多　田　敏　男	
発　行　所	ＴＡＣ株式会社　出版事業部	
	（ＴＡＣ出版）	

〒101-8383
東京都千代田区神田三崎町3-2-18
電 話 03（5276）9492（営業）
FAX 03（5276）9674
https://shuppan.tac-school.co.jp

組　　　版	朝日メディアインターナショナル株式会社
印　　　刷	株 式 会 社　ワ　　コ　　ー
製　　　本	東 京 美 術 紙 工 協 業 組 合

©TAC 2024　　　Printed in Japan

ISBN 978-4-300-10846-8
N.D.C. 336

簿記検定講座のご案内　　資格の学校 TAC

2024年度中期
（2024年11月）
統一試験含む

日商簿記 2級対策

直前対策/オプション講座

👆 ネット試験・統一試験 両方に対応！

最新の試験傾向対応！

ネット試験・統一試験前の総まとめ！
受験の1ヵ月前からスタート！

（通学）📺 教室講座　📺 ビデオブース講座　（通信）💻 Web通信講座　📀 DVD通信講座

2級直前対策（全8回）　統一・ネット試験対策

カリキュラム → 2級総まとめ 講義演習 **全3回** → ネット試験対応 プログラム付！ 2級プレ答練 **1回** → 2級解法力 完成答練 **全4回** → 2級本試験 → 合格！

直前対策の詳細は こちら
TAC簿記 直前対策　検索 🔍

オプション講座で独学では足りない部分をしっかり補強！

＼ネット試験受験直前の方にオススメ！／　　＼簿記2級対策特別セミナー！／　　＼アウトプットトレーニング前に 解法テクニックを身につける！／

ネット試験（CBT試験）の テクニック・コツを伝授！

2級苦手論点筆頭の 「連結会計」を あっさり克服！

試験の傾向と対策を解説！
🪑 ネット試験模擬プログラム付

2級ネット試験対策 セミナー
全1回

目からウロコの 連結会計
全2回

2級解法テクニック 講義
全4回

💻 Web通信講座　詳細はコチラ▶

💻 Web通信講座　詳細はコチラ▶

💻 Web通信講座
📀 DVD通信講座　詳細はコチラ▶

直前対策・オプション講座
案内書のご請求・お問い合わせは

通話無料 ゴウカク イイナ
0120-509-117
月〜金 10:00〜19:00／土日祝 10:00〜17:00
※営業時間短縮の場合がございます。詳細はHPでご確認ください。

ホームページは コチラ▶

日商簿記 ③級 ②級 ネット試験の受験なら資格の学校 TACテストセンターでの受験をおススメします!

資格の学校TACの校舎は「CBTテストセンター」を併設しており、日商簿記検定試験のネット試験をはじめ、各種CBT試験を受験することができます。

ご存じの通り、TACの校舎は全国主要都市にあり、どの校舎も公共交通機関の駅などからも近く、アクセスが非常に容易です。またTACはテストセンター設置にあたり、「3つのコダワリ」をもち、皆さんが受験に集中できる会場をご提供しております。特にコンピューターブースについては、受験者が試験問題に集中して向き合えるよう、配慮して設置しています。

TACのコンピューターブースなら受験に集中できます!

TACのコンピューターブース

3つのコダワリ

1. 明るく清潔で安心感がある会場

2. 静かで周囲が気にならないコンピューターブース

3. メモなども取りやすい余裕のデスクスペース

前方と左右は、厚さ約5cm超のパーテーションで仕切られているので、周囲を気にすることなく、試験に集中できます。

最良の受験環境のなかであれば、皆さんが身につけた実力をいかんなく発揮できるとTACは確信しています。だからこそ、日商簿記ネット試験の受験なら、断然、資格の学校TACテストセンターでの受験をおススメします。

TACテストセンターでの受験は、日商簿記ネット試験の受験申込手続時に、TACの校舎をご選択いただくだけです。

ぜひお近くのTACテストセンターをご利用ください!

現在は両隣の座席を空き席とすることで、試験中もソーシャルディスタンスを確保しています。

5cm

パーテーションは床までのもので、ぐらついたりしないようしっかり固定されているので安心です。

座席は長時間座っても疲れが少ない、オフィス用チェアを使用しています。

デスクの幅は約1メートル、なにより奥行きがあるので、試験中に電卓や計算用紙、メモなどを使うシチュエーションでも楽々です。

1m

全国のTACテストセンターのご案内

現在、TACのテストセンターは以下の校舎に設置され、受験環境が整った「受験に集中できる会場」が増えています。

●札幌校	●仙台校	●水道橋校★	●早稲田校★	●新宿校★	●渋谷校★
●池袋校	●八重洲校	●立川校	●中大駅前校★	●町田校	●横浜校
●大宮校	●津田沼校	●名古屋校★	●京都校	●梅田校★	●なんば校
●神戸校	●広島校	●福岡校★			

※日商簿記試験の受験申込手続等につきましては、日本商工会議所の「商工会議所の検定試験」ページをご参照ください。
※定員に達するなどといった事情により、希望校舎での受験ができない場合がございます。あらかじめご了承ください。
※★の印がついている校舎では現在、日商簿記試験は実施しておりません。あらかじめご了承ください。

札幌校
仙台校
大宮校
津田沼校
京都校
水道橋校
新宿校
早稲田校
広島校
池袋校
渋谷校
福岡校
横浜校
八重洲校
日吉校
立川校
神戸校
名古屋校
中大駅前校
町田校
梅田校
なんば校

会計業界への就職・転職支援サービス

TPB

TACの100%出資子会社であるTACプロフェッションバンク（TPB）は、会計・税務分野に特化した転職エージェントです。
勉強された知識とご希望に合ったお仕事を一緒に探しませんか？ 相談だけでも大歓迎です！ どうぞお気軽にご利用ください。

人材コンサルタントが無料でサポート

Step1 相談受付
完全予約制です。
HPからご登録いただくか、
各オフィスまでお電話ください。

Step2 面談
ご経験やご希望をお聞かせください。
あなたの将来について一緒に考えましょう。

Step3 情報提供
ご希望に適うお仕事があれば、その場でご紹介します。強制はいたしませんのでご安心ください。

正社員で働く

- 安定した収入を得たい
- キャリアプランについて相談したい
- 面接日程や入社時期などの調整をしてほしい
- 今就職すべきか、勉強を優先すべきか迷っている
- 職場の雰囲気など、求人票でわからない情報がほしい

キャリアUP　資格有

TACキャリアエージェント

https://tacnavi.com/

派遣で働く（関東のみ）

- 勉強を優先して働きたい
- 将来のために実務経験を積んでおきたい
- まずは色々な職場や職種を経験したい
- 家庭との両立を第一に考えたい
- 就業環境を確認してから正社員で働きたい

子育中　勉強中

TACの経理・会計派遣

https://tacnavi.com/haken/

※ご経験やご希望内容によってはご支援が難しい場合がございます。予めご了承ください。　※面談時間は原則お一人様30分とさせていただきます。

自分のペースでじっくりチョイス

正社員 アルバイトで働く

- 自分の好きなタイミングで就職活動をしたい
- どんな求人案件があるのか見たい
- 企業からのスカウトを待ちたい
- WEB上で応募管理をしたい

Webで

TACキャリアナビ

https://tacnavi.com/kyujin/

就職・転職・派遣就労の強制は一切いたしません。会計業界への就職・転職を希望される方への無料支援サービスです。どうぞお気軽にお問い合わせください。

 TACプロフェッションバンク

■ 有料職業紹介事業 許可番号13-ユ-010678　■ 一般労働者派遣事業 許可番号（派）13-010932
■ 特定募集情報等提供事業 届出受理番号51-募-000541

東京オフィス
〒101-0051
東京都千代田区神田神保町 1-103
東京パークタワー 2F
TEL.03-3518-6775

大阪オフィス
〒530-0013
大阪府大阪市北区茶屋町 6-20
吉田茶屋町ビル 5F
TEL.06-6371-5851

名古屋 登録会場
〒453-0014
愛知県名古屋市中村区則武 1-1-7
NEWNO 名古屋駅西 8F
TEL.0120-757-655

プライバシー
10860572

TAC出版 書籍のご案内

TAC出版では、資格の学校TAC各講座の定評ある執筆陣による資格試験の参考書をはじめ、資格取得者の開業法や仕事術、実務書、ビジネス書、一般書などを発行しています！

TAC出版の書籍

*一部書籍は、早稲田経営出版のブランドにて刊行しております。

資格・検定試験の受験対策書籍

- ◎日商簿記検定
- ◎建設業経理士
- ◎全経簿記上級
- ◎税　理　士
- ◎公認会計士
- ◎社会保険労務士
- ◎中小企業診断士
- ◎証券アナリスト

- ◎ファイナンシャルプランナー(FP)
- ◎証券外務員
- ◎貸金業務取扱主任者
- ◎不動産鑑定士
- ◎宅地建物取引士
- ◎賃貸不動産経営管理士
- ◎マンション管理士
- ◎管理業務主任者

- ◎司法書士
- ◎行政書士
- ◎司法試験
- ◎弁理士
- ◎公務員試験(大卒程度・高卒者)
- ◎情報処理試験
- ◎介護福祉士
- ◎ケアマネジャー
- ◎電験三種　ほか

実務書・ビジネス書

- ◎会計実務、税法、税務、経理
- ◎総務、労務、人事
- ◎ビジネススキル、マナー、就職、自己啓発
- ◎資格取得者の開業法、仕事術、営業術

一般書・エンタメ書

- ◎ファッション
- ◎エッセイ、レシピ
- ◎スポーツ
- ◎旅行ガイド (おとな旅プレミアム/旅コン)

日商簿記検定試験対策書籍のご案内

TAC出版の日商簿記検定試験対策書籍は、学習の各段階に対応していますので、あなたの
ステップに応じて、合格に向けてご活用ください！

3タイプのインプット教材

①

**簿記を専門的な知識に
していきたい方向け**

● **満点合格を目指し
次の級への土台を築く**

「合格テキスト」

「合格トレーニング」

● 大判のB5判、3級〜1級累計300万部超の、信頼の定番テキスト＆トレーニング！
TACの教室でも使用している公式テキストです。3級のみオールカラー。
● 出題論点はすべて網羅しているので、簿記をきちんと学んでいきたい方にぴったりです！
◆3級　□2級 商簿、2級 工簿　■1級 商・会 各3点、1級 工・原 各3点

②

**スタンダードにメリハリ
つけて学びたい方向け**

● **教室講義のような
わかりやすさでしっかり学べる**

「簿記の教科書」

「簿記の問題集」　　　　　　　　　　　　　滝澤 ななみ 著

● A5判、4色オールカラーのテキスト（2級・3級のみ）＆模擬試験つき問題集！
● 豊富な図解と実例つきのわかりやすい説明で、もうモヤモヤしない！！
◆3級　□2級 商簿、2級 工簿　■1級 商・会 各3点、1級 工・原 各3点

③

**気軽に始めて、早く全体像を
つかみたい方向け**

● **初学者でも楽しく続けられる！**

「スッキリわかる」

テキスト／問題集一体型

滝澤 ななみ 著（1級は商・会のみ）

● 小型のA5判（4色オールカラー）によるテキスト
／問題集一体型。これ一冊でOKの、圧倒的に
人気の教材です。
● 豊富なイラストとわかりやすいレイアウト！か
わいいキャラの「ゴエモン」と一緒に楽しく学
べます。

◆3級　□2級 商簿、2級 工簿
■1級 商・会 4点、1級 工・原 4点

「スッキリうかる本試験予想問題集」

滝澤 ななみ 監修　TAC出版開発グループ 編著

● 本試験タイプの予想問題9回分を掲載
◆3級　□2級

TAC出版

コンセプト問題集

● 得点力をつける!

『みんなが欲しかった! やさしすぎる解き方の本』

B5判　滝澤 ななみ 著

● 授業で解き方を教わっているような新感覚問題集。再受験にも有効。

◆3級　□2級

本試験対策問題集

● 本試験タイプの
問題集

『合格するための
本試験問題集』

（1級は過去問題集）

B5判

● 12回分（1級は14回分）の問題を収載。
ていねいな「解答への道」、各問対策が
充実

● 年2回刊行。

◆3級　□2級　■1級

● 知識のヌケを
なくす!

『まるっと
完全予想問題集』

（1級は網羅型完全予想問題集）

A4判

● オリジナル予想問題（3級10回分、2級12回分、
1級8回分）で本試験の重要出題パターンを網羅。

● 実力養成にも直前の本試験対策にも有効。

◆3級　□2級　■1級

直前予想

『○年度試験をあてる
TAC予想模試
＋解き方テキスト
○～○月試験対応』

（1級は第○回試験をあてるTAC直前予想模試）

A4判

● TAC講師陣による4回分の予想問題で最終仕上げ。

● 2級・3級は、第1部解き方テキスト編、第2部予想模試編
の2部構成。

● 年3回（1級は年2回）、各試験に向けて発行します。

◆3級　□2級　■1級

あなたに合った合格メソッドをもう一冊!

仕訳 『究極の仕訳集』
B6変型判
● 悩む仕訳をスッキリ整理。ハンディサイズ、
一問一答式で基本の仕訳を一気に覚える。
◆3級　□2級

仕訳 『究極の計算と仕訳集』
B6変型判　境 浩一朗 著
● 1級商会で覚えるべき計算と仕訳がすべて
つまった1冊!
■1級 商・会

理論 『究極の会計学理論集』
B6変型判
● 会計学の理論問題を論点別に整理、手軽
なサイズが便利です。
■1級 商・会、全経上級

電卓 『カンタン電卓操作術』
A5変型判　TAC電卓研究会 編
● 実践的な電卓の操作方法について、丁寧
に説明します!

：ネット試験の演習ができる模擬試験プログラムつき（2級・3級）

：スマホで使える仕訳Webアプリつき（2級・3級）

・2024年2月現在　・刊行内容、表紙等は変更することがあります　・とくに記述がある商品以外は、TAC簿記検定講座編です

書籍の正誤に関するご確認とお問合せについて

書籍の記載内容に誤りではないかと思われる箇所がございましたら、以下の手順にてご確認とお問合せをしてくださいますよう、お願い申し上げます。

なお、正誤のお問合せ以外の**書籍内容に関する解説および受験指導などは、一切行っておりません。**
そのようなお問合せにつきましては、お答えいたしかねますので、あらかじめご了承ください。

「Cyber Book Store」にて正誤表を確認する

TAC出版書籍販売サイト「Cyber Book Store」の
トップページ内「正誤表」コーナーにて、正誤表をご確認ください。

URL：https://bookstore.tac-school.co.jp/

2 1の正誤表がない、あるいは正誤表に該当箇所の記載がない
⇒ 下記①、②のどちらかの方法で文書にて問合せをする

★ご注意ください★

お電話でのお問合せは、お受けいたしません。
①、②のどちらの方法でも、お問合せの際には、「お名前」とともに、
「対象の書籍名（○級・第○回対策も含む）およびその版数（第○版・○○年度版など）」
「お問合せ該当箇所の頁数と行数」
「誤りと思われる記載」
「正しいとお考えになる記載とその根拠」
を明記してください。
なお、回答までに1週間前後を要する場合もございます。あらかじめご了承ください。

① ウェブページ「Cyber Book Store」内の「お問合せフォーム」より問合せをする

【お問合せフォームアドレス】

https://bookstore.tac-school.co.jp/inquiry/

② メールにより問合せをする

【メール宛先　TAC出版】

syuppan-h@tac-school.co.jp

※土日祝日はお問合せ対応をおこなっておりません。
※正誤のお問合せ対応は、該当書籍の改訂版刊行月末日までといたします。

乱丁・落丁による交換は、該当書籍の改訂版刊行月末日までといたします。なお、書籍の在庫状況等により、お受けできない場合もございます。
また、各種本試験の実施の延期、中止を理由とした本書の返品はお受けいたしません。返金もいたしかねますので、あらかじめご了承くださいますようお願い申し上げます。

（2022年7月現在）

TAC予想模試

別 冊

問題・答案用紙
計算用紙

※ 使い方は中面をご覧ください

TAC出版

問題・答案用紙の使い方

この冊子には、問題・答案用紙と計算用紙がとじ込まれています。下記を参考に、第1回から第4回の問題・答案用紙と計算用紙に分けてご利用ください。

STEP1

一番外側の色紙を残して、
問題・答案用紙と計算用紙の冊子を
取り外してください。

冊子を取り外す

STEP2

取り外した冊子を開いて真ん中にあるホチキスの針を、定規やホチキスの針外し（ステープルリムーバーなど）を利用して取り外してください。

ホチキスの針を引き起こして

ホチキスの針を2つとも外す

STEP3

第1回から第4回に分ければ準備完了です。計算用紙は真ん中にまとめて入っています。

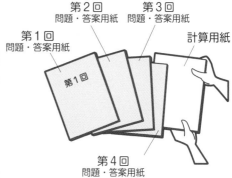

第1回 問題・答案用紙
第2回 問題・答案用紙
第3回 問題・答案用紙
計算用紙
第4回 問題・答案用紙

● 問題・答案用紙の取り外し動画公開中！
アクセス方法は9ページを参照してください。
● 作業中のケガには十分お気をつけください。
● 取り外しの際の損傷についてのお取り替えはご遠慮願います。

答案用紙はダウンロードもご利用いただけます。
TAC出版書籍販売サイト、サイバーブックストアにアクセスしてください。

| TAC出版 | 検索 ➤ |

受験番号 _____

氏名 _____

生年月日 ___ . ___ . ___

2級

日商簿記検定試験対策

2024年度試験をあてる　TAC予想模試

（2024年9〜12月試験対応）

問題・答案用紙

（制限時間　90分）

第1回

TAC 簿記検定講座

受験者への注意事項

1．答えは、指示に従い定められたところに、誤字・脱字のないよう、ていねいに書いてください。

2．答案の記入にあたっては、黒鉛筆または黒シャープペンシルを使用してください。

3．問題および答案用紙の余白は計算用紙として使用できますが、解答欄にかからないように注意してください。

4．仕訳問題を解答する際の注意事項

　　仕訳問題の解答にあたっては、勘定科目の使用は、借方・貸方の中でそれぞれ1回ずつとしてください（各設問で、同じ勘定科目を借方・貸方の中で2回以上使用すると、不正解となります）。

　（例）　（仕　入）　10,000　（現　金）　2,000
　　　　　　　　　　　　　　　（買掛金）　8,000

　　　ア．現金　イ．買掛金　ウ．仕入

〈正解〉

	借　方		貸　方	
	記　号	金　額	記　号	金　額
1	（　ウ　）	10,000	（　ア　）	2,000
	（　　　）		（　イ　）	8,000

〈不正解〉

	借　方		貸　方	
	記　号	金　額	記　号	金　額
1	（　ウ　）	2,000	（　ア　）	2,000
	（　ウ　）	8,000	（　イ　）	8,000

同じ勘定科目を借方で2回使用しているため不正解

商 業 簿 記

第1問

下記の各取引について仕訳しなさい。ただし、勘定科目は、設問ごとに最も適当と思われるものを選び、答案用紙の（　　　）の中に記号で解答すること。

1．新株式5,000株（1株の払込金額は￥18,000）を発行して増資を行うことになり、払い込まれた4,700株分の払込金を別段預金に預け入れていたが、本日、株式の払込期日となったため、払込金を資本金に充当し、別段預金を当座預金に預け替えた。なお、資本金には会社法が規定する最低額を組み入れることとする。

 ア．現金   イ．当座預金   ウ．別段預金   エ．資本金

 オ．利益準備金   カ．資本準備金   キ．株式申込証拠金 ク．前受金

2．顧客に対するサービス提供が完了したため、契約額￥3,600,000を収益に計上する。なお、これに伴う費用￥2,200,000は仕掛品に計上されているが、収益の計上に伴い原価に計上する。

 ア．売掛金   イ．未収収益   ウ．買掛金   エ．仕掛品

 オ．役務原価   カ．未払費用   キ．役務収益   ク．前受収益

3．建物の改修工事が終了し、工事代金の残額について小切手を振り出して支払った。契約にもとづく工事代金の総額は￥11,040,000であり、うち￥8,520,000をすでに支払っている。また、全支出額のうち￥2,580,000は定期修繕の費用と認められ、この修繕については前期末に￥2,520,000の修繕引当金を設定している。なお、借方、貸方の同じ勘定科目は相殺して解答すること。

 ア．当座預金   イ．前払金   ウ．建設仮勘定   エ．建物

 オ．修繕費   カ．修繕引当金   キ．未払金   ク．支払手形

4．×5年10月20日に所有する社債（額面総額：￥10,000,000、発行日：×1年4月1日、利率：年7.3%、利払日：9月末と3月末の年2回、償還期間：5年）を額面@￥100につき@￥99.2の価額（裸相場）で売却した。代金は端数利息を含めて所定の営業日内に普通預金口座に振り込まれることになっている。なお、この社債は、短期売買の目的で×5年9月5日に額面@￥100につき@￥99.0の価額（裸相場）で購入したものである。また、端数利息は前利払日の翌日から売却日当日までの期間とし、1年を365日として日割り計算する。

 ア．支払利息   イ．未収入金   ウ．売買目的有価証券 エ．その他有価証券

 オ．有価証券利息   カ．当座預金   キ．有価証券売却益 ク．投資有価証券売却損

5．広島総研株式会社は、研究開発部門のみで使用し、他の目的には転用できない仕様の機械装置￥7,700,000および備品￥1,500,000を購入し、10%の消費税をあわせた金額を月末に支払うこととした。消費税については税抜方式で処理を行っている。

 ア．当座預金   イ．未払金   ウ．研究開発費   エ．備品

 オ．機械装置   カ．仮払消費税   キ．仮受消費税   ク．未払消費税

商 業 簿 記

第1問

	借　　方		貸　　方	
	記　号	金　　額	記　号	金　　額
1	（　　　）		（　　　）	
	（　　　）		（　　　）	
	（　　　）		（　　　）	
	（　　　）		（　　　）	
	（　　　）		（　　　）	
2	（　　　）		（　　　）	
	（　　　）		（　　　）	
	（　　　）		（　　　）	
	（　　　）		（　　　）	
	（　　　）		（　　　）	
3	（　　　）		（　　　）	
	（　　　）		（　　　）	
	（　　　）		（　　　）	
	（　　　）		（　　　）	
	（　　　）		（　　　）	
4	（　　　）		（　　　）	
	（　　　）		（　　　）	
	（　　　）		（　　　）	
	（　　　）		（　　　）	
	（　　　）		（　　　）	
5	（　　　）		（　　　）	
	（　　　）		（　　　）	
	（　　　）		（　　　）	
	（　　　）		（　　　）	
	（　　　）		（　　　）	

第2問

　次に示した当社の［資料］にもとづいて、答案用紙の株主資本等変動計算書（単位：千円）について、（　　）に適切な金額を、また［　　］1か所に適切な用語を記入して完成しなさい。ただし、金額が負の値のときは、金額の前に△を記すこと。なお、会計期間は×3年4月1日から×4年3月31日までの1年間である。本問において税効果は考慮しない。

［資　料］

1．前期末（×3年3月31日）の決算にあたって作成した貸借対照表において、純資産の部の各項目の残高は次のとおりであった。

　　　資　本　金：1,650,000千円　　　資本準備金：240,000千円　　　その他資本剰余金：　90,000千円

　　　利益準備金：　96,000千円　　　別途積立金：24,000千円　　　繰越利益剰余金：195,000千円

　　　その他有価証券評価差額金：△10,500千円（借方残高）

2．×3年4月1日にA商事株式会社を吸収合併し、新たに当社の株式15,400株（時価@12千円）を同社の株主に交付した。同社から引き継いだ諸資産、諸負債は次のとおりである。なお、株式の交付に伴って増加する株主資本のうち、90,000千円を資本金、90,000千円を資本準備金、残額をその他資本剰余金とした。

　　　諸　資　産：帳簿価額　288,000千円　　　時価　312,300千円

　　　諸　負　債：帳簿価額　132,000千円　　　時価　132,000千円

3．×3年6月28日に開催された定時株主総会で、次の議案が承認された。

　⑴　その他資本剰余金を財源として配当75,000千円を行い、あわせて会社法の定める金額を法定準備金として積み立てる。

　⑵　繰越利益剰余金を財源として配当75,000千円を行い、あわせて会社法の定める金額を法定準備金として積み立てる。

　⑶　繰越利益剰余金を財源として別途積立金24,000千円を積み立てる。

4．その他有価証券は、前期に長期利殖の目的で取得した株式であり、その時価等は次のとおりである。なお、時価評価は全部純資産直入法を採用している。

　　　取　得　原　価：156,000千円　　　前期末時価：145,500千円　　　当期末時価：168,000千円

5．決算の結果、当期純利益420,000千円を計上した。

2 級 ②

商 業 簿 記

第2問

株 主 資 本 等 変 動 計 算 書
自×3年4月1日　至×4年3月31日　　　　　（単位：千円）

| | 株　主　資　本 | | |
| | 資　本　金 | [　　　　　　　　　　] | |
		資本準備金	その他資本剰余金
当 期 首 残 高	（　　　　　）	（　　　　　）	（　　　　　）
当 期 変 動 額			
吸 収 合 併	（　　　　　）	（　　　　　）	（　　　　　）
資 本 剰 余 金 の 配 当		（　　　　　）	（　　　　　）
利 益 剰 余 金 の 配 当			
別 途 積 立 金 の 積 立			
当 期 純 利 益			
株主資本以外の項目の 当 期 変 動 額（純額）			
当 期 変 動 額 合 計	（　　　　　）	（　　　　　）	（　　　　　）
当 期 末 残 高	（　　　　　）	（　　　　　）	（　　　　　）

（下段に続く）

（上段から続く）

	株　主　資　本			評価·換算差額等	純資産合計
	利 益 剰 余 金			その他有価証券 評価差額金	
	利益準備金	その他利益剰余金			
		別途積立金	繰越利益剰余金		
当 期 首 残 高	（　　　）	（　　　）	（　　　）	（　　　）	（　　　）
当 期 変 動 額					
吸 収 合 併					（　　　）
資 本 剰 余 金 の 配 当					（　　　）
利 益 剰 余 金 の 配 当	（　　　）		（　　　）		（　　　）
別 途 積 立 金 の 積 立		（　　　）	（　　　）		－
当 期 純 利 益			（　　　）		（　　　）
株主資本以外の項目の 当 期 変 動 額（純額）				（　　　）	（　　　）
当 期 変 動 額 合 計	（　　　）	（　　　）	（　　　）	（　　　）	（　　　）
当 期 末 残 高	（　　　）	（　　　）	（　　　）	（　　　）	（　　　）

第3問

次に示した和歌山商事株式会社（以下、当社という）の［**資料1**］および［**資料2**］にもとづいて、決算整理後残高試算表を作成しなさい。なお、会計期間は×2年4月1日から×3年3月31日までの1年間である。

［**資料1**］決算整理前残高試算表

残 高 試 算 表
×3年3月31日　（単位：円）

借　　方	勘　定　科　目	貸　　方
4,871,000	現　金　預　金	
1,440,000	受　取　手　形	
2,310,000	売　　掛　　金	
	貸　倒　引　当　金	30,000
720,000	繰　越　商　品	
1,008,000	仮　払　法　人　税　等	
1,275,000	売　買　目　的　有　価　証　券	
9,000,000	建　　　　物	
	建物減価償却累計額	4,027,500
2,400,000	備　　　　品	
	備品減価償却累計額	1,012,500
12,000,000	土　　　　地	
60,000	の　　れ　　ん	
1,500,000	長　期　貸　付　金	
324,000	繰　延　税　金　資　産	
	支　払　手　形	1,860,000
	買　　掛　　金	2,760,000
	長　期　未　払　金	600,000
	資　　本　　金	18,300,000
	資　本　準　備　金	1,500,000
	利　益　準　備　金	600,000
	繰　越　利　益　剰　余　金	1,817,000
	売　　　　上	30,000,000
	受　取　利　息	9,000
16,650,000	仕　　　　入	
2,883,000	給　　　　料	
5,400,000	支　払　地　代	
660,000	減　価　償　却　費	
15,000	為　替　差　損	
62,516,000		62,516,000

［**資料2**］決算整理事項等

1. 当期の販売から生じた売掛金のうち¥150,000が回収不能であることが判明した。

2. 3月10日に、土地（取得原価¥5,000,000）を¥6,250,000で売却し、代金は翌月10日に受け取ることとしたが未記帳である。

3. 商品の期末棚卸高は次のとおりである。商品評価損および原価性が認められる棚卸減耗損は売上原価の内訳科目として処理する。なお、棚卸減耗損のうち20％は原価性が認められないため営業外費用に計上する。

   帳簿棚卸高：数量200個、
   　　　　　帳簿価額（原価）@¥4,500
   実地棚卸高：数量190個、
   　　　　　正味売却価額（時価）@¥4,200

4. 受取手形および売掛金の期末残高に対して2％の貸倒れを見積もる。貸倒引当金は差額補充法によって設定する。

5. 長期貸付金の期末残高に対して5％の貸倒れを見積もる。当該貸付金はすべて当期に生じたものであり、前期までに資金の貸付けは行っていない。

6. 有形固定資産の減価償却は次の要領で行う。
   建物：耐用年数は30年、残存価額は取得原価の10％として、定額法を用いる。
   備品：耐用年数は8年、残存価額はゼロとして、200％定率法を用いる。

   減価償却費は、概算額で建物¥22,500、備品¥37,500を4月から2月までの月次決算で各月に計上してきており、減価償却費の年間確定額との差額を決算月で計上する。

7. 売買目的有価証券はすべて当期に取得したものであり、期末時点の時価は¥1,326,000である。

8. のれんは前期の期首に京都商事株式会社を吸収合併した際に計上したもので、償却期間5年で毎期均等償却している。なお、過年度の償却は適正に行われている。

9. 買掛金のうち¥126,000（900ドル）は、米国の仕入先から商品を仕入れた際に計上したドル建てのものである。仕入時の為替相場は1ドル¥140、決算日の為替相場は1ドル¥135であった。

10. 受取利息の未収分が¥6,000ある。

11. 課税所得¥5,750,000にもとづいて法人税、住民税及び事業税を計上する。法定実効税率は30％である。

12. 税効果会計上の一時差異は、次のとおりである。

	期　首	期　末
将来減算一時差異	¥1,080,000	¥1,380,000

2級

日商簿記検定試験対策

2024年度試験をあてる　TAC予想模試
（2024年9～12月試験対応）

問題・答案用紙

（制限時間　90分）

第2回

TAC簿記検定講座

受験者への注意事項

1. 答えは、指示に従い定められたところに、誤字・脱字のないよう、ていねいに書いてください。
2. 答案の記入にあたっては、黒鉛筆または黒シャープペンシルを使用してください。
3. 問題および答案用紙の余白は計算用紙として使用できますが、解答欄にかからないように注意してください。
4. 仕訳問題を解答する際の注意事項

　　仕訳問題の解答にあたっては、勘定科目の使用は、借方・貸方の中でそれぞれ1回ずつとしてください（各設問で、同じ勘定科目を借方・貸方の中で2回以上使用すると、不正解となります）。

　（例）　（仕　入）　10,000　（現　金）　2,000
　　　　　　　　　　　　　　　（買掛金）　8,000

　　　　ア．現金　イ．買掛金　ウ．仕入

〈正解〉

	借　方		貸　方	
	記　号	金　額	記　号	金　額
1	（　ウ　）	10,000	（　ア　）	2,000
	（　　　）		（　イ　）	8,000

〈不正解〉

	借　方		貸　方	
	記　号	金　額	記　号	金　額
1	（　ウ　）	2,000	（　ア　）	2,000
	（　ウ　）	8,000	（　イ　）	8,000

同じ勘定科目を借方で2回使用しているため不正解

第1問

　下記の各取引について仕訳しなさい。ただし、勘定科目は、設問ごとに最も適当と思われるものを選び、答案用紙の（　　）の中に記号で解答すること。

1．鳥取商事株式会社（年1回決算、3月31日）の6月28日の株主総会において繰越利益剰余金￥35,000,000を財源として、次のとおり処分することが承認された。なお、株主総会時における資本金は￥75,000,000、資本準備金は￥15,000,000、利益準備金は￥2,250,000であり、発行済株式数は15,000株である。

　　　　株主配当金：1株につき￥1,800
　　　　利益準備金：会社法で定める必要額
　　　　別途積立金：￥1,800,000

　　　ア．現金　　　　　　　　　イ．未払配当金　　　　　ウ．損益　　　　　　　　エ．資本準備金
　　　オ．利益準備金　　　　　　カ．別途積立金　　　　　キ．繰越利益剰余金　　　ク．資本金

2．本日、宮城物産株式会社へA商品300個を1個あたり￥2,000で販売した。同社との間には、当月中にA商品を合計400個以上購入した場合には、当該期間の販売額の20％をリベートとして支払う契約を結んでいる。返金は翌々月に行われる予定であり、この条件が達成される可能性は高いと考えられる。なお、当社の販売取引はすべて掛けによって行っている。

　　　ア．受取利息　　　　　　　イ．売掛金　　　　　　　ウ．仕入　　　　　　　　エ．契約負債
　　　オ．売上　　　　　　　　　カ．契約資産　　　　　　キ．支払利息　　　　　　ク．返金負債

3．茨城商事株式会社を吸収合併し、議決権株式30,000株（合併時点の時価は1株につき￥2,000）を同社の株主へ交付した。株式の交付にともなって増加する株主資本のうち、交付した株式1株につき￥800は資本金、￥450は資本準備金に組み入れることとし、残額はすべてその他資本剰余金とする。合併時の茨城商事株式会社の資産および負債の時価は次に示すとおりである。

　　　現金￥16,000,000　　　売掛金￥23,000,000　　　備品￥29,000,000　　　借入金￥14,000,000

　　　ア．現金　　　　　　　　　イ．借入金　　　　　　　ウ．のれん　　　　　　　エ．資本金
　　　オ．その他資本剰余金　　　カ．売掛金　　　　　　　キ．資本準備金　　　　　ク．備品

4．㈱青森産業は、機械装置￥4,600,000の取得にあたり、国庫補助金￥525,000を受け取り、これに関する会計処理も適切に行っていたが、本日、当該国庫補助金を返還しないことが確定したため、直接減額方式による圧縮記帳を行った。

　　　ア．現金　　　　　　　　　イ．当座預金　　　　　　ウ．国庫補助金受贈益　　エ．備品
　　　オ．固定資産圧縮損　　　　カ．機械装置　　　　　　キ．未払金　　　　　　　ク．減価償却費

5．電子債権記録機関に発生記録をした債権のうち￥450,000を、取引銀行を通じて譲渡記録（売却処理）を行い、売却代金￥412,500が当座預金口座へ振り込まれた。

　　　ア．電子記録債務　　　　　イ．支払手形　　　　　　ウ．当座預金　　　　　　エ．有価証券売却益
　　　オ．電子記録債権売却損　　カ．受取手形　　　　　　キ．電子記録債権　　　　ク．有価証券売却損

総合点

2024年度
ＴＡＣ予想模試
第2回答案用紙

採点欄

第1問

2 級 ①

商 業 簿 記

第1問

	借　方		貸　方	
	記　号	金　額	記　号	金　額
1	（　　）		（　　）	
	（　　）		（　　）	
	（　　）		（　　）	
	（　　）		（　　）	
	（　　）		（　　）	
2	（　　）		（　　）	
	（　　）		（　　）	
	（　　）		（　　）	
	（　　）		（　　）	
	（　　）		（　　）	
3	（　　）		（　　）	
	（　　）		（　　）	
	（　　）		（　　）	
	（　　）		（　　）	
	（　　）		（　　）	
4	（　　）		（　　）	
	（　　）		（　　）	
	（　　）		（　　）	
	（　　）		（　　）	
	（　　）		（　　）	
5	（　　）		（　　）	
	（　　）		（　　）	
	（　　）		（　　）	
	（　　）		（　　）	
	（　　）		（　　）	

第2問

　次の [資料] にもとづいて、連結第2年度（×4年4月1日から×5年3月31日まで）の連結精算表（連結損益計算書および連結貸借対照表）を作成しなさい。なお、連結上発生するのれんは計上年度の翌年度より15年にわたり定額法で償却する。

[資　料]

1．P社は×3年3月31日にS社の発行済株式総数の70％を4,600,000千円で取得して支配を獲得し、S社を連結子会社とした。

2．×3年3月31日におけるS社の資本は、資本金2,500,000千円、資本剰余金1,750,000千円、利益剰余金1,250,000千円であり、支配獲得後S社は配当を行っていない。

3．S社は×4年3月31日において、当期純利益900,000千円を計上している。

4．P社は、連結第1年度よりS社に対し商品の掛け販売を行っており、当期の売上高のうちS社に対するものは5,200,000千円である。

5．P社の売掛金期末残高のうち800,000千円はS社に対するものである。

6．S社の期首商品のうち510,000千円および期末商品のうち780,000千円はP社から仕入れたものである。なお、P社は、原価に20％の利益を付加して売価を設定しており、前期より一定である。

7．P社は×5年3月12日において、土地（帳簿価額300,000千円）を、S社に対して320,000千円で売却し、S社は期末において当該土地を所有している。また、代金は未決済であり、債権、債務については、諸資産および諸負債に含まれている。

2 級 ②

商 業 簿 記

第2問

連 結 精 算 表　　　　　　（単位：千円）

表　示　科　目	個別財務諸表		連結財務諸表
	P　社	S　社	
【貸借対照表】			【連結貸借対照表】
諸　　資　　産	4,000,000	3,675,000	
売　　掛　　金	2,750,000	3,850,000	
商　　　　品	3,050,000	4,250,000	
土　　　　地	1,600,000	1,225,000	
の　れ　ん	—		
子　会　社　株　式	4,600,000	—	
借　方　合　計	16,000,000	13,000,000	
諸　　負　　債	2,000,000	2,050,000	
買　　掛　　金	1,750,000	3,250,000	
資　　本　　金	5,000,000	2,500,000	
資　本　剰　余　金	3,000,000	1,750,000	
利　益　剰　余　金	4,250,000	3,450,000	
非　支　配　株　主　持　分	—	—	
貸　方　合　計	16,000,000	13,000,000	
【損益計算書】			【連結損益計算書】
売　　上　　高	26,000,000	19,000,000	
売　　上　　原　　価	△ 16,700,000	△ 13,250,000	△
販売費及び一般管理費	△ 6,300,000	△ 3,800,000	△
の　れ　ん　償　却	—	—	△
そ　の　他　の　諸　費　用	△ 760,000	△ 650,000	△
特　　別　　利　　益	20,000	—	
当　期　純　利　益	2,260,000	1,300,000	
非支配株主に帰属する当期純利益	—	—	△
親会社株主に帰属する当期純利益	—	—	

※　損益計算書の行で借方金額を表す場合は△印を付してある。貸借対照表には借方の行と貸方の行があるため△印は付していない。

第3問

次に示した広島株式会社の［**資料Ⅰ**］決算整理前残高試算表、［**資料Ⅱ**］決算整理事項等にもとづいて、貸借対照表を作成しなさい。なお、会計期間は×3年4月1日から×4年3月31日までの1年間であり、税効果会計は考慮しないものとする。

［**資料Ⅰ**］決算整理前残高試算表

残 高 試 算 表
×4年3月31日 （単位：円）

借 方	勘 定 科 目	貸 方
6,933,000	現　　　　　　金	
8,109,000	当 座 預 金	
2,880,000	受 取 手 形	
1,500,000	不 渡 手 形	
4,620,000	売 　掛 　金	
4,050,000	売買目的有価証券	
1,440,000	繰 越 商 品	
21,000	前 払 費 用	
1,106,200	仮 払 法 人 税 等	
18,000,000	建　　　　　　物	
12,000,000	リ ー ス 資 産	
120,000	ソ フ ト ウ ェ ア	
	支 払 手 形	2,546,200
	買 　掛 　金	4,020,000
	退 職 給 付 引 当 金	3,900,000
	リ ー ス 債 務	9,600,000
	借 　入 　金	1,500,000
	貸 倒 引 当 金	60,000
	建物減価償却累計額	5,400,000
	資 　本 　金	20,000,000
	利 益 準 備 金	2,400,000
	繰 越 利 益 剰 余 金	1,204,000
	売　　　　　　上	60,000,000
	受 取 配 当 金	45,000
33,300,000	仕　　　　　　入	
8,796,000	給　　　　　　料	
4,680,000	広 告 宣 伝 費	
3,120,000	通 　信 　費	
110,675,200		110,675,200

［**資料Ⅱ**］決算整理事項等

1．現金について実査をしたところ、¥15,000の不足額が判明した。不足の原因は不明である。
2．当座預金に関して次の事実が判明した。
　⑴　当座預金から月末に自動引き落としされていた広告料¥120,000が未記帳であった。
　⑵　買掛金¥420,000の支払いのために振り出した小切手が未呈示であった。
3．売上収益の計上基準に検収基準を採用している。決算日において取引先より発送済みであった商品¥300,000について検収が完了した連絡を受けたが未処理であった。
4．商品の期末棚卸高は次のとおりである。商品評価損は売上原価の内訳科目として処理する。
　　　帳簿棚卸高：数量160個、
　　　　　　　　　帳簿価額（原価）@¥11,250
　　　実地棚卸高：数量152個、
　　　　　　　　　正味売却価額（時価）@¥10,500
5．受取手形および売掛金の期末残高に対して2％、不渡手形の期末残高に対して50％の貸倒れを見積もる。貸倒引当金は差額補充法によって設定する。
6．有形固定資産の減価償却は次の要領で行う。なお、リース資産は当期首にリース期間5年、リース料年額¥2,400,000（毎年3月末払い）の条件でファイナンス・リース契約（利子込み法）を締結したものであり、当期分のリース料支払いに関しては適切に処理が行われている。
　　　建物：耐用年数は30年、残存価額はゼロとして、定額法を用いる。
　　　リース資産：耐用年数は5年、残存価額はゼロとして、200％定率法を用いる。
7．リース債務を流動負債または固定負債に振り分けて貸借対照表に表示する。
8．売買目的有価証券はすべて当期に取得したものであり、期末時点の時価は¥4,200,000である。
9．ソフトウェアは前期の期首に取得したもので、償却期間5年で毎期均等償却している。
10．買掛金のうち¥1,284,000（12,000ドル）は、米国の仕入先から商品を仕入れた際に計上したドル建てのものである。仕入時の為替相場は1ドル¥107、決算日の為替相場は1ドル¥110であった。

11．借入金は、×4年2月1日に借り入れたものであり、その内訳は次のとおりである。
　　　残高：¥　500,000（返済期日×5年1月31日、年利率1.2％）
　　　残高：¥1,000,000（返済期日×6年1月31日、年利率3.6％）
　　　利息は2月1日と8月1日に6か月分を前払いすることとし、支払い時に全額を前払費用に計上しているが、期末に当期の利息分を月割りで計算して計上する。
12．退職給付引当金の当期繰入額として¥195,000を計上する。
13．課税所得は税引前当期純利益と同額とみなし、法人税、住民税及び事業税を計上する。法定実効税率は30％である。

（無断転載を禁ず）

2級

日商簿記検定試験対策

2024年度試験をあてる　TAC予想模試
（2024年9〜12月試験対応）

問題・答案用紙

（制限時間　90分）

第3回

TAC 簿記検定講座

受験者への注意事項

1．答えは、指示に従い定められたところに、誤字・脱字のないよう、ていねいに書いてください。

2．答案の記入にあたっては、黒鉛筆または黒シャープペンシルを使用してください。

3．問題および答案用紙の余白は計算用紙として使用できますが、解答欄にかからないように注意してください。

4．仕訳問題を解答する際の注意事項

　　仕訳問題の解答にあたっては、勘定科目の使用は、借方・貸方の中でそれぞれ1回ずつとしてください（各設問で、同じ勘定科目を借方・貸方の中で2回以上使用すると、不正解となります）。

　（例）　（仕　入）　10,000（現　金）　2,000
　　　　　　　　　　　　　（買掛金）　8,000

　　　ア．現金　イ．買掛金　ウ．仕入

〈正解〉

	借 方		貸 方	
	記　号	金　額	記　号	金　額
1	（　ウ　）	10,000	（　ア　）	2,000
	（　　　）		（　イ　）	8,000

〈不正解〉

	借 方		貸 方	
	記　号	金　額	記　号	金　額
1	（　ウ　）	2,000	（　ア　）	2,000
	（　ウ　）	8,000	（　イ　）	8,000

↑
同じ勘定科目を借方で2回使用しているため不正解

商業簿記

第1問

下記の各取引について仕訳しなさい。ただし、勘定科目は、設問ごとに最も適当と思われるものを選び、答案用紙の（　）の中に記号で解答すること。

1. 当社の社長室で使用する目的で応接セット（購入対価15,000ドル）を輸入し、本日、社長室に設置された。代金は翌月末に支払うこととした。運送および設置料金は¥25,000で現金で支払った。本日の直物為替相場は1ドル¥145である。

  ア．建物   イ．備品   ウ．仕入   エ．前払金
  オ．未払金   カ．為替差損益 キ．現金   ク．支払手数料

2. 岩手商店は、かねて青森商店の借入金¥560,000について保証人となり、偶発債務については対照勘定を用いて備忘記録を行っていた。本日、青森商店が返済不能となった旨の連絡を受け、借入先へ利息¥30,000と合わせて、普通預金口座より支払った。

  ア．不渡手形 イ．保証債務 ウ．借入金   エ．当座預金
  オ．保証債務見返 カ．未収入金 キ．支払利息 ク．普通預金

3. 4月30日に満期まで保有する目的でTAC産業株式会社発行の社債（額面総額¥73,000,000、期間5年、利率年0.4％、利払い日は3月末日および9月末日）を額面¥100に対して¥98で取得し、代金は証券会社に支払った手数料¥36,000および端数利息（1年を365日とする日割計算による）とともに普通預金口座から支払った。

  ア．売買目的有価証券 イ．満期保有目的債券 ウ．普通預金 エ．当座預金
  オ．有価証券利息 カ．有価証券売却益 キ．支払手数料 ク．関連会社株式

4. 埼玉株式会社は、千葉株式会社振出、山梨株式会社裏書の約束手形¥800,000について、満期日に取引銀行を通じて取り立てを依頼したところ、支払いを拒絶されたので、山梨株式会社に対して償還請求を行った。なお、その際の拒絶証書作成の費用¥23,000を現金で支払った。

  ア．支払手数料 イ．当座預金 ウ．貸倒引当金 エ．貸倒損失
  オ．受取手形 カ．現金   キ．不渡手形 ク．支払手形

5. ×4年7月1日に営業用の軽自動車4台をリース契約により取得した。リース契約の内容は以下のとおりである。なお、このリース取引はファイナンス・リース取引であり、利子抜き法により処理する。利息の配分方法は定額法による。

  リース期間：4年
  リース料：月額¥53,000/台（毎月末、1か月分を均等後払い）
  見積現金購入価額：¥2,300,000/台

  ア．当座預金 イ．リース債務 ウ．未払金   エ．リース資産
  オ．備品   カ．支払リース料 キ．支払利息 ク．固定資産圧縮損

2 級 ①

商 業 簿 記

第1問

	借　　方		貸　　方	
	記　　号	金　　額	記　　号	金　　額
1	（　　）		（　　）	
	（　　）		（　　）	
	（　　）		（　　）	
	（　　）		（　　）	
	（　　）		（　　）	
2	（　　）		（　　）	
	（　　）		（　　）	
	（　　）		（　　）	
	（　　）		（　　）	
	（　　）		（　　）	
3	（　　）		（　　）	
	（　　）		（　　）	
	（　　）		（　　）	
	（　　）		（　　）	
	（　　）		（　　）	
4	（　　）		（　　）	
	（　　）		（　　）	
	（　　）		（　　）	
	（　　）		（　　）	
	（　　）		（　　）	
5	（　　）		（　　）	
	（　　）		（　　）	
	（　　）		（　　）	
	（　　）		（　　）	
	（　　）		（　　）	

第2問

次の〔資料〕にもとづいて以下の問に答えなさい。ただし、利息を計算するにあたり、本問では便宜上すべて月割りによることとする。なお、当会計期間は×2年4月1日から×3年3月31日までの1年間であり、〔資料〕以外に有価証券に関わる取引は存在しない。また、当社はこれ以前に有価証券を保有していないものとする。

〔資料Ⅰ〕期中取引

日付		取引の内容	仕訳帳のページ数
×2年	5月7日	A社株式を1株¥350で1,500株購入し、代金は後日支払うこととした。当社は本株式を売買目的有価証券として保有する。	3
	6月2日	B社株式を1株¥500で17,000株購入し、代金を普通預金から支払った。B社の発行済株式数は30,000株であり、過半数を取得したため、当社はB社を子会社とした。	5
	7月1日	額面総額¥2,000,000のC社社債を額面¥100あたり¥93.70で購入し、端数利息¥15,600を含めて証券会社に小切手で支払った。本社債は×1年1月1日に発行され、利払日は毎年12月の末日、利率は年1.56%、償還予定日×5年12月31日である。当社は本社債を満期まで保有する意図をもって購入しており、額面金額と取得価額との差額は金利の調整と認められる。	7
	7月12日	D社株式を1株¥400で1,200株購入し、代金は現金で支払った。本株式については売買目的有価証券、満期保有目的債券、子会社・関連会社株式のいずれにも該当しない。	8
	10月19日	A社株式を300株追加購入し、購入代金¥123,000を現金で支払った。	12
	11月30日	A社株式を200株売却し、売却代金¥76,000が普通預金に振り込まれた。なお、A社株式の帳簿価額は移動平均法にもとづく平均単価により算定している。	13
	12月31日	C社社債につき利払日を迎え、当社の普通預金口座に所定の金額が振り込まれた。	15
×3年	3月31日	本日決算日を迎えたため、利息及び〔資料Ⅱ〕にもとづく決算整理仕訳を行うとともに、必要な決算振替仕訳を行った。	21
	4月1日	開始記入を行う。あわせて経過勘定項目について、再振替仕訳を行った。	1

〔資料Ⅱ〕決算整理事項等

1.〔資料Ⅰ〕の有価証券にかかる当期末の時価は以下のとおりである。

銘　柄	当 期 末 時 価
A社株式	1株あたり¥380
B社株式	1株あたり¥460
C社社債	額面¥100あたり¥94.00
D社株式	1株あたり¥460

2.償却原価法の適用にあたっては、定額法を採用する。

3.その他有価証券の評価差額については全部純資産直入法を採用している（税効果会計は考慮しないものとする）。

問1　答案用紙の売買目的有価証券勘定および有価証券利息勘定を記入（残高式）しなさい。ただし、赤字で記入すべき箇所も黒字で記入すること。また、英米式決算法にもとづいて締め切ること。

問2　答案用紙に記載の科目にかかる決算整理後の帳簿価額を求めなさい。

採 点 欄

第2問

第2問
問1

売買目的有価証券　　　　　　　　　　　　7

日 付		摘 要	仕丁	借 方	貸 方	借または貸	残 高
年	月 日						

有 価 証 券 利 息　　　　　　　　　　　38

日 付		摘 要	仕丁	借 方	貸 方	借または貸	残 高
年	月 日						

問2

子 会 社 株 式	¥	
満 期 保 有 目 的 債 券	¥	
その他有価証券評価差額金	¥	（　　　　　）

注：その他有価証券評価差額金については、借方残の場合"借"、貸方残の場合"貸"を括弧内に明記すること。

第3問

次の［資料Ⅰ］決算整理前残高試算表および［資料Ⅱ］決算整理事項等にもとづいて、答案用紙の損益計算書を完成しなさい。なお、会計期間は×4年4月1日から×5年3月31日までである。本問では、問題資料で一時差異の発生が明示された項目のみ税効果会計を適用する。法定実効税率は前期・当期とも30％である。

［資料Ⅰ］決算整理前残高試算表

残 高 試 算 表
×5年3月31日　　（単位：円）

金　　額	勘　定　科　目	金　　額
3,232,000	現　　　　　　　金	
4,305,000	当　座　預　金	
18,400,000	受　取　手　形	
16,800,000	売　　掛　　金	
7,200,000	商　　　　　品	
54,600,000	仕　　掛　　品	
2,520,000	仮　払　法　人　税　等	
25,200,000	建　　　　　物	
8,000,000	備　　　　　品	
3,990,000	その他有価証券	
8,190,000	満期保有目的債券	
6,300,000	長　期　貸　付　金	
126,000	繰　延　税　金　資　産	
	支　払　手　形	15,130,000
	買　　掛　　金	10,605,000
	貸　倒　引　当　金	594,000
	建物減価償却累計額	23,400,000
	資　　本　　金	32,000,000
	利　益　準　備　金	6,420,000
	繰　越　利　益　剰　余　金	5,754,000
294,000	その他有価証券評価差額金	
	売　　　　　上	100,500,000
	役　務　収　益	67,200,000
	受　取　利　息	126,000
	受　取　配　当　金	378,000
	有　価　証　券　利　息	84,000
84,000,000	売　上　原　価	
10,080,000	給　　　　　料	
5,354,000	通　　信　　費	
3,600,000	保　　険　　料	
262,191,000		262,191,000

［資料Ⅱ］決算整理事項等

1．買掛金の支払いのため期中に生じた手形裏書￥2,100,000について￥2,600,000と誤記していた。

2．当期首に発行と同時に買い入れたA社社債（額面￥9,000,000、償還期限5年）の利札￥90,000の支払期日が、決算日に到来していたが未処理であった。

3．有価証券の内訳は次のとおりである。その他有価証券については全部純資産直入法、満期保有目的債券については償却原価法（定額法）により評価替えを実施する。

	帳簿価額	時　　価	保有目的
A社社債	￥8,190,000	￥9,364,000	満期保有
B社株式	￥3,990,000	￥4,770,000	その他（長期保有）

B社株式の帳簿価額は前期末の時価である。前期末に当該株式を時価評価した差額について、期首に戻し入れる洗替処理（全部純資産直入法）を行っていなかった。そのため、決算整理前残高試算表の繰延税金資産は、前期末に当該株式について税効果会計を適用した際に生じたものであり、これ以外に期首時点における税効果会計の適用対象はなかった。

4．受取手形および売掛金の期末残高に対して2％の貸倒れを見積もる（差額補充法）。

5．長期貸付金は当期首に貸し付けたものである。期末において、貸付額について20％の貸倒引当金を計上する。なお、税務上、これに係る貸倒引当金繰入の全額について損金算入が認められなかったため、税効果会計を適用する。

6．商品の期末実地棚卸高は￥7,200,000であった。商品の会計処理として、商品販売のつど売上原価を計上する方法によっている。

7．仕掛品勘定に集計された役務原価は、すべて当期の役務収益に対応するものであることが判明した。

8．建物、備品とも残存価額ゼロ、定額法にて減価償却を行う。耐用年数は、建物は30年、備品は8年である。ただし、備品は当期首に取得したものであり、税務上の法定耐用年数は10年であるため、減価償却費損金算入限度超過額について税効果会計を適用する。

9．当期に販売した商品の保証費用として商品保証引当金を商品売上高の1.2％に設定する。なお、残高試算表上の売上は商品売上高にかかわるものである。

10．保険料は毎年同額を8月1日に向こう1年分としてまとめて支払っているものであり、前期の前払分の再振替処理は適切に行われている。当期の未経過分について、月割計算により前払い処理する。

11．法人税、住民税及び事業税に￥2,652,000を計上する。なお、仮払法人税等は中間納付によるものである。

受験番号 ＿＿＿＿＿＿＿＿＿

氏名 ＿＿＿＿＿＿＿＿＿

生年月日 ＿＿．＿＿．＿＿

（無断転載を禁ず）

2級

日商簿記検定試験対策

2024年度試験をあてる　TAC予想模試
（2024年9～12月試験対応）

問題・答案用紙

（制限時間　90分）

第4回

TAC 簿記検定講座

受験者への注意事項

1．答えは、指示に従い定められたところに、誤字・脱字のないよう、ていねいに書いてください。

2．答案の記入にあたっては、黒鉛筆または黒シャープペンシルを使用してください。

3．問題および答案用紙の余白は計算用紙として使用できますが、解答欄にかからないように注意してください。

4．仕訳問題を解答する際の注意事項

　　仕訳問題の解答にあたっては、勘定科目の使用は、借方・貸方の中でそれぞれ1回ずつとしてください（各設問で、同じ勘定科目を借方・貸方の中で2回以上使用すると、不正解となります）。

　（例）　（仕　入）　10,000　（現　金）　2,000
　　　　　　　　　　　　　　　（買掛金）　8,000

　　　ア．現金　イ．買掛金　ウ．仕入

〈正解〉

	借　方		貸　方	
	記　号	金　額	記　号	金　額
1	（　ウ　）	10,000	（　ア　）	2,000
	（　　　）		（　イ　）	8,000

〈不正解〉

	借　方		貸　方	
	記　号	金　額	記　号	金　額
1	（　ウ　）	2,000	（　ア　）	2,000
	（　ウ　）	8,000	（　イ　）	8,000

同じ勘定科目を借方で2回使用しているため不正解

商 業 簿 記

第1問

下記の各取引について仕訳しなさい。ただし、勘定科目は、設問ごとに最も適当と思われるものを選び、答案用紙の（　　）の中に記号で解答すること。

1．当期首に取得原価￥2,880,000、減価償却累計額￥1,404,000の旧車両を￥840,000で下取りに出し、新車両に買い換えた。新車両の販売価格￥4,320,000およびオプション品や納車費用などの諸経費￥72,000と旧車両の下取価額との差額について、約束手形を振り出して支払った。なお、減価償却は間接法で記帳している。

　　　ア．未収入金　　　　　　　イ．車両運搬具減価償却累計額　　ウ．固定資産売却益　　　　エ．固定資産売却損
　　　オ．営業外支払手形　　　　カ．現金　　　　　　　　　　キ．未払金　　　　　　　　ク．車両運搬具

2．盛岡に支店を開設することになり、本店から現金￥2,600,000、商品（原価：￥1,350,000、売価：￥2,250,000）および受付用デスク（取得原価：￥780,000、減価償却累計額：￥260,000）が移管された。支店独立会計制度を導入したときの支店側の仕訳を答えなさい。ただし、当社は商品売買の記帳を「販売のつど売上原価勘定に振り替える方法」、有形固定資産の減価償却に係る記帳を間接法によっている。

　　　ア．当座預金　　　　　　　イ．現金　　　　　　　　　　ウ．備品　　　　　　　　　エ．備品減価償却累計額
　　　オ．商品　　　　　　　　　カ．売上　　　　　　　　　　キ．本店　　　　　　　　　ク．支店

3．当社は、岡山株式会社と商品M￥252,000および商品N￥135,000を販売する契約を締結した。代金の請求は商品Mと商品Nの両方を岡山株式会社に移転した後に行う契約となっている。契約締結の直後に商品Mを引き渡したが、商品Nについては在庫がないので、後日引き渡すこととなった。なお、商品Mの引渡しと商品Nの引渡しは、それぞれ独立した履行義務として識別する。

　　　ア．現金　　　　　　　　　イ．売上　　　　　　　　　　ウ．未収入金　　　　　　　エ．契約資産
　　　オ．返金負債　　　　　　　カ．契約負債　　　　　　　　キ．売掛金　　　　　　　　ク．仕入

4．配当原資を補うため、これまで積み立てた利益準備金￥1,700,000のうち、￥800,000を取り崩す議案が定時株主総会において承認された。なお、準備金の減少に関する他の会社法上の手続きは既に完了している。

　　　ア．利益準備金　　　　　　イ．未払配当金　　　　　　　ウ．資本金　　　　　　　　エ．資本準備金
　　　オ．現金　　　　　　　　　カ．別途積立金　　　　　　　キ．繰越利益剰余金　　　　ク．その他資本剰余金

5．前期の決算日（×2年3月31日）において、当期の7月末に支払予定の賞与（支給対象期間は10月から3月、支給見込総額￥6,980,000）に対して賞与引当金を設定した。賞与引当金繰入は税法上の損金算入が認められなかったため、税効果会計を適用している。本日（7月末）、前期末に計上した賞与引当金と同額の賞与が普通預金口座から支給された。支払時に、賞与引当金の全額を取り崩し、賞与引当金の損金算入が税法上認められた。なお、法人税等の法定実効税率は30％である。

　　　ア．当座預金　　　　　　　イ．普通預金　　　　　　　　ウ．賞与引当金　　　　　　エ．繰延税金資産
　　　オ．繰延税金負債　　　　　カ．賞与　　　　　　　　　　キ．賞与引当金繰入　　　　ク．法人税等調整額

2 級 ①

商 業 簿 記

第1問

	借　　方		貸　　方	
	記　　号	金　　額	記　　号	金　　額
1	（　　　）		（　　　）	
	（　　　）		（　　　）	
	（　　　）		（　　　）	
	（　　　）		（　　　）	
	（　　　）		（　　　）	
2	（　　　）		（　　　）	
	（　　　）		（　　　）	
	（　　　）		（　　　）	
	（　　　）		（　　　）	
	（　　　）		（　　　）	
3	（　　　）		（　　　）	
	（　　　）		（　　　）	
	（　　　）		（　　　）	
	（　　　）		（　　　）	
	（　　　）		（　　　）	
4	（　　　）		（　　　）	
	（　　　）		（　　　）	
	（　　　）		（　　　）	
	（　　　）		（　　　）	
	（　　　）		（　　　）	
5	（　　　）		（　　　）	
	（　　　）		（　　　）	
	（　　　）		（　　　）	
	（　　　）		（　　　）	
	（　　　）		（　　　）	

第2問

次に示したP商事株式会社（以下「P社」という。）の [資料Ⅰ]、[資料Ⅱ] および [資料Ⅲ] にもとづいて、答案用紙の連結損益計算書と連結貸借対照表を完成しなさい。当期は×3年4月1日から×4年3月31日までの1年間である。

[資料Ⅰ] 資本連結に関する事項

1．P社は×1年3月31日に、S商事株式会社（以下「S社」という。）の発行済株式数の90％を814,000千円で取得し、支配を獲得した。

2．×1年3月31日のS社の貸借対照表上、資本金520,000千円、資本剰余金130,000千円、利益剰余金210,000千円が計上されていた。

3．のれんは発生年度の翌年から20年にわたり定額法により償却する。

4．S社は、当期より繰越利益剰余金を財源に80,000千円の配当を行っている。

[資料Ⅱ] ×3年度のP社およびS社の個別財務諸表

貸 借 対 照 表
×4年3月31日　　　　　　　　　　　　　　　　　（単位：千円）

借　　方	P　社	S　社	貸　　方	P　社	S　社
現　金　預　金	1,622,800	688,000	買　　掛　　金	1,290,000	802,000
売　　掛　　金	1,760,000	1,090,000	未 払 法 人 税 等	180,000	120,000
貸　倒　引　当　金	△35,200	△21,800	未　払　費　用	32,000	56,000
商　　　　　品	1,544,000	642,000	借　　入　　金	660,000	780,000
未　収　収　益	50,400	29,800	資　　本　　金	3,200,000	520,000
貸　　付　　金	380,000	200,000	資　本　剰　余　金	300,000	130,000
土　　　　　地	800,000	500,000	利　益　剰　余　金	1,274,000	720,000
S　　社　　株　　式	814,000	―			
	6,936,000	3,128,000		6,936,000	3,128,000

損 益 計 算 書
自×3年4月1日　至×4年3月31日　　　　　　　　（単位：千円）

借　　方	P　社	S　社	貸　　方	P　社	S　社
売　上　原　価	5,984,000	3,672,000	売　　上　　高	8,440,800	5,094,800
販売費及び一般管理費	1,632,000	844,800	営　業　外　収　益	514,000	267,200
営　業　外　費　用	488,000	374,000	特　　別　　利　　益	111,200	96,000
特　　別　　損　　失	124,000	87,200			
法人税、住民税及び事業税	250,000	140,000			
当　期　純　利　益	588,000	340,000			
	9,066,000	5,458,000		9,066,000	5,458,000

[資料Ⅲ] 成果連結に関する事項

1．前期よりS社はP社に商品の販売を開始している。当期のS社からP社への売上高は280,000千円であり、売上総利益率は25％である。なお、売上総利益率は、当期と前期で変化していない。

2．P社の前期末商品棚卸高のうち12,000千円、当期末商品棚卸高のうち32,000千円は、S社から仕入れた金額である。

3．S社の売掛金にはP社に対するものが含まれている。前期末残高に含まれていた金額は130,000千円であり、当期末残高に含まれている金額は180,000千円である。なお、売上債権期末残高に対して2％の貸倒引当金を差額補充法により設定している。

4．P社は×4年1月1日にS社に対して期間3年、利率年2％、利払日12月末日の条件で160,000千円を貸し付けている。

5．P社はS社に対して×4年3月31日に土地（簿価102,000千円）を97,200千円で売却した。

２　級　②

商　業　簿　記

第２問

連　結　損　益　計　算　書
自×3年４月１日　　至×4年３月31日　　（単位：千円）

Ⅰ	売　　　上　　　高	（	）
Ⅱ	売　上　原　価	（	）
	売　上　総　利　益	（	）
Ⅲ	販売費及び一般管理費	（	）
	営　業　利　益	（	）
Ⅳ	営　業　外　収　益	（	）
Ⅴ	営　業　外　費　用	（	）
	経　常　利　益	（	）
Ⅵ	特　　別　　利　　益	（	）
Ⅶ	特　　別　　損　　失	（	）
	税金等調整前当期純利益	（	）
	法人税、住民税及び事業税	（	）
	当　期　純　利　益	（	）
	非支配株主に帰属する当期純利益	（	）
	親会社株主に帰属する当期純利益	（	）

連　結　貸　借　対　照　表
×4年３月31日　　（単位：千円）

現　金　預　金	（　　　）	買　　掛　　金	（　　　）
売　　掛　　金	（　　　）	未　払　法　人　税　等	（　　　）
貸　倒　引　当　金	（△　　　）	未　　払　　費　　用	（　　　）
商　　　　　品	（　　　）	借　　入　　金	（　　　）
未　　収　　収　　益	（　　　）	資　　本　　金	（　　　）
貸　　付　　金	（　　　）	資　本　剰　余　金	（　　　）
土　　　　　地	（　　　）	利　益　剰　余　金	（　　　）
の　　れ　　ん	（　　　）	非　支　配　株　主　持　分	（　　　）
	（　　　）		（　　　）

第3問

　千葉商事株式会社は、船橋の本店のほかに柏に支店を有し、商品販売業を営んでいる。下記の［資料Ⅰ］～［資料Ⅲ］にもとづいて、当期（×5年4月1日から×6年3月31日）の(1)本店の「損益」勘定および(2)「支店」勘定の次期繰越額を答えなさい。なお、本問において、法人税等の税金および税効果会計は考慮しなくてよい。

［資料Ⅰ］×6年3月31日現在の決算整理前残高試算表

残　高　試　算　表　　　　　　　　（単位：円）

借　　　　方	本　店	支　店	貸　　　　方	本　店	支　店
現　金　預　金	10,938,000	3,990,000	買　　掛　　金	3,948,400	898,000
売　　掛　　金	4,620,000	1,980,000	借　　入　　金	3,600,000	—
繰　越　商　品	1,968,000	1,008,000	退職給付引当金	272,000	126,400
備　　　　　品	4,800,000	864,000	貸　倒　引　当　金	105,600	46,000
その他有価証券	3,432,000	—	備品減価償却累計額	3,072,000	345,600
支　　　　　店	4,800,000	—	本　　　　店	—	4,890,000
仕　　　　　入	21,996,000	9,396,000	資　　本　　金	12,000,000	—
支　払　家　賃	7,656,000	996,000	繰越利益剰余金	3,900,000	—
給　　　　　料	4,656,000	1,548,000	売　　　　上	42,720,000	13,920,000
広　告　宣　伝　費	4,944,000	444,000	受　取　配　当　金	312,000	—
支　払　利　息	120,000	—			
	69,930,000	20,226,000		69,930,000	20,226,000

［資料Ⅱ］未処理事項等

1．本店から支店へ発送した商品¥792,000（仕入価額）が、本店・支店ともに未処理であった。

2．本店は支店の広告宣伝費¥120,000を小切手を振り出して支払っていたが、支店はこれを¥210,000と記帳していた。

［資料Ⅲ］決算整理事項

1．期末商品棚卸高（上記、資料Ⅱの1．処理後）は次のとおりである。なお、本店は一部の商品を支店へ仕入価額をもって振り替えている。また、売上原価は仕入勘定で算定する。

　⑴　本店：原価@¥120、正味売却価額@¥150、帳簿数量19,320個、実地数量18,720個
　　（注）本店の商品のうち1,040個については品質低下のため、@¥30で評価する。

　⑵　支店：原価@¥120、正味売却価額@¥150、帳簿数量12,650個、実地数量11,470個

2．本店・支店ともに売掛金期末残高に対して3％の貸倒引当金を差額補充法により設定する。

3．従業員の退職給付を見積った結果、当期の負担額は、本店¥30,000、支店¥16,000である。

4．その他有価証券の期末時価は¥3,600,000であり、全部純資産直入法により時価評価を行う。

5．本店・支店ともに備品に対して定率法（償却率40％）により減価償却を行う。

6．経過勘定項目

　⑴　本　店：給料の未払分¥72,000　　広告宣伝費の前払分¥48,000

　⑵　支　店：給料の未払分¥12,240　　支払家賃の前払分¥30,000

2024年度
TAC予想模試
第4回答案用紙

2 級 ③

商 業 簿 記

採 点 欄
第3問

第3問

(1) 本店の「損益」勘定

損　　　　　益

日 付		摘　要	金　額	日 付		摘　要	金　額
3	31	仕　　入		3	31	売　　上	
3	31	棚 卸 減 耗 損		3	31	受 取 配 当 金	
3	31	商 品 評 価 損		3	31	（　　　　）	
3	31	支 払 家 賃					
3	31	給　　料					
3	31	広 告 宣 伝 費					
3	31	貸倒引当金繰入					
3	31	退 職 給 付 費 用					
3	31	減 価 償 却 費					
3	31	支 払 利 息					
3	31	（　　　　）					

(2) 「支店」勘定の次期繰越額：　　　　　　　　円

第4問

(1) 下記の各取引について仕訳しなさい。ただし、勘定科目は、設問ごとに最も適当と思われるものを選び、答案用紙の（　　）の中に記号で解答すること。

1．材料の月初有高は320kg（125円/kg）、当月仕入高は2,400kg（110円/kg）であった。材料費の予定消費価格は120円/kg、実際消費高は2,550kgである。材料の実際消費価格は先入先出法で計算している。このときの材料の消費価格差異を計上する。

ア．製品	イ．仕掛品	ウ．買掛金
エ．材料	オ．材料副費	カ．原価差異

2．製造指図書№20に対し、第1製造部門より575,000円、第2製造部門より438,000円をそれぞれ予定配賦した。

ア．売上原価	イ．材料	ウ．第2製造部門費
エ．仕掛品	オ．補助部門費	カ．第1製造部門費

3．本社会計から工場会計を独立させているX社では、材料、賃金などの支払いは本社が行い、製造間接費勘定、仕掛品勘定、製品勘定は工場側に設定されている。当月の電気代、ガス代、水道料金などの間接経費467,000円を現金で支払ったため計上した。このとき、本社での仕訳を示しなさい。

ア．工場	イ．製品	ウ．仕掛品
エ．本社	オ．製造間接費	カ．現金

(2) 岩手製作所㈱は個別原価計算を採用しており、製造部門として第1製造部門と第2製造部門を、補助部門として修繕部門と動力部門を有している。製造原価の計算にあたり、製造間接費は各製造部門費として集計し、部門ごとに直接作業時間を基準として予定配賦している。次の［資料］にもとづいて、以下の**問1～問3**に答えなさい。

［資 料］

1．部門別製造間接費予算（年間）

第1製造部門	第2製造部門	修繕部門	動力部門
8,064,000円	6,840,000円	3,240,000円	1,296,000円

2．予定直接作業時間（年間）
　　第1製造部門：2,400時間、第2製造部門：1,920時間

3．補助部門費配賦のためのデータ

	配賦基準	合計	第1製造部門	第2製造部門	修繕部門	動力部門
修繕部門	修繕回数	13回	4回	6回	—	3回
動力部門	動力消費量	3,500kwh	1,200kwh	1,500kwh	500kwh	300kwh

4．当月は製造指図書番号601と602のみに着手し、601は完成、602は月末仕掛品となっている。なお、月初仕掛品はなかった。当月実際直接作業時間は、第1製造部門が601に150時間、602の30時間であり、第2製造部門が601に130時間、602の22時間であった。

問1　直接配賦法によって答案用紙の予算部門別配賦表を完成させなさい。
問2　答案用紙に示した当月の第1製造部門費勘定および第2製造部門費勘定の空欄に適切な金額を記入しなさい。
問3　当月に把握した第1製造部門の原価差異を、予算差異と操業度差異に分析しなさい。

２　級　④

工　業　簿　記

第４問

(1)

	借　　方		貸　　方	
	記　号	金　　額	記　号	金　　額
1	（　　）		（　　）	
	（　　）		（　　）	
	（　　）		（　　）	
2	（　　）		（　　）	
	（　　）		（　　）	
	（　　）		（　　）	
3	（　　）		（　　）	
	（　　）		（　　）	
	（　　）		（　　）	

(2)

問1

直接配賦法　　　　　　　　　　　部　門　別　配　賦　表　　　　　　（単位：円）

部　門　費	配賦基準	金　　額	製造部門		補助部門	
			第1製造部門	第2製造部門	修繕部門	動力部門
部門費合計		19,440,000	8,064,000	6,840,000	3,240,000	1,296,000
修繕部門費	修繕回数					
動力部門費	動力消費量					
製造部門費						
予定配賦率		—				

問2

第1製造部門費

実際発生額	780,000	予定配賦額（　　　　）
		原価差異（　　　　）

第2製造部門費

実際発生額（　　　　）	予定配賦額（　　　　）
原価差異　5,400	

問3

予 算 差 異　[　　　　　　　　　　]　円（　　　）

操 業 度 差 異　[　　　　　　　　　　]　円（　　　）

（注）問３の差異表記については、金額の後に「借方」または「貸方」と記入して区別すること。

第5問

　S株式会社（以下S社）は都内にレストランチェーンを展開しており、現在、新宿店の3月の実績データをもとに、4月の利益計画を作成している。S社は直接原価計算による損益計算書を用いており、3月の損益計算書は次の[資料]のとおりである。下記の[会話文]の（　①　）～（　⑥　）に入る数値を計算しなさい。

[資　料]

直接原価計算による月次損益計算書

（単位：円）

売　上　高		3,600,000
変　動　費		
食　材　費	1,120,000	
製造間接費	320,000	（各自計算）
貢　献　利　益		（各自計算）
固　定　費		
労　務　費	1,290,000	
支　払　家　賃	217,800	
一　般　管　理　費	112,200	（各自計算）
営　業　利　益		（各自計算）

[会話文]

社　　　長：お疲れさま。3月の分析からお願いします。

経理部長：3月の損益計算書をもとに計算すると、貢献利益率は（　①　）％、損益分岐点売上高は（　②　）円でした。

社　　　長：なるほど。では、4月に180,000円の営業利益を獲得するためには、売上高はいくら必要になりますか。

経理部長：（　③　）円です。ただ、4月の利益計画を作成するにあたり、会計コンサルタントから変動費と固定費の区分に問題があると指摘されました。そこでわが社の経営実態に即して、今まで固定費としていたアルバイトに対する労務費を、4月からは変動費とすることにしました。

社　　　長：そうすると、店長に対する労務費だけが、固定費になるわけですね。具体的な金額はどうなりますか。

経理部長：はい。アルバイトに対する労務費1,080,000円が変動費となるため、固定費合計は（　④　）円になります。なお、変動費・固定費の組み替え後では、経営レバレッジ係数が下がります。

社　　　長：経営レバレッジ係数？

経理部長：はい。販売価格、変動費率、固定費は変わらないものとすると、従来の場合、仮に売上高が5％低下すると、営業利益は80％に減少します。一方、変動費・固定費の組み替え後では、営業利益は（　⑤　）％に減少し、このような変化率を指標化したものを経営レバレッジ係数といいます。
　当該指標を用いると従来の経営レバレッジ係数は（　⑥　）となるのに対し、変動費・固定費の組み替え後の経営レバレッジ係数は2となります。このように、経営レバレッジ係数が大きいということは、それだけ営業量の変化率に対して、営業利益の変化率が大きいということを意味しています。

社　　　長：なるほど。固定費の利用度を表しているともいえますね。競合他社と比較してみましょうか。

経理部長：資料はこちらに…

　　　　　（S社の戦略会議はまだまだ続く）

2024年度
ＴＡＣ予想模試
第４回答案用紙

2 級 ⑤

採 点 欄
第5問

工 業 簿 記

第5問

① [   ]

② [   ]

③ [   ]

④ [   ]

⑤ [   ]

⑥ [   ]

2024年度
ＴＡＣ予想模試
第3回答案用紙

2 級 ③

商 業 簿 記

採 点 欄
第3問

第3問

損 益 計 算 書
自×4年4月1日　至×5年3月31日　　　　（単位：円）

Ⅰ　売　　　上　　　高
　1　商　品　売　上　高　（　　　　　）
　2　役　　務　　収　　益　（　　　　　）　（　　　　　　）
Ⅱ　売　　上　　原　　価
　1　売　　上　　原　　価　（　　　　　）
　2　役　　務　　原　　価　（　　　　　）　（　　　　　　）
　　　　　売　上　総　利　益　　　　　　　　（　　　　　　）
Ⅲ　販　売　費　及　び　一　般　管　理　費
　1　給　　　　　　　料　（　　　　　）
　2　通　　信　　費　（　　　　　）
　3　貸　倒　引　当　金　繰　入　（　　　　　）
　4　減　価　償　却　費　（　　　　　）
　5　商　品　保　証　引　当　金　繰　入　（　　　　　）
　6　保　　険　　料　（　　　　　）　（　　　　　　）
　　　　　営　業　利　益　　　　　　　　　　（　　　　　　）
Ⅳ　営　業　外　収　益
　1　受　取　利　息　（　　　　　）
　2　受　取　配　当　金　（　　　　　）
　3　有　価　証　券　利　息　（　　　　　）　（　　　　　　）
Ⅴ　営　業　外　費　用
　1　貸　倒　引　当　金　繰　入　　　　　　（　　　　　　）
　　　　　経　常　利　益　　　　　　　　　　（　　　　　　）
　　　　　税　引　前　当　期　純　利　益　　（　　　　　　）
　　　　　法人税、住民税及び事業税　（　　　　　）
　　　　　法　人　税　等　調　整　額　（△　　　　　）　（　　　　　　）
　　　　　当　期　純　利　益　　　　　　　　（　　　　　　）

第4問

(1) 下記の各取引について仕訳しなさい。ただし、勘定科目は、設問ごとに最も適当と思われるものを選び、答案用紙の（　　）の中に記号で解答すること。

1．当月、素材3,600kg（購入代価1,450円/kg）、買入部品1,350個（購入代価600円/個）、燃料6,000ℓ（購入代価250円/ℓ）、工場消耗品429,000円（購入代価）を掛けで購入し倉庫に納入した。なお、素材と買入部品の購入に際しては購入代価の30%を材料副費として予定配賦している。

　　ア．仕掛品　　　　　　　　イ．材料副費　　　　　　　ウ．製造間接費
　　エ．買掛金　　　　　　　　オ．材料　　　　　　　　　カ．材料副費配賦差異

2．当月の賃金の消費額を計上する。直接工の作業時間報告書によれば、直接作業時間は1,750時間、間接作業時間は70時間、手待時間は15時間であった。当工場において適用される直接工の予定賃率は1時間あたり3,400円である。また、間接工については、月初賃金未払高280,000円、当月賃金支払高5,050,000円、月末賃金未払高302,000円であった。

　　ア．材料　　　　　　　　　イ．賃金・給料　　　　　　ウ．経費
　　エ．製造間接費　　　　　　オ．仕掛品　　　　　　　　カ．賃率差異

3．直接作業時間を配賦基準として、当月の製造間接費を各製造指図書に予定配賦する。当月の実際直接作業時間は、2,300時間であった。なお、当工場の年間の製造間接費予算は46,400,000円、予定総直接作業時間は14,500時間である。

　　ア．材料　　　　　　　　　イ．賃金・給料　　　　　　ウ．経費
　　エ．製造間接費　　　　　　オ．仕掛品　　　　　　　　カ．賃率差異

(2) 当社はXとYという2種類の製品を製造しており、原価計算方法として組別総合原価計算を採用している。次の〔資料〕にもとづいて、答案用紙の組別総合原価計算表を完成しなさい。

〔資　料〕

1．X組製品の生産データおよび原価データ等

			直 接 材 料 費	直 接 労 務 費	その他加工費
月 初 仕 掛 品	90個	(50%)	236,250円	252,000円	189,000円
当 月 投 入	390個		1,510,500円	828,000円	1,417,500円
合　　計	480個		1,746,750円	1,080,000円	1,606,500円
月 末 仕 掛 品	75個	(60%)			
完 成 品	405個				

2．Y組製品の生産データおよび原価データ等

			直 接 材 料 費	直 接 労 務 費	その他加工費
月 初 仕 掛 品	25個	(40%)	337,500円	25,875円	49,125円
当 月 投 入	360個		4,179,600円	781,125円	1,028,250円
合　　計	385個		4,517,100円	807,000円	1,077,375円
月 末 仕 掛 品	20個	(50%)			
減　　損	40個				
完 成 品	325個				

3．その他
(1) 生産データの（　　）内は加工費の進捗度である。
(2) X組の直接材料のうち18,750円は終点に投入したものであり、他はすべて始点投入である。
(3) X組およびY組ともに、組直接費は直課しているが、組間接費は機械作業時間を基準に実際配賦する。当月機械作業時間はX組80時間、Y組120時間、組間接費の実際集計額は843,750円である。なお、X組およびY組ともに、原価データの当月その他加工費の金額は組間接費配賦前の金額である。
(4) Y組の減損は正常なものであり、正常減損費は度外視法により良品に負担させる。なお、減損の発生時点は明らかになっていない。
(5) 原価投入合計額を完成品総合原価と月末仕掛品原価に配分する方法は、X組は平均法、Y組は先入先出法による。

２　級　④

工　業　簿　記

第４問

(1)

	借　　方		貸　　方	
	記　号	金　額	記　号	金　額
1	(　　)		(　　)	
	(　　)		(　　)	
	(　　)		(　　)	
2	(　　)		(　　)	
	(　　)		(　　)	
	(　　)		(　　)	
3	(　　)		(　　)	
	(　　)		(　　)	
	(　　)		(　　)	

(2)

組別総合原価計算表　　　　　　　　　（単位：円）

	Ｘ　組　製　品		Ｙ　組　製　品	
	直 接 材 料 費	加 工 費	直 接 材 料 費	加 工 費
月初仕掛品原価				
当 月 製 造 費 用				
合　　　計				
月末仕掛品原価				
完成品総合原価				

第5問

　T社は、食材を仕入れて製品Xに加工し、直営の店舗で販売する製造小売チェーンを展開している。原価計算方式としては、パーシャル・プランの標準原価計算を採用している。次の［資料］にもとづいて、当月の月次損益計算書を完成しなさい。

［資　料］

1．製品X 1個当たりの標準原価

直接材料費	1,500円／kg　×0.6 kg	900 円
加　工　費	1,200円／時間×0.25時間	300 円
		1,200 円

2．当月の生産・販売データ

月初仕掛品	1,500 個（60％）		月初製品	600 個
当月着手	5,900		完　成　品	6,000
合　計	7,400 個		合　計	6,600 個
月末仕掛品	1,400　（50％）		月末製品	400
完　成　品	6,000 個		販　売　品	6,200 個

　　材料はすべて工程の始点で投入している。

　　（　　）内は加工進捗度を示す。

3．当月の原価実績

　　製　造　費　用

| 直接材料費 | 5,451,000円 |
| 加　工　費 | 1,782,000円 |

　　販売費及び一般管理費

販売員給料	7,620,000円
地　代　家　賃	1,578,000円
水道光熱費	1,164,000円
そ　の　他	915,000円

4．その他の条件

⑴　製品Xの販売単価は3,600円である。

⑵　標準原価差異は月ごとに損益計算に反映させており、その全額を売上原価に賦課する。

2024年度
TAC予想模試
第3回答案用紙

2 級 ⑤

工 業 簿 記

採 点 欄
第5問

第5問

月 次 損 益 計 算 書(一部)　　　　　　　(単位：円)

Ⅰ　売　　　上　　　高　　　　　　　　　　　　　(　　　　　　　)

Ⅱ　売　上　原　価

　　月 初 製 品 棚 卸 高　　　(　　　　　　　)

　　当 月 製 品 製 造 原 価　　(　　　　　　　)

　　　　合　　　計　　　　　(　　　　　　　)

　　月 末 製 品 棚 卸 高　　　(　　　　　　　)

　　　　差　　　引　　　　　(　　　　　　　)

　　標 準 原 価 差 異　　　　(　　　　　　　)　　(　　　　　　　)

　　　　売 上 総 利 益　　　　　　　　　　　　　(　　　　　　　)

Ⅲ　販売費及び一般管理費　　　　　　　　　　　　(　　　　　　　)

　　　営　業　利　益　　　　　　　　　　　　　　(　　　　　　　)

2024年度
ＴＡＣ予想模試
第２回答案用紙

２ 級 ③

商 業 簿 記

採 点 欄
第3問

第3問

貸 借 対 照 表
×4年３月31日　　　　　　　（単位：円）

資 産 の 部		負 債 の 部	
I 流 動 資 産		I 流 動 負 債	
1 現 金 預 金	（　　）	1 支 払 手 形	2,546,200
2 受 取 手 形 （　　）		2 買 掛 金	（　　）
3 不 渡 手 形 1,500,000		3 未払法人税等	（　　）
4 売 掛 金 （　　）		4 リ ー ス 債 務	（　　）
貸 倒 引 当 金 （△　　）	（　　）	5 短 期 借 入 金	（　　）
5 有 価 証 券	（　　）	流 動 負 債 合 計	（　　）
6 商　　　品	（　　）	II 固 定 負 債	
7 前 払 費 用	（　　）	1 退職給付引当金	（　　）
流 動 資 産 合 計	（　　）	2 長期リース債務	（　　）
II 固 定 資 産		3 長 期 借 入 金	（　　）
1 有形固定資産		固 定 負 債 合 計	（　　）
（1）建　　物 18,000,000		負 債 合 計	（　　）
減価償却累計額 （△　　）	（　　）		
（2）リ ー ス 資 産 12,000,000		純 資 産 の 部	
減価償却累計額 （△　　）	（　　）	I 株 主 資 本	
2 無形固定資産		1 資 本 金	20,000,000
（1）ソフトウェア	（　　）	2 利 益 剰 余 金	
固 定 資 産 合 計	（　　）	（1）利 益 準 備 金 2,400,000	
		（2）繰越利益剰余金 （　　）	（　　）
		株 主 資 本 合 計	（　　）
		純 資 産 合 計	（　　）
資 産 合 計	（　　）	負債及び純資産合計	（　　）

第4問

(1) 下記の各取引について仕訳しなさい。ただし、勘定科目は、設問ごとに最も適当と思われるものを選び、答案用紙の（　）の中に記号で解答すること。

1. 当社は材料を継続記録法によって管理している。月末帳簿棚卸高は20kgであった。月末に材料の実地棚卸を行ったところ、月末の実地棚卸高は18kgであることがわかった。材料の実際単価2,500円/kgを用いて計算しなさい。なお、当月に生じた材料の棚卸減耗は正常な数量である。

ア．買掛金　　　　　　　イ．材料　　　　　　　　ウ．材料費
エ．材料副費　　　　　　オ．仕掛品　　　　　　　カ．製造間接費

2. 当社は、標準原価計算（勘定記入の方法はシングル・プラン）を採用している。当月の標準原価は、直接材料費200,000円、直接労務費170,000円、製造間接費340,000円であった。このとき、各原価要素の勘定から仕掛品勘定へ振り替える。

ア．仕掛品　　　　　　　イ．製品　　　　　　　　ウ．材料
エ．賃金・給料　　　　　オ．製造間接費　　　　　カ．原価差異

3. 当社は本社会計から工場会計を独立させており、製品販売に関する会計処理はすべて本社が行っている。工場会計にある勘定科目は材料、賃金・給料、製造間接費、仕掛品、製品、本社である。本社が製品850,000円（工場での製造原価は500,000円）を販売したときの工場側の仕訳を示しなさい。

ア．本社　　　　　　　　イ．工場　　　　　　　　ウ．仕掛品
エ．製品　　　　　　　　オ．売掛金　　　　　　　カ．売上

(2) S社では、当月（10月）よりカスタマイズされた機械の受注生産を行っており、製品原価の計算には実際個別原価計算（オーダー別）を採用している。次の [資料] にもとづいて、下記の各問に答えなさい。なお、月次損益計算書の原価差異について、売上原価から差し引くことになる場合には、金額の前に△を付して解答すること。

[資料] 当月の受注状況および直接製造費用等

オーダー番号 ＼ 製造費用等	直接材料費（主要材料消費額）	直接労務費（直接工賃金）	直接経費（外注加工賃）	直接作業時間	備考
No.001	510,000円	900,000円	120,000円	400時間	10/ 3着手 10/ 9一部仕損 10/20完成、10/22販売
No.001-2	45,000円	225,000円	―	100時間	10/10補修開始 10/13補修完了
No.002	540,000円	450,000円	150,000円	200時間	10/16着手、10/24完成 10/31在庫
No.003	450,000円	180,000円	36,000円	80時間	10/22着手、10/31仕掛

（注）1. オーダーNo.001-2は、オーダーNo.001に生じた仕損を補修する作業にかかるものである。
　　　2. 直接工賃金の消費額は、予定消費賃率を用いて計算しており、当月の直接作業時間は780時間、間接作業時間は20時間であった。なお、実際消費額の資料として、前月未払高39,000円、当月支払高1,785,000円、当月未払高60,000円を把握した。
　　　3. 外注加工賃は、特殊加工作業の一部を協力会社U社に依頼した際に発生したものである。なお、オーダーNo.001-2（仕損の補修作業）は、当社直接工のみで実施完了したため、外注作業依頼は行われていない。
　　　4. 製造間接費について、直接作業時間を基準に予定配賦を行っている。
　　　　　年間製造間接費予算額：17,280,000円　　　年間予定直接作業時間：9,600時間
　　　　　なお、製造間接費の当月実際発生額は1,416,000円であった。
　　　5. 原価差異は当月の売上原価に賦課する。

問1　答案用紙に示した当月の仕掛品勘定を完成しなさい。
問2　答案用紙に示した当月の月次損益計算書（一部）を完成しなさい。

2024年度
TAC予想模試
第2回答案用紙

2 級 ④

工 業 簿 記

採 点 欄
第4問

第4問

(1)

	借　方		貸　方	
	記　号	金　額	記　号	金　額
1	（　　）		（　　）	
	（　　）		（　　）	
	（　　）		（　　）	
2	（　　）		（　　）	
	（　　）		（　　）	
	（　　）		（　　）	
3	（　　）		（　　）	
	（　　）		（　　）	
	（　　）		（　　）	

(2)

問1

仕　掛　品　　　　　　（単位：円）

直 接 材 料 費 （　　　　）	当 月 完 成 高 （　　　　）
直 接 労 務 費 （　　　　）	月 末 仕 掛 品 （　　　　）
直 接 経 費 （　　　　）	
製 造 間 接 費 （　　　　）	
（　　　　）	（　　　　）

問2

月次損益計算書（一部）　　（単位：円）

売 上 高		3,600,000
売 上 原 価	（　　　　）	
原 価 差 異	（　　　　）	（　　　　）
売 上 総 利 益		（　　　　）

第5問

当社は、製品原価の計算に累加法による工程別総合原価計算を採用している。次の [資料] にもとづいて、答案用紙に示した金額を答えなさい。

[資 料]

1. 月末仕掛品の評価は、第1工程は平均法、第2工程は先入先出法によっている。
2. 当月の生産データは次のとおりである。なお、原料はすべて第1工程の始点で投入されており、( ) 内の数値は加工進捗度を示している。

	第1工程	第2工程
月 初 仕 掛 品	600 個 (0.2)	300 個 (0.3)
当 月 投 入	4,200	3,750
合 計	4,800 個	4,050 個
正 常 仕 損 品	300	450
月 末 仕 掛 品	750 (0.6)	600 (0.8)
完 成 品	3,750 個	3,000 個

3. 第1工程の終点で発生する正常仕損品には処分価額はない。また、第2工程の途中で発生する正常仕損品には 1,233,600円の処分価額があり、これを前工程費の計算上控除する。度外視法により計算すること。
4. 当月の工程別総合原価計算表は次のとおりである。

工程別総合原価計算表

(単位：円)

	第1工程			第2工程		
	原 料 費	加 工 費	合 計	前工程費	加 工 費	合 計
月初仕掛品原価	5,068,800	1,607,040	6,675,840	5,875,200	892,800	6,768,000
当月製造費用	29,030,400	42,888,960	71,919,360	?	32,544,000	?
合 計	34,099,200	44,496,000	78,595,200	?	33,436,800	?
正 常 仕 損 品	—	—	—	1,233,600	—	1,233,600
月末仕掛品原価	?	?	?	?	?	?
完成品総合原価	?	?	?	?	?	?

第5問

(1)　第１工程月末仕掛品原価に含まれる原料費　：　[　　　　　　　]　円

(2)　第１工程完成品総合原価に含まれる第１工程加工費　：　[　　　　　　　]　円

(3)　第１工程完成品総合原価　：　[　　　　　　　]　円

(4)　第２工程完成品総合原価に含まれる第２工程加工費　：　[　　　　　　　]　円

(5)　第２工程月末仕掛品原価　：　[　　　　　　　]　円

(6)　第２工程完成品単位原価　：　[　　　　　　　]　円/個

第3問

決算整理後残高試算表
×3年3月31日
（単位：円）

借　　　　方	勘 定 科 目	貸　　　　方
	現 金 預 金	
	受 取 手 形	
	売 掛 金	
	貸 倒 引 当 金	
	繰 越 商 品	
	未 収 入 金	
	未 収 収 益	
	売 買 目 的 有 価 証 券	
	建 物	
	建 物 減 価 償 却 累 計 額	
	備 品	
	備 品 減 価 償 却 累 計 額	
	土 地	
	の れ ん	
	長 期 貸 付 金	
	繰 延 税 金 資 産	
	支 払 手 形	
	買 掛 金	
	未 払 法 人 税 等	
	長 期 未 払 金	
	資 本 金	
	資 本 準 備 金	
	利 益 準 備 金	
	繰 越 利 益 剰 余 金	
	売 上	
	受 取 利 息	
	有 価 証 券 評 価 益	
	固 定 資 産 売 却 益	
	仕 入	
	給 料	
	支 払 地 代	
	減 価 償 却 費	
	為 替 差 損	
	棚 卸 減 耗 損	
	の れ ん 償 却	
	貸 倒 損 失	
	貸 倒 引 当 金 繰 入	
	法人税、住民税及び事業税	
	法 人 税 等 調 整 額	

工　業　簿　記

第4問

(1) 下記の各取引について仕訳しなさい。ただし、勘定科目は、設問ごとに最も適当と思われるものを選び、答案用紙の（　）の中に記号で解答すること。

1. 当月における材料副費の実際発生額は予定配賦額より23,000円高かった。よって、差額を振り替える際の仕訳を示しなさい。

    ア．材料副費　　　　　　　　イ．仕掛品　　　　　　　　ウ．材料副費配賦差異

    エ．材料　　　　　　　　　　オ．賃金　　　　　　　　　カ．製造間接費

2. 買入部品の当月実際消費数量は550個であった。よって、買入部品の消費についての仕訳を示しなさい。なお、消費単価の計算は平均法によっている。

    前月繰越　　200個　　@2,400円　　　480,000円
    当月仕入　　600個　　@2,640円　　1,584,000円

    ア．製造間接費　　　　　　　イ．製品　　　　　　　　　ウ．賃金

    エ．材料　　　　　　　　　　オ．経費　　　　　　　　　カ．仕掛品

3. 本社会計から工場会計を独立させている当工場において、製品製造に関わる当月分の特許権使用料は280,000円であった。支払いは本社が小切手を振り出して行った。工場側の仕訳を示しなさい。なお、工場元帳には、次の勘定が設定されている。

    ア．本社　　　　　　　　　　イ．仕掛品　　　　　　　　ウ．材料

    エ．製品　　　　　　　　　　オ．製造間接費　　　　　　カ．材料副費

(2) 下記の［資料］にもとづき、答案用紙の製造原価報告書を完成させ、当月の売上原価を答えなさい。

［資　料］

1. 材料の消費

    月初有高24,000円、当月仕入高1,786,000円、月末有高30,000円であった。また、当月材料消費額のうち313,500円は間接材料費であった。

2. 賃金・給料の消費

    直接工については、前月未払高38,000円、当月支払高762,500円、当月未払高40,000円、間接工については、前月未払高20,000円、当月支払高109,500円、当月未払高18,000円であった。また、事務職員については、前月未払高8,000円、当月支払高58,000円、当月未払高10,000円であった。なお、当月における直接工の作業時間は、すべて直接作業時間であった。

3. 経費の消費

    水道光熱費320,000円、保険料220,000円、減価償却費460,000円、その他58,000円であった。なお、当月に消費した経費は、すべて間接経費であった。

4. 製造間接費は直接労務費の200％を予定配賦した。

5. 製造間接費配賦差異は売上原価に賦課する。

6. 仕掛品の有高

    月初有高は40,000円、月末有高は60,000円であった。

7. 製品の有高

    月初有高は32,000円、月末有高は57,000円であった。

採 点 欄

第4問

第4問

(1)

	借　　方		貸　　方	
	記　号	金　額	記　号	金　額
1	(　　)		(　　)	
	(　　)		(　　)	
	(　　)		(　　)	
2	(　　)		(　　)	
	(　　)		(　　)	
	(　　)		(　　)	
3	(　　)		(　　)	
	(　　)		(　　)	
	(　　)		(　　)	

(2)

製 造 原 価 報 告 書

（単位：円）

```
Ⅰ 材　　　　　料　　　　費
  1 月 初 材 料 棚 卸 高      (          )
  2 当 月 材 料 仕 入 高      (          )
          合　　　計         (          )
  3 月 末 材 料 棚 卸 高      (          )     (          )
Ⅱ 労　　　　　務　　　　費
  1 賃　　　　　　　　金      (          )
  2 給　　　　　　　　料      (          )     (          )
Ⅲ 経　　　　　　　　　費                        (          )
          合　　　計                           (          )
      製 造 間 接 費 配 賦 差 異                  (          )
      当 月 総 製 造 費 用                       (          )
      月 初 仕 掛 品 棚 卸 高                     (          )
          合　　　計                           (          )
      月 末 仕 掛 品 棚 卸 高                     (          )
      当 月 製 品 製 造 原 価                     (          )
```

当月の売上原価　　　　　　　　　円

第5問

　W社は製品Zを製造・販売している。これまで全部原価計算による損益計算書のみを作成してきたが、販売量と営業利益の関係がわかりにくいため、当期より全部原価計算の損益計算書とともに直接原価計算による損益計算書を作成することにした。なお、**問3**と**問4**では翌期において、販売単価、平均変動費率および年間固定費が当期と同様であると予測されている。

(1)　生産・販売データ（仕掛品は存在しない）

	当　期	翌　期
期首製品在庫量	0 個	0 個
当期製品生産量	3,000個	3,750個
当期製品販売量	3,000個	3,000個
期末製品在庫量	0 個	750個

(2)　当期の全部原価計算による損益計算書

損　益　計　算　書　（単位：円）

売上高	11,250,000
売上原価	7,920,000
売上総利益	3,330,000
販売費および一般管理費	1,224,000
営業利益	2,106,000

①　製造原価

　　製品1個あたり変動製造原価1,740円　　固定製造原価　？　円

②　販売費および一般管理費（一般管理費はすべて固定費）

　　製品1個あたり変動販売費60円　　固定販売費および一般管理費　？　円

問1　当期の直接原価計算による損益計算書を完成しなさい。

問2　(1)変動費率と(2)貢献利益率を計算しなさい。

問3　翌期における損益分岐点の(1)売上高と(2)販売数量を計算しなさい。

問4　当期と比べて翌期の(1)全部原価計算と(2)直接原価計算の営業利益がいくら増減するか計算しなさい。

２ 級 ⑤

工 業 簿 記

第5問

問1

損 益 計 算 書（単位：円）

売　　上　　高	（　　　　　　　　　　）
変 動 売 上 原 価	（　　　　　　　　　　）
変動製造マージン	（　　　　　　　　　　）
変 動 販 売 費	（　　　　　　　　　　）
貢　献　利　益	（　　　　　　　　　　）
固 定 製 造 原 価	（　　　　　　　　　　）
固定販売費および一般管理費	（　　　　　　　　　　）
営　業　利　益	（　　　　　　　　　　）

問2

(1) ［　　　　　　　　　％］　(2) ［　　　　　　　　　％］

問3

(1) ［　　　　　　　　　円］　(2) ［　　　　　　　　　個］

問4

(1) ［　　　　　　　　　円］　(2) ［　　　　　　　　　円］